전영욱 지음

어느 외교관의

낯섦, 미주, 엄두미, 중애

요원부의 낯섦

자연과 사람들,
역사와 문화를 찾아서

★★★
35년차
외교관의
여행에세이

★★★
3대륙을
넘나드는
세상 견문록

FESTBOOK
MEDIA

전영욱

지은이 전영욱은 1986.6월 제20회 외무고등고시로 외교부 입부해서 35년간 외교관으로 일했다.

외교부 유럽국, 재외동포영사국, 국제법률국, 통상교섭본부에서 사무관, 서기관으로 그리고 영사과장, 유럽연합-러시아통상과장, 중남미심의관으로 근무했다. 재외공관은 그리스, 스웨덴, 베네수엘라, 로스앤젤레스, 콜롬비아에서 근무하고, 주볼리비아 대사, 주코스타리카 대사, 주두바이 총영사를 역임했다.

경남 거창에서 태어나 거창대성고, 한국외국어대학교 정외과 및 동 대학원 경제학과를 졸업하고, Universidad Pontificia Comillas 대학교의 ICADE 대학원 (마드리드 소재) 에서 유럽 공동체 석사과정을 마쳤다. 한반도 이슈, 국제관계, 국제법, 경제통상 문제 그리고 여러 대륙과 나라들의 역사와 문화에 관심이 많다.

어느 외교관의

유럽, 미국, 중남미, 중동

여행과 회상

추천의 글

최근에 정년 퇴직한 외교관이 그의 해외여행 경험을 바탕으로 유럽, 미국, 라틴아메리카, 중동에 관한 여행 에세이를 출간했다. 그는 지난 해 '어느 보통 외교관의 회고'라는 대외관계와 외교, 그리고 다른 대륙들의 이야기를 담은 책을 발간한 바 있다.

저자는 이번에는 **'어느 외교관의 유럽, 미국, 중남미, 중동 여행과 회상'**을 통하여 35년간의 외교관 생활 가운데 24년간 해외에서 거주하거나 여행하면서 보고 듣고 느낀 것들을 기술하였다. 이 책은 그가 주로 거주하고 여행했던 유럽, 미국, 중남미, 카리브 도서 국가, 두바이와 무슬림 세계 등에 관하여 보고 듣고 느끼고 청취한 내용을 정리한 것으로, 자연과 사람들, 역사, 문화 등 다방면에 일반 여행객들이 체험하기 쉽지 않은 내용을 많이 담고 있다.

이 책은 굳이 분류하자면 여행에세이이자 여행안내서를 겸한다고 볼 수 있다. 일반 여행안내서들은 보고 먹는 데 많은 지면을 할애하지만, 이 책은 자연경관, 문화유적뿐만 아니라 더 나아가 여행객들에게 유용한 역사, 문화, 예술적 다양한 시각과 정보를 제공한다. 여행 일반에 관한 기본적인 것들로부터 시작 해서 유럽, 미국, 중남미, 두바이와 무슬림 세계에 관하여 전체적으로 그리고 때로는 심층적으로 자연경관과 유적, 역사, 문화, 음식, 음료와 주류, 악기, 그림, 제국, 여행기, 의전 등 내용을 담고 있다.

그의 이야기는 동서양을 넘나들며 다루는 주제도 천차만별이다. 그가 구경한 자연, 경험한 세상, 다른 사람들의 세계관과 시각, 시선은 여행안내서가 되기도 하고 우스꽝스럽기도 하고 때로는 교훈이 되기도 한다. 일반 여행객의 시각에서 적은 것도 많이 있지만 외교관의 시각으로 예리하고 분석적이고 심층적으로 기술한 내용들도 담고 있어서 세계사를 이해하고 여행, 사업 등에 필요한 각종 관습과 현지 상식을 이해하는 데 도움이 될 수도 있다.

그래서 해외여행에 관심이 많은 일반 여행객들을 위한 여행안내서로뿐만이 아니라 여행의 목적, 시각, 차원에 관해 생각을 정리하고 향후 여행을 어떻게 할 것인지에 관해 여러 유익한 내용을 많이 담고 있다. 세계화, 국제화로 외국과의 접촉이 일상이 된 오늘날 해외에서 여행하는 데 유익한 각종 교양과 지식, 상식을 익히는 데에도 매우 유용하리라 믿는다.

본 저서에 수록된 사진의 생생함을 원하는 독자께서는
전자책을 통해 풍부한 사진을 경험할 수 있습니다.

머리말:
'어느 외교관의 유럽, 미국, 중남미, 중동 여행과 회상'을 시작하며

수개월 전 '어느 보통 외교관의 회고'라는 책을 발간했다.
그 책은 나의 공직을 정리하는 의미로 작성한 것이어서 국제정치, 대
외관계와 크게 관련이 없는 독자들에게는 다소 무거운 내용일 수도
있다는 생각이 들었다. 물론, 그 책의 몇 개 챕터에서는 라틴아메리카,
두바이 등에서 보고 듣고 경험한 것들을 여행 에세이 형태로 기술했
었다.

나는 35년의 외교관 생활 중에서 24년을 해외에서 보냈다. 마르코 폴
로만큼이나 오랜 기간, 이 나라 저 나라를 다녔다. 그러다 보니 '어느
보통 외교관의 회고'에는 여행에 관한 기억과 내 생각들, 여행 에세이
에 해당하는 것을 모두 다 담을 수가 없어 다음에 쓸 책에 담기로 하
고 남겨 두었었다. 이것을 이제 정리하고자 다시 자판을 두들기게 되
었다.

여기에 쓰는 내용은 외국에서 상주하거나 여행하는 동안 개인적으로
경험하거나 느낀 것을 적는 것이다. 나의 긴 여행에 관하여 회상과 사
색하는 것은 에세이 부류이기도 하지만 내 생각은 더 자유롭고 즐거
운 편이다. 그래서 이 책은 단순한 여행 에세이로 또는 여행안내서 이

상의 정치, 역사, 문화, 자연, 언어, 종교, 악기, 그림, 제국 등 다양한 것들을 서술했다.

내용적으로는 내가 보고 느끼고 체험하고 대화하고 듣고 생각했던 것을 바탕으로 기술하면서 역사적 혹은 과학적 사실, 유명한 여행기 또는 그림과 관련한 내용에 관해서는 위키피디아 등 인터넷 정보를 인용하거나 활용하였다.

오래전 기억이지만 1980년도 해외 출국자 수가 20만 명 미만이었던 것으로 기억한다. 코로나 직전 우리 국민의 해외여행 출국자 수가 연간 3천만 명을 넘었다. 우리 역사상 단군 이래 가장 많은 해외여행이다. 나라의 발전은 세상을 바르게 인식하는 데서부터 출발한다. 여행은 세상을 보는 거울이다. 우리 국민이 더 많이 자주 여행을 나가는 것이 바람직하다고 본다. 그리고 중국, 동남아, 미국, 유럽만 갈 것이 아니라, 다른 대륙들도 여행하면서 균형감과 다양성을 느끼고 배우기를 기대한다.

나의 여행은 유럽에서는 주로 스페인, 그리스, 스웨덴에서 거주하거나 비엔나, 짤스부르그, 바젤, 융프라우, 브뤼셀, 베를린, 런던, 로마, 파리, 폴란드 등 출장과 폴투갈, 프랑스, 이탈리아, 아테네, 올림피아, 이스탄불, 소피아, 베오그라드, 독일, 프라하 등 유럽의 나라와 도시들로 출장 또는 여행을,

아메리카 대륙에서는 로스앤젤레스와 베네수엘라, 콜롬비아, 볼리비아, 코스타리카에서 거주하면서 멕시코, 파나마, 에콰도르, 페루, 우루

과이, 파라과이, 브라질, 아르헨티나, 칠레 등 다른 나라와 트리니다드 토바고, 바베이도스, 그레나다, 수리남, 가이아나, 등 카리브해의 나라로 출장 또는 개인 여행을,

그리고 중동지역과 이슬람 지역에 관한 몇 가지 서술은 이집트, 튀르 기예 이스탄불, 스페인 안달루시아, 알바니아 여행과 두바이 근무 때 해당 지역 사람들로부터 GCC, MENA, 이란, 중앙아시아, 동남아 등 이슬람의 청취하고 획득한 정보를 바탕으로 이 책을 기술했다.

오늘날 항공편과 인터넷으로 연결되어 세계 어느 도시든 쉽게 연결되고 여행 정보가 편리하게 검색되지만, 여행객 각자의 일정, 관심, 동반자, 건강 상태 등 다양한 사정과 여건이 있다. 그래서 여행 안내서의 정보도 각자의 취향과 사정에 따라 가감이 필요할 것이다.

특히 최근에는 여행 목적이 단순히 자연이나 문명을 보는 여행에서 예술과 문화, 레저, 스포츠, 휴식, 순례, 체험, 대화 등 다양한 양태로 발전하였기에 더더욱 그렇다. 그리고 아쉽게도 나에겐 아프리카, 중앙아시아, 인도, 일본 그리고 많은 중동 나라들을 직접 가보지 못한 미지의 세계가 너무나 많다. 그래서 이 나라들은 거의 다루지 못해 아쉽다. 내가 가보지 못한 나라 또는 정보가 미흡한 나라에 관해서는 다른 여행서 또는 여행 에세이를 참고하기를 바란다.

사람들의 생각과 시각은 개개인마다 다르다. 이 책 또한 수많은 시각 중의 하나이다. 현실과 역사, 문화에 관해서일지라도 다른 이들은 나와는 다른 의견이나 느낌, 해석, 관점을 가질 수 있다고 본다.

다른 대륙과 다른 나라의 문화, 관습, 종교, 언어, 시각, 체제와 제도 등을 이해하면 취미로든 업무적으로든 유용할 수 있다. 아무쪼록 부족하나마 이 책이 독자들에게 우리와는 다른 대륙, 나라, 세상에 사는 사람들과 그들의 문화, 체제, 가치와 시각, 관습과 관행, 음악과 예술, 문화와 종교 등을 접하고 관찰하고 이해하며 삶의 반경을 넓히는 데 도움이 되길 바란다.

마지막으로 이 기회를 빌어 책 출간에 앞서 불명확한 내용과 오탈자를 찾아준 친구들 변종철, 최재선, 임영희 그리고 출간 작업을 조언하고 수고를 아끼지 않은 페스트북 마형민 편집장과 관계자들에게 깊은 감사를 드린다.

2023.2.15.
고향 원천 샘내에서

목차

1. 요항과 요항지에 대한 생각

여행을 한마디로 정리하기는 어렵지만, 여행을 생각할 때 우리는 아래와 같은 것들을 머리에 떠올린다.

여행과 자유, 미지의 세계에 대한 동경과 호기심

여행은 늘 있는 일상에서 벗어나는 것이다. 여행은 여행객에게 일상에서 벗어나는 자유를 제공한다. 그리고 일상과는 다른 새로운 혹은 미지의 세계가 다가오는 것이다. 새로운, 아직 다가오지 않은 세계에 대한 동경과 호기심이 없다면 여행의 매력은 절반 이하로 떨어질 것이다.

여행과 자연

좋은 경치, 산, 숲, 바다, 해변, 섬, 사막, 고산, 아마존, 설산. 4계절이 뚜렷한 우리나라는 상대적으로 기후 복이 많은 나라이다. 행성들의 평균온도, 예를 들면 금성 471° C, 수성 주간 430° C, 야간 −180° C, 화성 −28° C는 말할 것도 없고 (지구 평균은 16° C)와 지구상에서 가장 춥고 더운 기록, 1983년 남극의 Vostok에서 측정된 −89° C, 1922년 리비아의 Al 'Aziziyah 58° C, 미국 캘리포니아 Death Valley 56.7° C는 논외로 하더라도. 연중 무덥고 강수량이 많은 열대, 나무 한 그루 없는 연중 절반의 기간이 50° C를 오르내리는 사막의 나라, 맨땅에 황량한 스텝 지대, 바퀴벌레와 모기는 물론 산소 부족으로 대다수 생물의 생존이 어려운 고산 지대, 남극과 같은 동토의 지역 등에 비하면 그렇다. 인간의 생존 여건은 그 대륙과 나라들에 따라 많은 차이가 있다.

아마존의 열대 밀림이나 혹독히 추운 남극과 북극, 열사의 사막 등의 탐험에 열정을 가진 소수의 여행객을 제외하면 대다수 여행객은 아름다운 산과 해변, 독특한 풍경의 자연을 더 좋아할 것으로 본다. 나 또한 그렇다.

내가 오래 기억에 남는 것은 해변이다. 바다와 해변은 나라별로 무언가 좀 다른 같다. 그리스의 아테네, 고린도, 펠레폰네소스, 미코노스. 코르푸, 크레타의 쪽빛 바다, 지중해 스페인 해안의 발렌시아의 부드러운 바람의 바다, 큰 항구 도시 세비야, 바르셀로나, 대서양의 산딴데르, 리스보아, 사막이 인접한 카이로, 두바이와 아부다비, 지중해와 흑해가 만나는 이스탄불의 푸른 물결, 염도가 낮은 발틱 해의 스톡홀름, 라트비아 리가, 태평양의 로스앤젤레스, Santa Monica, Malibu, 샌디에고, 아카풀코, 파나마, 페루, 칠레, 발파라이소, 부에노스아이레스, 몬테비데오, 대서양의 뉴욕, 코스타리카 리몬, 콜롬비아 까르따헤나, 베네수엘라 카라카스, 수리남, 가이아나, 상파울, 카리브 해의 트리니다드 토바고, 수리남, 가이아나, 바베이도스, 그레나다, 쿠라사오…. 바다 풍경과 바닷가 주변의 Bar와 카페, 식당은 오랜 기억 속을 지나가는 완행열차이다. 바다와 해변은 방문하는 계절에 따라 또 다른 느낌을 준다.

또 하나는 아름다운 산과 평원, 호수, 등이다. 안데스의 볼리비아와 페루의 고원평야(Altiplano), 콜롬비아 Bogota, Medellin, 베네수엘라 Avila, Merida의 높은 산과 깊은 계곡, 스위스의 융프라우, 노르웨이의 만년 설산, Grand Canyon, Death Valley, Lake Titicaca, Salar de Uyuni, Tabacon…. 만리장성을 휘어 감는 산, 만주 봉천의 평원, 러시아의 푸른 숲들….

여행에서 자연을 제외한다면 인류의 문명과 문화만으로는 우리의 여행은 다소 무미건조하고 단조로워질지도 모른다.

여행과 역사 & 문화

여행은 역사와 문화를 떠나 생각하기 어렵다. 인간이 거주하지 않는 시베리아, 아마존 혹은 사하라 사막의 내륙을 제외한다면 어디든 역사와 문화가 존재한다. 신대륙보다는 구대륙에는 훨씬 긴 역사와 문화가 있다.

유적지, 박물관, 공연장, 음악회,
식당. 까페, 커피, 음악, 그림,
인종, 문화, 관습, 역사, 종교, 언어, 법과 행정, 여타 제도….

여행과 관광

여행과 관광은 의미가 다르지만, 또 매우 비슷하다. 그래서 별생각 없이 혼용해서 쓴다. 나도 그런 편이다. 여행과 관광은 둘 다 가는 것이다. 그리고 돌아오는 것을 가정하고 있다 (이주, 이민과는 다르다). 여행은 인문학적인 측면이 강하고 목적과 방향이 관광만큼 확실하지 않다. 여행은 취미, 여가를 연상시킨다. 반면에 관광은 보는 것에 초점이 있고 교통수단이 발달하면서 그룹 여행이 가능해지면서 생겨난 개념이다. 목적성, 집단성, 산업정책 혹은 학문과도 연계된다.

산업사회가 되면서 좀처럼 한가한 시간이나 휴가를 내기 어려운 현대인들은 거의 대다수가 여행이 아니라 짜인 패키지 투어, 관광을 하는 것이 일반화 되어 있다. 그러나 진정으로 제대로 된 여행을 원하거나 준비가 된 여행가라면 고생이나 도보도 마다하지 않을 것이다. 사막과 동토, 극지, 험준한 산맥과 아마존 밀림, 고산까지도….

여행과 스포츠 & 레저

여행은 휴식과 레저를 위해서이기도 하다. 여행에서는 새롭고 신선한 그 뭔가를 갈구하고 여유를 갖기를 희망한다. 최근 들어 여행과 스포츠, 레저가 접목되는 경우가 많다. 서핑(surfing), 래프팅(rafting), 스노클링(snorkeling), 행글라이딩(hang gliding), 집라인(zipline), 골프 여행, 요가, 온천….

여행과 순례

기독교인 중에는 이스라엘, 에게해 연안의 소아시아, 스페인의 산띠아고 데 꼼뽀스뗄라 등 성지 순례 여행을 하시는 분들도 많다. 흔치는 않지만, 이슬람교도가 있다면 메카 여행을 해보고 싶을 것이다. 불교 신자들도 인도의 불교 성지 혹은 중국의 유명 사찰을 돌아보는 것은 매우 의미 있는 여행이 될 것이다.

여행과 외로움과 고독

여행은 일상을 벗어나 새로운 세계로 떠나는 것이다. 그래서 이전에 얽히고설킨 사람들과는 여행 기간이나마 잠시라도 멀어진다. 그래서 구속받지 않는 자유를 느낄 수 있을 것이다. 그러나 이와 동시에 외로움과 고독이 자유의 다른 이면으로 찾아온다. 이전부터 알고 지내는 사람이 여행에 동행한다면 자유는 줄어들겠지만 외로움과 고독은 덜어질 것이다. 그러나 단순한 관광객이 아니라 진정한 여행객은 혼자만의 자유를 만끽하면서도 은자의 여유와 무한한 혼자만의 대화를 즐긴다. 외로움과 고독이 두렵고 고통스러운 환경이 아니라 길지 않은 여행 기간 일지라도 축복일는지 모른다.

여행과 인생

인생을 여행이라고도 한다. 인생은 출생으로부터 무덤에 가기까지 긴 여행이다. 그 여행은 동행하는 가족 혹은 사람들, 가는 곳의 자연, 문명과 문화, 만나는 사람들과의 대화와 사색…. 이런 과정의 연속이다.

그 과정은 사람마다 다 다르고, 그 긴 인생 여정에 쏟는 각자의 관심과 의미도 각각 다르다. 많은 사람은 돈을 위하여, 또 어떤 사람들은 출세 영욕을 위하여, 어떤 이는 새로운 무언가를 찾아서, 어떤 이는 국내의 답답함을 벗어나고 싶어서.

인생 여행은 시간이 가면 돌아올 수 없다. 1년 전 간 곳을 올해 다시 간다고 해도 그 나이, 그 시기 그리고 그날 날씨와 주변 여건과 분위기는 달라진다. 인생 여행은 언제나 이번이 처음이자 마지막이 된다.

나의 인생 여정, 인생 여행은 오랫동안 해외 거주를 했다는 점에서 국내에서 생활한 분들에 비해 다르다. 평생을 해외에서 보내는 분들에 비해서는 나의 해외 거주기간이 상대적으로 짧지만, 이 나라 저 나라, 이 대륙 저 대륙 옮겨 다니며 살아온 것이 다르다. 24년간 이 대륙 저 대륙, 외국의 이 나라, 저 나라 전전하게 되었다. 이사를 싫어하는 분들은 짜증스럽기도 하겠지만 현대판 유목민 같은 삶은 내가 견문을 넓히는 데 큰 도움이 되었다.

여행이 주는 신선함과 오랜 기억

사람들은 여행하면 시야가 탁 트인 넓은 바닷가의 해변과 그 시원함을 떠올리기도 한다. 이것은 여행객들이 언제나 새로운 무언가를 갈구하기 때문일 것이다. 여행객들은 늘 이 새로운 것, something new, fresh, not as usual을 찾는다. 이것은 젊은 세대들에게 더더욱 그렇다.

그러나 노년의 여행은 반드시 새로운 것을 갈구하지 않는다. 옛 기억을 찾아서, 과거를 그리며, 옛 친구를 찾아서, 혹은 그저 카페에 앉아 커피 마시고 회상하고 싶어 여행하기도 한다.

여행이 제공하는 꿈과 회상

젊어서는 큰 꿈을 갖고 사람을 사귀고 일을 이루도록 권장된다. 삼국지, 대망. 그런 것이 젊은 날의 꿈을 연상시킨다.
그러나 나이가 들면 오히려 지나간 시절을 회상하며 산다. 이때는 더 이상 삼국지를 덮어야 할 시기이다. 삼국지를 읽더라도 꿈을 위해서가 아니라 흥밋거리로 읽는다. 좋은 회상을 가진 사람은 백만장자나 높은 직위를 지닌 사람보다 행복하다.

중학 시절에 읽었던 초원의 빛을 나이 환갑이 지나서야 그 의미를 이제야 깨닫는다. 젊은 날의 좋은 시절은 더 이상 오지 않는다. 그렇더라도 나이가 들었으니 자중하고 점잖게 살라는 의미가 아닐까 싶다.

젊은이들은 더 원대하고 아름다운 꿈을 갖기 위하여, 장년층과 노년층은 흘러간 세월을 추억하기 위해서 혹은 아직도 남은 작은 희망을 얻기 위해 여행할지도 모른다.

여행과 음악

여행지에서 음악은 지중해 혹은 카리브 해변에서 포도주, 맥주 혹은 럼주 한잔하면서,
Brussel, Paris, Budapest, Madrid의 카페에서 창밖을 바라보며, 혹은 Colombia, Costa Rica 어느 커피농장에서 커피 밭을 바라보며 듣는 음악들은 각각이 다른 운치가 있다.
여행지에서의 음악은 때로는 강렬한 인상을 주고 잘 지워지지 않는다. 여행지에서는 그 현지 음악을 들어봄으로써 눈으로만 보는 것과는 다른 정서 혹은 무언가를 느낄 수 있을 것이다. 내 경우는 울란바토르의 전통 음악 공연을 관람했을 때, 바젤 회의 참석 후 주최 측이 베풀어준 백조의 호수 공연 관람, 스페인 마드리드 바에서 친구들과 한잔할 때 흘러나온 Lambada, 볼리비아 오루로 축제에서

Diablada … 등은 오랜 기억임에도 너무나 선명히 내 기억 속에 남아 있다.

음악이 Jazz, Bolero, American pop, French Chanson or others…. 그 무엇이든.
Comtine d'um autre ete, Danny Boy, Take me home country roads,
Caña dulce, Condor Pasa, Guantanamera, Cielito Lindo, Lambada
La Paloma, Plasir d'amour, …

여행을 계획할 때는 막연히 어디를 간다고만 생각할 것이 아니라, 여행에서 무엇을 보고 할 것인지 생각하고 관련 정보를 수집해서 활용할 필요가 있다. 때로는 나무에 올라가 물고기를 찾는 격으로 여행 목적과 여행지가 조화가 잘 안되는 때도 있다. 사전에 생각이나 준비가 미흡하면 후회가 따른다. 물론 여행이 항상 계획한 대로 되는 것은 아니다. 계획과 달리, 더러는 계획에 미치지 못하기도 하고 더러는 기대하지도 않은 좋은 기회와 추억을 가질 수도 있다.

여행과 에세이

앞서 여행과 관광을 비교해 보았는데, 그렇다면 독자들은 내가 쓰는 이 책이 어떤 성격의 것인지 궁금해질 것이다. 전체적으로 볼 때 이 책은 시중에 나와 있는 여행안내서와는 좀 다르다. 여행객들에게 유용한 정보를 많이 담고 있다. 여행 정보 이외에도 나 개인의 여행 에세이도 많이 담겨 있다. 항공기와 여행안내서, 여행업체들이 무수히 많지만, 한 사람이 이 지구상의 모든 곳을 다 보고 느낀다는 것은 불가능한 일이다. 더구나 여행의 관심과 초점이 자연이냐, 역사, 문화 혹은 예술이냐, 스포츠 혹은 레저냐에 따라 더더욱 그렇다. 이 책은 보는 관광뿐만 아니라, 대자연, 문명과 문화, 역사, 악기, 관습, 종교, 언어, 그림, 제국, 여행기 등 다양한 것들에 관하여 적었다. 여행 에세이이자 여행안내서에 해당한다고 할 것이다. 나는 단체 관광도 몇 번 경험해 봤지만, 대다수는 홀로 떠난 배낭여행, 해외 근무 때 공무 여행, 휴가 때 개인 여행을 통해 여러 대륙과 나라들의 모습을 보고 느끼고 비교하게 되었다.

한 가지 매우 중요한 점은 35년의 외교관 생활에서 24년을 외국의 여러 나라에서 주재하는 동안 그 나라의 다양한 부류의 사람들은 물론, 외교단, 영사단들과 접촉하고 대화하고 함께 어딘가 다니고 시간을 공유했던 기억이다. 이것은 일반 여행객들이 가질 수 없는 기회일 것이다. 공무를 위해서도 대화하고 개인적으로도 리셉션에서 혹은 카페에서, 시장에서, 공원에서 만나고 대화한다. 외교관계에 관한 비엔나 협약이나 영사 관계에 관한 비엔나 협약 조문에는 외교관들에게 엄청난 특권과 면제를 부여하는 것처럼 되어 있지만 시대가 바뀌면서 외교관들은 그 규정과 무관하게 일반 시민들과 마찬가지로 거의 예외 없이 다 지켜야 한다. 아니 오히려 국가를 대표한 공인이므로 더 모범적으로 잘 준수해야 한다. 예컨대, 면세혜택은 관행상 사실상 줄어들었고 자동차 속도위반이나 주정차 위반할 때 벌금을 내야 하는 경우는 점차 늘어가고 있다. 협약상의 특권 면제 보다는 여러 나라에서 다양한 사람들과 수많은 주제를 가지고 이런저런 대화 기회를 가지는 그것이야말로 외교관들이 누리는 가장 귀중한 특권이 아닌가 생각한다.

여러 나라에서 다양한 사람들과의 대화, 이것이 내 머릿속에 input 되어 여러 생각들이 떠오르게 된다. 물론 직업이 외교관이었기 때문에 자연, 사람들, 정치, 경제, 역사, 문화 등에 관한 관찰과 여러 차원과 시각에서의 조망과 비교 등이 포함될 수 있을 것이다. 그래서 이 책은 여행 에세이지만 좋든 싫든 나의 직업, 인생관, 세상을 바라보는 시각, 취미 등이 투영될 수밖에 없을 것이다. 그래서 이 책에 피력된 내용에 더러는 공감되지 않는 내용이 있을 수 있을 것이나, 자유주의 사회에서 개인마다 개성이 다르고 생각이 다를 수 있다는 마음으로 혜량해 주길 바란다.

여행에서 무엇을 보고, 느끼고, 즐기고, 배울 것인가?

멋있는 자연경관, 유적지를 돌아보고 사진을 찍거나 박물관을 가보고, 기념품 가게에서 무엇을 사거나 여타 쇼핑을 하거나 현지 맛집에서 요리를 즐길 수 있다. 또 때로는 민속 음악, 춤 공연을 관람하거나 바다, 강을 구경하거나 스포츠를 즐기기도 하고, 바닷가, 휴양림, 온천에서 쉴 수도 있다. 이런 여행을 여행지, 관광지에 적용해 보면 아래와 같이 여행의 윤곽이 조금 더 그려질 수 있다.

① 어마어마한 자연의 경관과 신비
이구아수 폭포, 그랜드 캐니언, 티티카카 (띠띠까까) 호수, 우유니 염호, 갈라파고스, 천사 폭포, 아마존 탐험, 남극과 북극, 파미르고원, 히말라야….

② 인간이 만든 건축물, 유적, 도시

피라미드, 스핑크스, 카르낙(Karnak) 신전, 예루살렘, 기독교 성지, 순례길, 만리장성, 진시황릉, 아크로폴리스 (Parthenon 신전), 성 베드로 성당(St Peter's Basilica) 성당, 만리장성, 자금성, 이화원, 베르사유(Versailles), Palacio Real, El Escorial….

③ 인류 문명을 만든 큰 강들: 메소포타미아, 인더스, 나일강, 황하, 양쯔강, 다뉴브, 세느, 템즈, 라인강….

④ 대도시 또는 여행의 거점 도시들: 장안(시안), 북경, 상해, 동경, 서울, 모스크바, 파리, 베를린, 런던, 부다페스트, 비엔나, 카이로, 멕시코시티, 리마, 보고타, 상 파울, 부에노스아이레스, 두바이, 싱가폴….

⑤ 인간의 삶

각 나라, 도시의 유명한 재래시장, 벼룩시장, 쇼핑몰, 길거리 카페, 식당 등은 그들의 삶의 현장이다. 여유 시간을 갖고 이곳저곳 돌아보고 카페에서 커피, 차를 마시거나 식사하면서 일상을 보내는 즐거움도 크다.

⑥ 휴양, 휴식

해변, 섬, 휴양림, 호수가….

그러나 이 범주의 여행을 넘어 다른 의미의 여행, 예컨대 ⑦~⑬을 위해서는 좀 더 많은 시간과 탐구심, 열정이 필요하다.

⑦ 레저, 스포츠

⑧ 인류 문명
메소포타미아, 이집트, 인더스, 황하, 그리스, 로마, 유럽, 아메리카 인
디언…. 등의 문명에 대한 이해는 지리, 자연, 기후, 유적, 정치. 사회
제도, 인종, 언어, 문화, 종교, 역사, 관습, 등 제반에 관한 이해가 있어
야 한다.

⑨ 인간이 만든 정치. 사회 제도와 체제
전제 군주제. 독재체제, 권위주의체제. 대통령제, 의원내각제, 지방자
치, 복지제도, 의료보험….

⑩ 음악, 춤, 그림, 조각, 춤 등 예술
Museo del Prado, Uffizi Gallery, Louvre Museum, British
Museum, Metropolitan Museum of Art of New York City…. 여행
지에 소재하는 좋은 박물관, 미술관 개관 시간, 휴관일 등을 미리 사
전에 파악해서 여행 계획을 짜는 것이 좋다.

⑪ 외국인들과의 대화
소시민, 학자, 예술인, 정치인 (대통령, 도지사, 국회의원), 기업인, 학
생….

⑫ 우리나라와 외국의 차이 인식

⑬ 비즈니스 기회의 발견, 삶의 의미 재발견

여행은 다른 세상을 이해하고 나를/우리를 알게 하는 거울이다

우리는 다른 나라 사람들, 다른 나라 문화, 다른 나라 관습, 다른 나라 제도, 다른 나라 상황을 보고 우리가 어떤 상황인지 잘 알 수 있게 된다. 거울이 없다면 우리는 우리 자기 얼굴이 어떻게 생겼는지 우리 얼굴에 뭐가 묻었는지를 알기 어렵다.

여행 안전

여행의 꿈에 부푼 여행객들은 자칫 본인이 여행에서 닥칠지도 모르는 여행지의 자연재해(폭우, 폭설, 지진, 화산폭발), 전염병과 바이러스(예방접종, PCR 검사요건 등). 교통사고, 치안상태(절도, 강도, 살인사건 빈도)를 전혀 유의하지 않다가 도중에 화를 당하거나 여행 계획이 일그러지기도 한다. 예컨대, 유럽 여행에서 Las Ramblas(바르셀로나), 에펠탑(파리), Trevi 샘(로마), 일반적으로 기차역, 고속버스 터미날, 대중교통 허브 등 지역은 소매치기 소굴이라는 점은 염두에 둘 필요가 있을 것이다. 라틴아메리카 여행시 경유할 때에는 가급적 항공편이 많은 국제공항을 선택하는 것이 항공편이 취소, 지연될 경우 대체 항공편 마련이 유리하다.

치안상태, 신변안전은 특히 중요하다. 예컨대 2008년 콜롬비아 보고타 국제공항에 내려 시내 호텔로 갈 때 택시를 타면 공항의 보안기관 감독하에 그들이 정해주는 택시를 타는 것이 요금이 조금 비싸도 더 안전했다. 시내에서 택시로 이 국제공항을 가려고 전화 예약을 하면 이중 암구호가 있었다. 집 근처 혹은 마켓 앞에서 택시를 기다리기로

하고 나가서 택시가 오면 상호 암구호를 확인해야 했다. 이 암구호는 택시 예약 때 예약접수인이 정해준다. 예컨대, 택시 기사가 먼저 '독수리'(Aguila)라고 하면 고객은 '도마뱀'(Lagarto)이라고 대답한다. 암구호가 맞지 않으면 납치 위험이 있으니 태우지도 말고 타지도 말아야 한다. 이 당시까지는 생계형 강도, 납치까지 성행해서 택시회사가 기사 신변안전까지 챙겨야 할 지경이었고 이렇게 해야 예약 고객을 확실히 탑승시킬 수 있었다. 지금은 치안 상황이 크게 호전되어 이런 상황은 아닐 것이다.

여행 구상과 계획

여행을 계획할 때는 막연히 어디를 간다고만 생각할 것이 아니라, 여행에서 무엇을 보고 무엇을 할 것인지 생각하고 관련 정보를 종합 활용하여 행선지, 일정, 교통편, 숙박 등을 계획하고 준비할 필요가 있다. 때로는 나무에 올라가 물고기를 찾는 격으로 여행 목적과 여행지가 맞지 않거나 더 다른 좋은 옵션이 있는 줄을 모르고 시간과 돈을 낭비하는 경우들도 많다.

여행 준비 점검 사항들

여행 목적과 목적지
건강 & 상비약
목적지의 계절, 기후 및 날씨와 복장
– 여행지의 기후와 날씨를 감안한 복장 준비
여행복, 신발, 안경, 선글라스, 모자

여행지 치안 상태와 신변안전(외교부, 재외공관 여행경보) 확인
교통편, 여행 기간
- 목적지까지의 교통편 : 항공편, 버스, 열차, 배편, 패키 투어
- 현지 교통편 : 유람선, 지하철, 버스, 열차, 차량(기사 포함) 임차,
택시
동행친구
여권, 비자, 신용카드, 현금(팁 잔돈)
여행지에서 분실 대책
- 여행증명서 발급, 국내로부터 송금 수령, 당초 여행 계획 변경 여부,
여권 사본 지참; 외교부 영사콜센타, 방문지 우리 대사관, 총영사관
전화번호 등

2. 유럽 요함

개관

유럽은 구대륙이다. 이곳에는 오랜 역사와 문화가 있다. 유럽의 특징은 기독교, 백인, 왕정과 제국, 시민혁명을 통한 자유, 평등, 민주주의의 성취, 유럽 문화(그리스 민주주의, 로마 제국, 중세의 기독교, 르네상스, 절대왕정, 시민 문화 등), 전쟁과 외교, 역사, 문화, 예술이 있다.

대외적으로도 알렉산더의 동방 원정과 헬레니즘, 로마 제국의 팽창과 북아프리카 식민지, 이탈리아 상인들의 동방무역, 메디치가 등 이탈리아 도시국가들의 예술과 문화 장려, 스페인, 폴투갈, 영국, 프랑스, 화란 등의 절대왕정 또는 식민지 경영, 제국주의 시대, 1, 2차 세계대전 …. 말하자면 인류 역사의 좋은 점과 나쁜 점을 모두 가지고 있다.

유럽의 자연 지형은 평원과 강이 많아 인간이 거주하기에 더욱 적합하다. 건조하고 메마른 사막도 아니고 아마존의 밀림도 아니다. 알프스산맥이 있긴 하지만 히말라야, 톈산산맥, 파미르고원, 안데스산맥과 같이 그 규모나 정도가 인간에게 엄청난 장애물은 아니다. 유럽에도 아름다운 알프스, 다뉴브강, 노르웨이 빙하, 센강, 템즈강, 따호, 구아달끼비르 등이 있지만 다른 대륙에 비해 그리 크지는 않은 편이다.

그래서 내 개인적으로는 유럽 여행에서 규모가 어마어마한 자연경관을 찾는 여행에 치중하기보다는 유럽의 역사와 문화, 유적지, 박물관, 그림, 교회와 성당, 순례길, 벼룩시장, 음식, 포도주, 관습 등에 관심을 가진 편이었다.

서유럽 중심의 시각에서 벗어나 유럽의 주변부로의 확대, 다른 문명과의 교류, 접촉을 이해하는 것도 중요하다. 아테네-페르시아 전쟁, 알렉산더의 동방 원정, 그의 수하 장군들의 이집트, 인도 근처 등에서의 왕국 건설과 헬레니즘 문화 확산, 그리고 지중해를 중심으로 동유럽, 아프리카 북단, 레반트, 소아시아 등으로 팽창한 로마 시대의 영광을 기억할 필요가 있다.

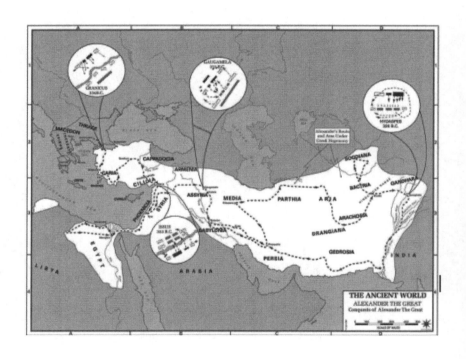

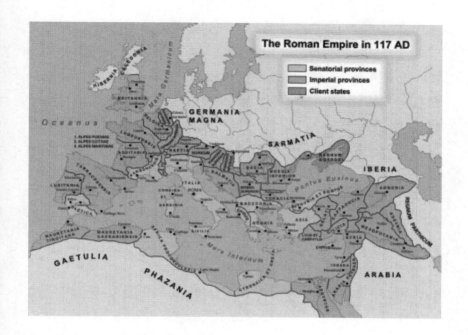

유럽 역사와 문화는 시대적, 공간적으로 많은 변천을 겪었다. 위에서 알렉산더 제국의 영토와 로마 제국의 영토는 유럽 문명의 대외 확장을 의미한다. 로마는 395년 동로마(비잔틴제국), 서로마 분리되었다. 서로마는 476년 망하고 동로마는 1453년까지 명맥이 유지되었다. 서로마 제국은 현재의 로마, 이탈리아 중심의 제국으로 카톨릭인 반면, 동로마제국은 일명 비잔틴제국으로 불리며 그리스계의 영향이 강하고 종교적으로도 그리스 정교이다. 동로마제국 최전성기인 AD527-565년 유스티니아누스 황제 때는 서로마 제국의 영토까지 상당 부분을 차지하였으나 이슬람 세력이 점차 팽창하였다.

기독교 국가 간에도 항상 협조한 것이 아니라 자국의 이익을 위해서는 이슬람 세력과 연합하거나 흥정했다. 원래 동로마제국(비잔틴제국)의 일부였던 베니스 공화국과 이 제국과의 관계도 흥미롭다. 11세기경 전후에 아랍 세력 또는 노르만이 비잔틴제국을 침공해왔을 때 베니스 공화국은 비잔틴제국을 지원하였다. 그러나 양측 간의 이해관계는 점차 복잡해졌다. 1171년 비잔틴제국이 제국 내 베네치아 시민들을 대규모 감금한 이래 비잔틴제국과 베네치아는 관계가 일그러졌다. 1202~1204년 베네치아 공화국이 주도한 4차 십자군 원정 때는 콘스탄티노플을 침략, 약탈하였으며, 그 결과 1204년부터 1261년 라틴 제국이 세워졌다. 비잔틴제국은 1261년에야 그리스계 비잔틴 왕국들의 덕택으로 다시 복위하였다.

아래 지도는 동로마제국의 수도 콘스탄티노플이 함락된 1453년 직전의 모습이다. 제국은 아프리카 북단, 레반트를 이미 상실했고 이스탄불의 남북의 광대한 영토는 오스만제국이 차지하여 포위된 형국이다. 그리스, 터키 사이의 지중해 섬들은 베니스. 제노아, Naxos 공국, 성 요한 기사단이 차지하고 있다. 동로마는 언제 망할지 모르는 위태로운 모습이다. 역사적으로 유럽과 아랍, 기독교 세계와 이슬람 세력은 지중해와 아프리카 북단, 레반트, 이베리아반도, 아드리아해 동쪽 동유럽을 놓고 2,000년 이상 사투를 벌였다. 특히 아프리카 북단, 아드리아해 연안의 알바니아, 유고, 헝가리, 크림반도, 그리고 이베리아반도, 사이프러스, 몰타, 로도스 등 지역은 기독교와 이슬람 간에 주인이 엎치락뒤치락 바뀐 지역이다.

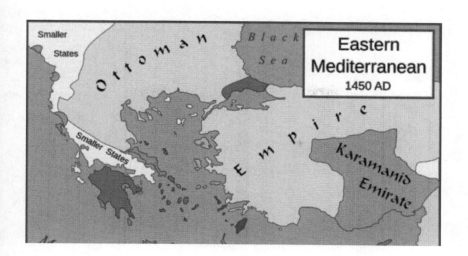

오스트리아

비엔나 : 아름다운 늦가을의 비엔나 풍경과 그윽한 커피 향, 세계 최대, 최장의 명문 왕가 합스부르그 왕가와 쇠부른 궁전, 성 슈테판 대성당, 비엔나는 슈베르트, 요한 슈트라우스, 베토벤, 모차르트, 브람스 등 음악가를 배출한 음악의 도시이자 100개 이상의 박물관/미술관을 가진 아름다운 도시이다. 유엔 국제회의장. 1988년 10월에 이어 1990년 초가을 방문했다.

합스부르그 왕가는 유럽 최대의 왕실 집안으로 한때는 영국과 프랑스를 제외한 거의 모든 서유럽을 지배했었다. Carlos V/ Charles V는 신성로마 황제로서 오스트리아, 스페인, 네덜란드, 부르군디, 독일과 북부 이탈리아, 나폴리, 시칠리, 사르디니아, 라틴아메리카, 필리핀을 보유했었는데 그의 퇴임 직전 스페인, 북부 이탈리아, 네덜란드, 아메

리카, 필리핀은 그의 아들 Felipe II에게 물려주고 신성로마 황제 자리
와 오스트리아, 헝가리 등은 그의 동생 Ferdinand I에게 물려줬다. 그
래서 합스부르그 왕가는 스페인과 오스트리아&헝가리를 각 축으로
하는 두 개의 합스부르그 왕실 집안으로 계승되었다. 스페인 합스부
르그 집안은 1700년 Carlos II로 왕통이 끊어져 스페인 왕위계승 전
쟁을 거쳐 부르봉 왕가가 뒤를 이었다. 오스트리아 합스부르그 왕가
는 오스트리아·헝가리 제국으로 발전했다. 1차대전의 발발 원인이 된
1914년 6월 보스니아의 수도 사라예보에서 발생한 Ferdinand 오스트
리아 황태자 피살 사건 비극의 주인공도 합스부르그 왕가 사람이다.
프랑스 대혁명 때 루이 16세의 부인으로 1793년 혁명 단두대에 처형
된 마리 앙투아네트, 1867년 1월 멕시코에서 총살된 아메리카 대륙
의 마지막 황제였던 Maxmilian I도 오스트리아 합스부르그 왕가 출
신이다.

Salzburg : 가파지른 듯한 뒷산과 도시를 에워싸고 흐르는 강, 달빛이
고요한 잘스부르그. 모든 사람이 모차르트가 될 것 같은 느낌이 드는
30여 년 전의 기억….

스위스

Basel, Interlaken Jungfrau, 레만호, 베른, 제네바,
1989년 Basel에서 회의에 참석하고 열차로 하얀 설산 Jungfrau를 오
른 후 레만호(Lac Leman/Lake Geneva)를 지나서 오다.

스페인

마드리드보다는 비엔나, 잘스부르그, 바젤, 융프라우를 먼저 가봤었
지만, 1989년 8월 마드리드를 처음 방문했을 때 Gran Via, Avenida
Castellana, Museo del Prado의 벨라스께스, 고야, 티치아노, 루벤스
등의 그림, 피카소의 게르니카를 보면 스페인은 세계적인 대제국이었
다는 것을 느낄 수 있었다. 우람한 대리석 석조 건물들과 넓은 대로
와 공원, 세계적인 화가들의 명화, 마드리드와 주변 유적지를 건성건
성 봐도 2주일은 걸린다.

Madrid, Toledo, Segovia, Salamanca, El Escorial, Aranjuez,
Valencia, Burgos, Galicia, Santiago de Compostela, Camino de
Santiago (산띠아고 순례길), Zaragoza, Pamplona, Santander,
Santiago de Compostela, Andalucia (Cordoba, Sevilla, Granada)

로마의 성 베드로 성당(Catedral de San Piedro)을 가보면 유럽 문화
의 모든 것을 다 느낄 수 있다고 한다. 대표적인 유럽 성당의 모든 것
을, 아니 가장 최고의 것을 다 가졌기 때문이다. 성당의 규모와 연도,
미적 감각, 정원, 유명 예술인들의 그림과 조각, 카펫…. 등 여러 측면
에서 그럴 만하다.

그러나 성 베드로 성당을 아무리 둘러 봐 스페인 안달루시아에서 본
느낌은 전혀 가질 수가 없다. 그것은 아마도 스페인이 다른 유럽 국가
들과는 많이 다른 역사를 지녔기 때문일 것이다. 이베리아반도는 700
여 년 아랍 무슬림 지배하에 있었고, 1492년 스페인 왕국이 이슬람 세

력을 축출한 이후에도 오랜 기간 지중해, 아프리카 북단에서 이슬람 세력과의 대치, 전투를 치렀다. 스페인은 유럽에서 아랍과 이슬람 문화와의 접촉의 흔적이 가장 많이 남아 있는 나라이다.

신앙의 중심권인 성당과는 달리 스페인 사람들의 생활 중심은 어느 도시를 가든 대광장(Plaza Mayor; 쁠라사 마요르)에서 시작된다. 쁠라사 마요르에는 관청, 상가, 사무소, 식당, 까페, 푸줏간, 편의점 등이 있고 이를 기점으로 동서남북으로 1번지가 출발한다. 이 주변에는 식당, 카페, 민예품 상점 등이 즐비하다. 그래서 스페인 어디 도시를 방문하든 쁠라사 마요르에서 여행 일정을 시작해도 무방하다. 쁠라사 마요르에는 그 도시 주민들의 생활이 시작되고 만남이 늘 일어나는 곳이다. 광장에는 이따금 기타, 바이올린, 첼로, 아코디언 연주자들의 연주가 있을 때다. 때로는 그 광장에 와 있는 남녀노소, 젊은이, 노인, 청소년, 어린이 모두가 그 연주에 맞춰 함께 춤추고 즐기는 무대가 된다.

마드리드 똘레도, 세고비아, 살라만까

마드리드의 Plaza Mayor로부터 멀지 않은 곳에 왕궁, 오페라 극장, Prado 미술관, Thyssen-Bornemisza 미술관, Reina Sofia Art Center, Sorrolla 미술관, 벼룩시장 등이 있다. 여유 시간을 즐기려면 카페에서 커피를 마시거나 식당에서 싸구려 포도주라도 한잔하면 좋다. Prado 미술관은 유럽의 수많은 유명한 작가의 그림을 소장하고 있으나, Velazquez, Goya, Tiziano, Rubens의 작품이 많다. 벼룩시장 (Rastro)이 열리는 날에는 이곳에서 별의별 골동품, 고가구, 그림, 못

쓰는 무기, 각종 사용 용도는 별로 없으나 전시용으로 그럴듯한 것들을 건질 수가 있다. 투우가 열리는 날에는 빰쁠로나(Pamplona) 투우 달리기 행사에 굳이 참석지 않더라도 마드리드 시내에 있는 어마어마한 규모의 Las Ventas 투우장에서 인간과 황소의 사투를 관람할 수 있다.Olé, Olé 응원 소리는 30여 년의 세월이 지나도 여전히 생생하다.

Toledo는 Carlos V 때는 스페인 제국의 수도였다. 이 도시는 고도로서 카톨릭, 이슬람교, 유대교 등의 거주지가 각기 있었다. Toledo 성당은 거의 200년에 걸쳐 완공되었는데, 이곳에는 그리스 크레타 출신으로 Toledo에서 활동하던 화가 El Greco의 그림이 많이 남아 있다. 그는 스페인 제국의 궁정화가가 되고 싶었으나 소원을 이루지 못했다. 그의 그림은 선의 터치가 독특하여 그의 눈이 사시였다는 풍문이 있다.

마드리드에서 또 다른 예쁜 도시 **세고비아**는 마드리에서 30여 분 거리에 로마의 수도관, 성곽 등이 볼만하다. 세고비아로부터 열차로 1시간 남짓 가면 또 다른 유명한 중세도시 Salamanca가 있다. 이곳에는 1088년 설립된 Bologna 대학에 이어 유럽에서 두 번째로 1218년 설립된 Salamanca 대학이 있다. Salamanca 대학에서는 컬럼버스가 신대륙 발견 후 강연했던 곳으로 유명하다. 유럽 대학의 전형은 볼로냐 대학과 파리 대학으로 교황과 왕정과는 독립적으로 자치, 학문의 자유를 가지고 있었다. Joaquin Rodrigo가 작곡한 Concerto de Aranjuez의 배경이 되는 마드리드 근교 **Aranjuez**에는 Felipe II 때 지은 궁전이 있어 주말에 바람쐬기에 아주 좋았다.

Chamartín, Atocha 기차역

약 2년간 거주했던 스페인 마드리드에서 북서부 기차 여행은 Chamartín 기차역을, 동부의 발렌시아, 남부의 안달루시아로 갈 때는 Atocha역이다. 별로 멀리 가는 여행이 아닐지라도 기차역은 언제나 즐거운 느낌이다. 고속열차가 삽시간에 대도시를 연결한다. 30여년 전에는 스페인 대도시간 또는 프랑스, 폴투갈로 여행할 때 Chamartin 역에서 Talgo 기차표를 샀던 같다. 지금은 더 빠른 고속열차 AVE가 운행되고 있다. 여행 일정상 시간이 없는 분들은 당연히 AVE를 살 것이다. 그러나 여유 시간이 있고 완행열차가 추억과 느림의 미학을 선사하는 걸 아는 여행객들은 항공편보다는 열차편을, 그리고 아주 빠른 고속열차보다는 웬만한 속력을 지닌 열차를 선택할 것이다. 사람들과 차창 밖 풍경을 구경하거나 커피나 차를 마시며 일행과 노닥거리는 여유 있는 시간은 여행객이 누릴 수 있는 즐거운 추억이 되기 때문이다. 내가 마드리드에서 프랑스 파리로 여행할 때도 할인 항공권이 기차표 비용보다 저렴한 경우가 종종 있었지만 굳이 항공편을 선택하지 않았던 적이 많다.

대성당들

주말에 스페인의 대도시 여행을 가서 혼자 혹은 스페인 친구들과 까페에서 Riojas 포도주에 안주 한 접시(tapa) 놓고 1~2시간씩 노닥거린다. 안달루시아 지방의 꼬르도바, 세비야, 그라나다, 그리고 부르고스, 사라고사, 산띠아고 꼼뽀스뗄라 등 큰 도시의 대성당은 중세 혹은 절대왕정 시기 스페인 사람들의 신앙의 정도를 조금이나마 느낄 수 있다. 뿔라싸 마요르는 언제나 사람들의 즐거운 일상으로 북적인다. 그곳은 스페인 특유의 여유로움과 자유로움, 친절함과 편안함을 느낄 수 있다. 운이 좋으면 기타리스트, 아코디언 연주자, 첼로 연주자들이 광장에 나와 연주하는 것을 구경할 수 있다. 굳이 공연장을 가지 않아도 자유로운 공기를 마시며 연주를 감상한다. 이런 광경들은 똘레도, 발렌시아, 세고비아, 살라만까 등에서도 마찬가지로 종종 볼 수 있었다.

산띠아고 데 꼼뽀스뗄라 (Santiago de Compostela) 기독교 순례자의 길

산디아고 데 꼼뽀스뗄라 대성당에는 St. James, Santiago, 야곱, 야고보로 알려진 그리스도 12 사도의 한 사람인 야곱 무덤이 지하에 안치되어 있다고 한다. 814년 야곱의 무덤이 재발견되자 당시 Alfonso II de Asturias & Galicia 왕이 명하여 교회를 지었다. 그가 첫 번째 순례객이 되었다. 이후 997년 꼬르도바의 이슬람 칼리파에 의해 잿더미가 되었으나, 1075년 현 건물의 공사가 시작되어 1122년에 완공되었다고 한다. 그러나 일각에서는 1211년에 끝났다고 보는 견해도 있다. 아무튼 1000년이 훌쩍 넘는 오랜 성당이다. 순례의 역사도 오래되었다.

전통적으로 스페인에서 순례는 피레네산맥 쪽에서 시작하였으나 국제적으로 참석자가 증가하면서 다양한 순례길이 열렸다. 요즘은 순례 거리 확인서를 발급하기도 한다.

순례를 끝까지 완주해서 마치는 자는 영광의 문(Portico de Gloria)을

통해 대성당으로 들어가고 지하에 안치된 야곱의 무덤 앞에까지 갈 수 있다. 이 성당까지 와서 순례를 마치지 못하는 자들은 Villafranca del Bierzo에 있는 면벌(면죄)의 문(puerta de perdon)을 통과해도 죄가 용서된다고 한다.

'영광의 문'(Portico de Gloria)과 '면죄 문'(puerta de perdon; '면벌의 문'으로 번역할 수도 있다.)은 우리말로는 문으로 번역할 수밖에 없지만, 의미상으로는 '영광의 문'은 지붕과 우람한 최소한 두 개의 기둥이 지붕을 떠받들고 있고 그 아래에 문이 있다. 그 문을 통해 들어가면 큰 성당, 큰 건물 혹은 회랑과 바로 연결되는 큰 문을 말한다. 순례를 마친 자를 위해서 대환영하는 그런 느낌을 주는 문이다. 이에 반해 '면죄의 문'은 그저 크게 볼품 있는 그런 문은 아니다. 전자가 우리의 대문채, 솟을대문이라면 후자는 그저 사립문 정도에 지나지 않는다.

'면죄의 문'은 순례자 중 건강 등의 이유로 순례를 다 마치지 못하는 자들을 평범하나마 위로하는 정도의 의미를 부여하는 그런 문이다. 정말 죽을 정도가 아니면, 이왕 순례를 시작했으면 웬만하면 죽더라도 영광의 문 안으로 들어가 죽는 게 나을 것이다. '면죄의 문'이 소재한 Villafranca del Bierzo에서 산띠아고 데 꼼뽀스뗄라의 대성당 영광의 문까지는 약 200km 거리이다.

30여 년 전 승용차로 순례길을 가면서 면죄의 문, 영광의 문을 다 통과했었다. 언젠가 여유 시간이 나면 등산화를 준비해서 수주가 걸리더라도 800km를 도보로 완주해 보고 싶은 생각이다.

알타미라 동굴벽화

1991.4월 약 2년간의 스페인 생활을 마치고 본국으로 귀국하기에 앞서 스페인의 북부 대서양 바다에 인접한 열차 편으로 Santander에 갔다. 알마티라 벽화를 볼 수 있을까 하는 기대를 가지고…. 그러나 그당시 알타미라 동굴 벽화를 보려면 6개월 이상 이전에 예약해야 했었다. 사전 예약하지 않았으니 실제로 볼 수 있으리라고 생각하진 않았다. 안내인 입회하에 하루 1회 10명 이내로 관람을 허용하고 있다고 했다. 그 이유는 하루에 일정 이상의 사람이 동굴에 들어가면 사람의 체온, 호흡 때문에 동굴벽화에 손상이 갈 수 있다는 염려에서라고 했다. 어물어물하다 보니 거의 2년이 흘러 스페인에 있는 알타미라를 보지 못하고 떠나겠다고 하는 생각이 들었다.

산딴데르에 도착해서 오전 10시경 알타미라 동굴벽화 안내관에 도착해보니 아니나 다를까 사전에 예약이 없는 사람은 비디오 필름 방영을 보는 게 고작이었다. 그래서 내가 그 사무소장에게 뭐라고 이야기했더니, 예약자 중에 오지 않는 사람이 있으면 나를 관람 허용하겠다고 했다. 하루에 한 번 있는 관람 입장 시간이 되자 사무소장이 나를 불렀다. 당신은 억세게 운이 좋다고 했다.

알타미라 동굴은 1977년 완전히 폐쇄되었다가 1982년 재개방했으나 하루 한 번 매우 소수 방문객만 사전 예약하에 접수하여 안내 관람을 허용해오다 (최소한 6개월 전 내지는 3년 전에 예약해야 관람 가능) 2002년 다시 폐쇄했다. 이후 모조 전시관을 만들어 방문객을 받고 있다.

그래서 나는 그 예약자 일행과 함께 동굴 안으로 들어갔다 동굴을 들어가자마자 왼쪽으로 방향을 틀어 들어갔더니 더 이상 앞으로 갈 수 없고 동굴 안의 큰 대기실(18x9미터) 느낌이었다. 그 중간쯤에는 방문객들이 선 채로 등을 뒤로 대고 반쯤 누울 수 있도록 반원 형태의 시설물이 뭔가가 있었다. 안내인은 우리에게 천정을 쳐다보고 등을 그 시설물에 선 채로 기대서 누우라고 했다. 안내인이 회중전등 불빛을 천정에 비추니 수십 마리의 소(bison)들이 보였다. 이외에 말, 사슴도 있었다. 회중전등의 불빛 가장 가운데 동그라미(circle) 보다는 다소 덜 밝은 그다음 동그라미 안에 있는 소의 그림이 더 명확히 보였다. 그냥 벽화가 아니라 천정 벽화라는 것을 그제야 알았다. 그리고 그 소가 1~2마리가 아니라 매우 많은 수였다. 동굴의 길이는 약 296미터나 된다는데, 폭과 높이는 전체적으로 상당히 큰 편이나 일정치는 않았다. (높이가 2~6미터).

천장 벽화가 있는 방의 바닥을 발굴된 것들은 the Solutrean (about 21,000 to 17,000 years ago) and the Magdalenian (about 17,000 to 11,000 years ago) 시대의 것들이며, 이 중 한 동물의 어깨뼈는 방사성 탄소 측정 결과 14,480년 전 것으로 측정되었다.

빰쁠로나(Pamplona)의 산 페르민(San Fermin) & 투우

스페인 투우의 기원이 언제, 어디서 시작되었는지는 명확하지 않고 문서상으로는 11세기 Avila, 13세기 Zamora라고 한다. 투우는 스페인에서는 2월에서 10월 중순 사이 열린다. 마드리드에서는 마드리드 수호신 축제(Feria de San Isidro)는 La Ventas 투우장에서 5월 10일 ~6월 10일 사이 열린다. 투우의 또 다른 참모습을 느끼고자 하는 분들은 매년 7월 6~14일 Pamplona에서 열리는 San Fermin 축제(투우소 달리기)에 가보면 투우와 그 문화를 제대로 느낄 것이다.

발렌시아 파야 (Falla de Valencia)

스페인 축제 중 또 하나 빼놓을 수 없는 것은 스페인의 동부 지중해 연안 도시 Valencia에서 3월1~19일 기간 열리는 Falla 축제이다. 절정 기간은 3월 15~19일이다. 이 축제의 기원이 명확지는 않으나 중세 시대로부터 내려오는 것으로 보는 견해도 있다. 민예품 제작자들이 쓰다 남은 나무 조각이나 겨우내 쌓인 나뭇가지, 못 쓰는 가구 등을 태워 봄을 환영하는 의미도 있는 것으로 보고 있다.

Valencia의 구역마다 주민들이 돈을 모아 두꺼운 종이로 대형 모조 인물, 동물, 꽃, 마차를 만들어 전시하고 밤에는 폭죽 터뜨리고 불꽃놀이를 한다. 모조 인물들은 유명 정치인, 영화배우 등을 희화화하는데 매우 코믹하게 만드는 것이 특징이다. 카페, 광장에는 사람들로 북적댄다. 악대 그룹은 음악을 연주하고, 그 뒤를 성인들 혹은 어린이 그룹은 전통 의상을 입고 따라 걷는다. 축제 마지막 날 모아서 불태운다. 지금은 사라진 어릴 적 우리나라 음력 정월 대보름 달밤의 불놀이와 유사한 것 같기도 하다. 유럽에 이런 축제가 열리고 있는 것이 매우 의아할 정도였다.

안달루시아

안달루시아의 꼬르도바, 세비야, 그라나다는 이슬람 무어인들이 700여 년 통치한 땅이다. 그라나다에서는 Francisco Trrega가 작곡한 Recuerdo de la Alhambra 곡을 tremolo 기타 연주를 듣는다면 더없이 좋을 것이다.

폴투갈
Lisboa, O'Porto

항해 왕자 엔리께, 1290년 설립된 Coimbra 대학교, 오뽀르또 포도주, 풍부한 해산물 요리…. 폴투갈 여행에서 맛본 오뽀르또 식후주는 30여년이 지난 지금도 늘 기억한다.

프랑스

Paris, Musée d'Orsay. Louvre, Palace of Versailles, Nice, Avignon, Monaco, Marseillaise

지중해 연안 니스, 아비뇽, 마르세유와 지중해의 날씨, 해산물 음식…. 스페인에는 지방 도시에도 오랜 성당, 박물관 등 볼거리가 즐비하지만, 프랑스는 좋은 것은 모두 파리로 옮겨 놓은 듯하다. 파리는 아름다운 도시이다. 그러나 파리의 이 모든 것은 프랑스 관료주의가 만들어 놓은 작품들이라 한다. 프랑스가 자유의 나라이긴 하지만 오랜 절대 왕정의 역사를 가진 나라이니만큼 관료들의 힘도 만만치 않았던 것 같다. Versailles, Louvre, Concorde, 에펠탑…. 여행 일정이 바쁜 분들은 관람하는 데 시간이 오래 걸릴 Louvre 박물관에 입장하는 것을 자제해야 할지 모른다. Louvre에는 예술을 좋아하는 사람은 한번 들어가면 나오고 싶지 않을 것이다. 레오나르도 다빈치의 모나리자, 로댕의 생각하는 사람 등 유명한 그림과 조각들이 너무나 많다. Louvre 박물관에서 볼 수 없는 보다 현대적인, 후기 인상파 그림들은 Musée d'Orsay 미술관에 다 모여 있다. 이곳에는 마네, 모네, 르누아르, 드가 등의 작품이 많이 전시되어 있다.

물론 프랑스의 전원적인 농촌 풍경, 지중해 해변의 아름다운 백사장과 날씨를 파리 시민들이 일상에서 가질 수 없지만 그런 자연적인 것을 제외하고는 프랑스 왕들은 수도 Paris에서 모든 것을 누릴 수 있었을 것 같다.

이탈리아
Venice, Milano, Florencia, Roma, Pompei

이탈리아 로마는 로마 제국의 수도이자, 교황이 상주해온 역사의 고도이다. 로마 제국의 흔적은 이탈리아 이외에도 유럽 거의 전역과 아프리카 북단의 아랍, 이슬람 국가에 이르기까지 곳곳에 퍼져 있다. 이탈리아에서는 볼 것이 너무나 많아 웬만한 것은 눈에 들어오지도 않을 정도이다.

9세기부터 15~16세기까지 베니스는 도시국가 공화국으로서 중국, 인도와의 무역을 통해 부를 축적하고 이를 바탕으로 중세로부터 예술과 문화를 장려했다. 이 시기에 베니스는 물론 로마, 베니스, 제노아, 피렌체 등에서는 레오나르도 다빈치, 미켈란젤로, 보티첼리, 티치아노, 베르네제, 틴토레토 등 유명한 화가, 조각가 미켈란젤로는 물론 항해사 컬럼버스, 아메리고 베스푸치 등 당대 각 분야 최고의 쟁이들이 나타났다. 아랍어판 코란을 포함한 각종 서적 인쇄는 물론 바티칸 피터 성당, 플로렌시아, 베니스 등의 아름다운 건축 등으로 이탈리아는 당대 세계 최고 수준의 문화를 지닌 곳이었다.

유럽의 미술관

유럽 여행에서 빼놓을 수 없는 코스가 각국에 소재하는 유명한 미술관들이다. 르네상스 이래 간략한 그림의 흐름, 유명한 미술관 등에 관해서는 11장의 '여행과 예술' 챕터를 참고하시기 바란다.

신성로마 황제 (Holy Roman Emporer)

800년 12월 25일 교황 레오 3세가 프랑크 국왕 Carolus Magnus (Charlemagne 샤를마뉴)에게 황제의 관을 씌워 주면서 서로마 제국 멸망 이래 공석이던 제국의 부활을 선언했다. 이것을 신성로마 황제의 시작으로 보지만 일부에서는 962년 동프랑크 왕국의 Otto 1세로 보기도 한다. 그러나 황제는 있었지만, 제국의 영토가 별도로 있는 것은 아니다. 그 칭호를 얻기 이전에 가지고 있는 자기 영토만 소유할 뿐이었다. 이 칭호의 직책은 선출하기도 하고 세습하기도 했으며, 교황에 의해 왕관을 씌워 주는 의식을 하기도 했다. 아무튼 유럽의 군주로서는 그래도 이 왕관을 쓰는 것을 큰 영예로 알았던 것 같다. 유럽 왕가에서 가장 오래 이 Holy Roman Emporer 직책을 가졌던 왕가는 합스부르그 왕가이다. 신성로마 황제도 왕가의 이익을 위해 혈안이 되어 있었고 시대마다 역할은 다르지만, 다른 유럽 나라 왕들에 비해 그래도 상대적으로 유럽과 기독교를 대변하는 역할을 했다.

이탈리아 영토에 욕심이 많았던 프랑스 왕 Francis I는 스페인 합스부르그 왕가의 신성로마 황제 Carlos V로부터 그 영토를 빼앗아 오기 위하여 1525년 Pavia전쟁까지 했으나 생포되어 마드리드 감방 신세를 겪는 수모를 당했다. 이후 양측간 협상을 통해 풀려난 왕은 이슬람 세력과 동맹도 마다하지 않았으나 성과를 거두지 못하고 전전하다 사망했다.

신성로마 황제 Carlos V와 그의 아들 Felipe II는 이탈리아 영토를 둘러싼 프랑스로부터의 도전을 물리치고 화란, 벨기에 등에서 일어나는 신교도 반란을 제압하느라 정신이 없을 지경이었다. 이를 위해서는 신대륙에서 유입되는 금은보화를 팔아 다 쏟아 부어도 제국의 재정이 바닥이 날 지경이었다. 지중해에서 이슬람 세력과의 대치에도 큰 실속이 있는 것은 아니었을 수도 있지만 나름 유럽과 기독교를 보호해야 한다는 생각이 강한 편이었던 것 같다. 그래서 스페인은 레판토 해전 같은 이슬람과의 대전에서 책임과 비용을 마다하지 않고 가장 큰 몫을 부담했다. 이 당시 상황이 더 다급했던 것은 서유럽 서쪽 끝자락에 있는 스페인이라기보다는 베니스 공화국 이북의 유럽 중앙과 동북부가 더 위험한 것이 사실이었을 것이다.

다른 의견이 없는 것은 아니지만, 최근 수십 년간 미국은 국제적으로 자유와 민주주의를 지원하고 수호하는 기치를 걸고 해외 전장을 상당히 감당해왔다는 입장이다. 트럼프 대통령의 동맹국들의 분담금 증액 요구 또는 우크라이나-러시아 전쟁 발발 때 바이든 대통령이 우방국들에게 대러시아 제재 동참을 요구하는 것은 500년 이전이나 지금이나 별로 다르지 않은 듯하다.

영국

영국은 민주주의의 역사, 산업혁명, 대영제국의 리더쉽 등을 감안할 때 자국의 영광을 대영 박물관, 웨스트민스터 사원, 버킹검 궁전에 다 담을 수가 없는 나라이다. 영국의 국력은 이전만 못 하지만 오늘날도 국제무대에서 큰 지도력을 발휘하고 있다. 그러나 아이러니하게도 영국은 국제정치, 국제경제 부문에서 역할과는 대조적으로 저명한 음악가나 예술가는 많지 않은 것 같다. 실용주의와 경험주의를 우선시하는 경향이 그 이유일지도 모르겠다.

알바니아

오스만제국 때에 알바니아의 독립과 자주권을 지켜낸 신출귀몰한 정치인이자, 전략가, 외교관인 Skanderbeg. 오스만제국의 영향 때문인지 내가 약 30년 전에 수도 티라나에서 마셨던 에스프레스 커피 맛은 너무나 지독하게 강해서 지금까지도 기억에 생생하다. 소비에트 연방의 붕괴와 운명을 거의 함께했던 알바니아 Hoxha의 통치(1941-1985), 유럽에서 가장 가난한 나라이자 몇 안 되는 이슬람 종교를 가진 나라이다.

스웨덴

Stockholm, Gothenburg, Malmo, Uppsala 등 주요 도시
노벨상, 민주주의, 환경, 인권, Carl von Linné의 식물 분류, 스톡홀름 국제평화연구소(Stockholm International Peace Research

Institute:SIPRI)

스웨덴의 겨울은 엄청 길고 낮시간은 짧은데 그나마 늘 우중충하게 구름이 끼어 흐리다. 그래서 스웨덴 사람들은 겨울이 되면 햇볕이 좋은 스페인, 북아프리카 등으로 휴가를 떠났다. 북구 나라들은 과일과 야채가 남유럽 국가들에 비해 희소하고 비싼 편이라, 스웨덴인들이 EU 가입하게 된 것이 싱싱한 과일과 야채를 싸게 먹고 싶은 것이 주된 이유였다는 말도 있었다. 식탁은 검소한 편이다. 옆집하고 친해서 그 집에 초청받아 가서 냉장고 문을 열릴 때 보면 우리나라 가정과는 달리 별로 쟁여 놓은 게 없이 텅 비어 있는 게 보통이었다. 30년 전에는 훼링(청어), 노르웨이산 수입 연어, 감자, 스뫼르고스보드(Smorgashord), 밋볼(meatballs), 발효된 청어(surstroming) 등 음식을 자주 먹었다. 주세가 많아 술은 매우 조금씩만 마셨고, 식탁에서 건배할 때는 '스콜(Skoal)'라고 하면서 참석자들 간에 눈을 응시(eye contact)하는 것이 관례이다.

라트비아
리가(Riga)

발틱해에 위치해 있고, 역사적으로 주변에 러시아, 독일, 스웨덴 등 강대국들이 많아 독립의 기회를 갖지 못했다. 1918년 독립했으나, 1941년 이래 독일, 러시아 점령하에 있다가 1991년 다시 독립을 쟁취했다. 라트비아인들은 맥주를 즐겨 마신다. 애주가라면 Riga Black Balsam을 마셔보는 보는 걸 잊지 말아야 한다.

노르웨이
오슬로, 베르겐

피요르드, 점점 사라지는 만년설, 북부지역 북극 가까이 백야 현상, 연어 요리, 뭉크의 외침, ...

폴란드
바르샤바

2차대전 당시 독일의 침공으로 바르샤바는 거의 완전히 파괴되고 남은 것이 없을 정도였다. 남은 것은 잿더미와 유대인 대상 가스 실험실 등 잔혹한 현장들이다. 폴란드는 독일군에게만 당한 것이 아니다. 언젠가 나의 친구 Ross Denny 영국 대사는 자기도 모르던 영국 외교의 이면을 알게 되었다고 하면서 Laurence Rees가 쓴 World War II Behind Closed Doors Stalin, The Nazis and The West라는 책을 나에게 선물했다. 그 내용 중에는 독일과 소련이 1939년 독소 불가침조약을 체결한 직후 독일이 폴란드 서쪽을 침략하자 소련은 폴란드 동부를 점령했다. 이때 2만여 명의 폴란드 군인들은 소련군의 손에 떨어졌는데, 소련이 이들을 Katyn 숲에서 총살해서 매장한 것으로 알려져 폴란드-러시아 관계의 불편한 근원이 되었다. 오늘날까지 폴란드가 러시아를 끔찍이 혐오하고 싫어하는 이유인 것 같다.

유럽연합(European Union)

유럽의 수도라 할 수 있는 브뤼셀. La Gran-Place 광장의 식당에서 식사하거나 맥주 마시는 것을 빼놓을 수는 없다. 숲의 도시 벨기에는 공원 산책이 인상적이다.

그리스

그리스는 오랜 문명과 문화의 나라답게 그리고 지중해, 아드리아해 나라답게 음식과 주류가 풍성하다. 무사카Moussaka, 볶은 가지요리 Papoutsakia, 빠스티찌오Pastitsio(라자냐), 스블라끼Souvlaki(고기꼬치구이), 짜지끼Tzaatziki(요그르트 소스), Fasolada(bean soup), Horta(boiled greens), 페타치즈Feta Cheese 등은 우리나라 사람들 입맛에 맞는 음식들이다. 그리스는 와인, 특히 화이트 와인(Assyrtiko)도 세계 수준급인데 그리스 와인은 고대 그리스의 디오니소스 주신이 마시던 와인 종류(Retsina)가 지금까지 전승되고 있다. 독주를 좋아하는 분들은 45도의 'Ouzo'를 즐겨 찾는다. 아테네 시내에는 건물 안에 살아있는 몸통이 큰 나무가 천정을 지나 하늘로 솟아있고 맛있는 그리스식 요리를 전문으로 하는 식당이 있었다. 식당 이름은 기억하지 못하지만, 그리스에 가게 되면 꼭 들르고 싶은 곳이다. 그리스인들은 건배할 때 'Yamas'라고 하며, 결혼식, 식당, 장례식에서는 접시를 깨뜨리는 고대로부터 전해져온 풍습이 있다.

그리스는 고대 그리스 문명, 민주주의로 유럽 문명의 발상지이다. 아테네 공화국은 다른 대륙에서 보편적이었던 군주제와는 확실히 다른 형태의 정치체제의 붕아이다. 아마도 다른 대륙에서는 먹고 살아남기도 힘들었을 것 같은 기원전 776년부터 이미 올림피아에서는 올림픽이 시작되었다. 마라톤의 역사는 BC490년 Battle of Marathon으로 거슬러 올라간다. 아테네 근교 Marathon에서 아테네까지 자동차로 돌아보거나 올림피아 육상 트랙을 걸어보는 것도 의미가 있을 것이다. 아테네는 작은 도시국가로서 당시 세계의 초강대국 페르시아 제국과의 대결에 맞서는 능력도 과시했다.

그리스 역사상 가장 우아하고 가장 멋있는 건축물이 지금부터 2500년전에 건축된 아크로폴리스에 있는 파르테논 신전이다. 그리스에서 최초로 가장 아름답고 우아했고 지금까지도 가장 훌륭하고 멋있는 건축물이다. 레이캬비토스 언덕은 저 높은 곳에 있다. 신다그마 광장, 오모니아 광장은 아테네 사람들의 붐비는 일상이 시작되는 곳이다. 시곗바늘을 2500년 돌려놓은 것 같은 고도들, 미케네, 스파르타, 델피 신전, 올림피아, 성경에 나오는 아테네, 고린도, 테살로니키 등 도시들, 그리고 산토리니, 로도스, 크레타, 코르푸, 사이프러스…. 아름다운 섬과 해변, 맛있는 요리 등 거의 전국이 관광지, 휴양지이다.

기암괴석 위의 Meteora의 그리스 정교 수도원 (사진)은 물론이고, 남성과 수컷만 방문이 허용되는 그리스 Mount Athos 동방 정교 수도원 커뮤니티도 매우 독특한 곳이다. 이곳은 종교 자치 구역으로 이스탄불 동방 정교에 속해 있다. 방문을 위해서는 그리스 외교부로부터 비자를 받아야 한다. 남성들만 방문을 허용하나, 남장한 여자들이 방문한 적이 있다고 한다.

그리스의 도서들은 휴가, 휴양지로 매우 유명하다. 터키의 소아시아 연안과 연계하여 성지 순례 등으로 많이 방문하기도 한다.

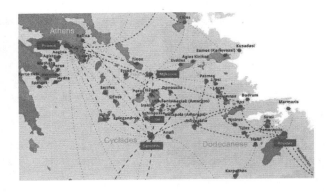

그리스 바다에서 벌어진 역사적 해전

- **살라미스 해전** : BC 480년 9월 26일 아테네 앞 바다에는 아테네의 도시국가 연합과 페르시아 Xerxes 왕의 대군을 맞아 싸운 역사적인 살라미스(Salamis) 해전이 벌어졌다.

- **악티움 해전** : BC 31년 9월 2일 Corfu라는 섬에서 지척 거리인 Actium에서 그 유명한 악티움 해전이 벌어졌다. 안토니오 & 클레오파트라 v. 옥타비아누스 간의 역사적 대결이 벌어졌던 해전이다. 이 해전에서 안토니오와 클레오파트라는 패해서 자살하고 이집트는 로마의 식민지가 되고 옥타비아누스는 아우구스투스(존엄한 자)라는 칭호를 얻어 로마의 황제가 된다. 이때부터 로마는 공화정이 끝나고 제정 시대가 시작되었다. 클레오파트라는 흔히 이집트 여왕으로만 이해하는 사람들도 있지만 알렉산더의 장군이었던 Ptolemy가 건국해 BC305~BC30 기간 275년 유지되었던 마케도니아(그리스)계 이집트 왕조 Ptolemaic dynasty의 여왕이다.

- **레판토 해전** : 1990년 8월 하순 어느 날 나는 이탈리아 브린디시에서 밤에 유람선을 타고 그다음 날 아침에 그리스 빠뜨라스(Patras)에 내렸다. 빠뜨라스 항구의 앞 바다는 기독교 연합과 이슬람 세력 간 지중해 제해권을 두고 1571년 10월 7일 레판토 해전이 벌어진 곳이다. 스페인 제국의 Carlos V의 庶子 Don Juan de Asturias가 지휘하는 스페인 함대가 아랍의 이슬람 선단을 궤멸시켜 지중해 제해권을 잡게 된 해전이다. 카톨릭에서는 이 승리가 기독교인들의 기도 덕이라 여겨 기독교계에서는 El Dia de Nuestra Señora de Rosario/Virgen de Rosario라는 날로 정해 기념한다.

빠뜨라스(Patras)에서 항로를 북으로 조금 더 올라가면 이탈리아와의 사이에 Corfu라는 아름다운 섬이 있다. 이 섬은 유럽의 강대국들이 너나 할 것 없이 점령했던 곳이라 국제법 사례에도 나오는 곳이다. 이 섬에서 며칠간 구경하고 휴식하기에는 좋은 곳이다.

문명 간의 대립과 전쟁

그리스를 여행하다 보면 서로 다른 문화권, 서로 다른 문명 간의 대립과 전쟁에 관해 생각하게 된다. BC480년 살라미스 해전은 페르시아 제국과 아테네 도시국가간 혹은 페르시아 문화와 그리스(유럽) 문화간 전쟁이라 할 수 있고, 1571년 레판토 해전은 아랍 대 유럽, 이슬람대 기독교 간의 전쟁이었다.
이 두 전쟁에서 유럽(아테네, 스페인)이 페르시아 또는 이슬람을 세력을 저지하지 못했다면 오늘날과 같은 유럽 문화, 개인주의와 인권 의식이 뿌리를 내리기 어려웠을 것이며 유럽에는 아시아나 중동의 수직적인 문화 혹은 권위주의적인 문화가 더 강하게 뿌리를 내렸을 것이다. 마찬가지로 유럽이 몽골 제국에 의해 완전히 정복되어 지배받았었더라도 마찬가지 결과였을 것으로 생각된다.
베네치아 공화국은 레판토 해전 훨씬 이전부터 오랫동안 인도, 중국등 동아시아와 아프리카 북부 국가들과 이집트 등과의 무역을 통해막대한 이익을 얻었는데 그 전초기지가 크레타와 사이프러스였다. 한편 오토만 제국은 1453년 콘스탄티노플(이스탄불)을 함락시킨 이래동로마 황제 계승을 주장하면서 발칸반도, 흑해 연안, 헝가리를 넘어 비엔나를 넘보면서 1570년에는 사이프러스(베네치아 공화국 식민지)를 침공하여 점령했다. 이에 다급해진 것은 베네치아 공화국이었다. 교황이 Liga Santa/Holy League를 결성하고 나서자 별반 적극적이지 않던 스페인 제국의 왕 필립 2세도 가세했다. 함선 제공, 수병 전투원과 승조원 (노 젓는 사람) 등 전비 부담과 향후 전리품 배분의 계산 과정을 거쳐 각국이 참여하게 된 것이다.

해전은 당시로서는 세기의 대결이었다. 전투는 단 몇 시간만에 끝났지만, 결과는 오스만제국에 피해가 컸다. Liga Santa/Holy League 측은 갈레라(galeras) 12척을 잃고 7,600명을 잃었지만, 오스만제국은 갈레라 190척(130척 사용 가능, 60척 불태움), 포로 5,000명, 포로로 잡힌 기독교인 방면 12,000명, 사망자 20,000~30,000명으로 추산된다.

오늘날 미국에 공조하는 여러 나라들의 태도도 유사하다. 우크라이나는 베네치아와 유사한 입장이다. 미국은 스페인 제국과 비슷하다. 이슬람 세력의 불법적인 기독교국(사이프러스: 당시 베네치아 공화국의 식민지) 침공에 대항하는 기독교 여러 국가의 호응은 미국의 민주주의 수호 의지에 부응하는 유럽, 캐나다, 호주, 일본, 한국 등과 비슷하다.

중국이 대만을 침공하거나 중국이 남중국해에서 도화선이 되어 전쟁이 발생하더라도 상황 전개와 각국의 참여 계산은 450년 전의 레판토 해전 때와 비슷한 상황으로 전개될 것으로 예측된다.
현재 진행중인 우크라이나–러시아 전쟁의 결과에 따라 민주주의 세력권과 권위주의 세력권의 판도가 달라질 것이다. 과거와 지금이 다른 점은 핵무기가 있어 상호 억제 상황에서 전쟁이 수행되는 점이다. 레판토 해전 때에도 소총과 대포가 우세하고 훈련이 잘된 Liga Santa/Holy League 측이 우세했는데, 우크라이나-러시아 전쟁 혹은 유사한 다른 전쟁에서도 첨단 무기로 훈련이 잘되고 기동력이 좋고 동원하고 지원받을 자원이 많은 진영의 승리로 끝날 것이다.

베니스, 베니스의 상인, 동서양 무역

영국 소설가이자 극작가인 윌리엄 셰익스피어가 상인 중에서 왜 하필 베니스의 상인을 그의 희극 작품의 제목으로 설정했는지 의아하게 생각해 본 독자들도 있을 것이다. 신항로가 생기기 이전에 유럽에서는 상인 하면 베니스의 상인이 가장 유능했다. 장사를 잘하는 베니스 상인 안토니오와 고리대금업자 유대인 샤일록을 극작의 주요 인물로 삼기에 매우 좋았던 것 같다.

동서양 간의 식습관에서 큰 차이는 동양은 초식 음식이 많지만 서양은 상대적으로 각종 육류가 많다. 육류의 누린내를 없애고 오래 잘 저장, 보관하기 위해서는 소금과 향료, 후추가 절대적으로 중요하다. 유럽에서는 소금, 향료, 후추 비즈니스가 큰돈을 벌어들일 수 있는 알짜 비즈니스 영역이었다. 유럽의 동방 무역을 9세기 이래 여러 세기 독점한 것은 8세기부터 1797년까지 존속한 베네치아/베니스 공화국이다. 베니스는 지금과 같은 일개 도시가 아니라 현재의 이탈리아 북부, 아드리아해 연안, 지중해 도서, 크레타, 사이프러스, 몰타를 보유하고 아프리카 북단, 레반트에 무역 거점을 운영하는 해상 무역 강국으로서 당시 스페인, 프랑스, 오스만제국, 헝가리, 바티칸 등과 무역과 외교를 하는 국가였다.

베네치아는 콘스탄티노플, 알렉산드리아, 사이프러스, 몰타 등 무역 거점을 두고 호르무즈, 홍해, 인도양 등을 통해 레반트, 이란, 튀르기예, 인도 등의 상인들을 통해 중국, 인도, 말루카 제도 등으로부터 비단, 향료, 후추, 도자기 등을 유럽으로 가져와 막대한 이익을 챙겼다. 그러나 1453년 오스만 제국이 콘스탄티노플을 점령하면서 막대한 세금을 부과하고 통행을 불허하면서 베네치아의 비즈니스 운명에 재앙이 되고 말았다. 이때까지 지중해 연안의 북부 아프리카, 아드리아해와 헝가리, 알바니아, 유고, 사이프러스, 몰타의 주인은 유럽의 기독교 세계와 아랍의 이슬람 세계 간의 세력 다툼의 결과에 따라 정해졌다. 1453년 오스만제국의 콘스탄티노플 점령은 기독교 세계에게 큰 위축이었다. 그러나 40년 후 1492년 스페인은 이베리아반도에서 이슬람 세력을 완전히 몰아내고 1571년 레판토 해전에서 아랍 이슬람 세력의 서유럽 진출을 저지하는데 큰 기여를 했다. 이 해전에서 합스부르그가 스페인 제국과 바티칸이 오스만제국에게 패전했었더라면 유럽 문명과 민주주의 문화가 사라졌을지 모른다.

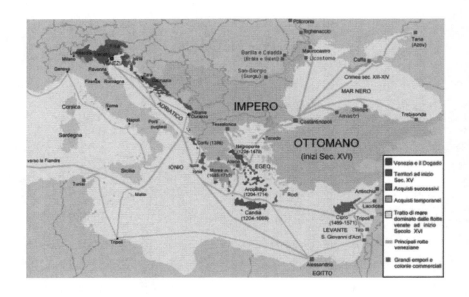

이탈리아 르네상스

중세에 베니스를 비롯해 피사, 제노바, 플로렌시아/피렌체 등 한 이탈
리아의 도시국가들은 무역을 통해 큰 부를 축적하고 건축, 조각, 그림,
항해 등 제 방면에 가장 뛰어난 작품들과 걸출한 인재들이 배출했다.
베니스와 이탈리아 도시국가들은 르네상스 시대에 유럽의 문화 예술
을 부흥하는데 기여했다. 그러나 베네치아는 공화국이자 도시국가로
서 무력으로는 절대 왕권인 오스만제국의 적수가 되질 못했다. 유럽
에서도 오스만제국에 대응해서 유럽과 기독교를 수호하는 그것이 중
요해지는 시점에 카톨릭 스페인 제국이 역사의 전면에 나오게 되었
다.

이탈리아

피사, 밀라노, 베니스, 피렌체/플로렌시아, 로마, 폼페이, 나폴리 등 이탈리아 유명 도시들은 도시 전체가 유적지이자 박물관이다. 로마, 르네상스의 유적, 문화, 예술이 곳곳에 놓여 있어 도시 자체가 문화유산인 듯하다. 이탈리아 여행에서 좀 더 많은 것을 이해하기 위해서는 로마 제국의 영토와 식민지, 로마

의 역사와 문화 유적 그리고 르네상스 시대의 성당, 건축, 조각, 그림 등에 관해 사전 지식이 필요하다. 로마 시대, 르네상스 시대의 건축, 조각, 그림 등은 당대 최고 수준을 자랑하는 걸작품들이다.

동서양 만나는 1,600년 수도 이스탄불/콘스탄티노플

동로마제국/비잔틴제국의 수도(330-1453; 1204-1261 라틴 제국의 수도), 오스만제국의 수도(1453-1922)로 약 1,600년간 제국의 수도였다. 동양과 서양, 기독교와 이슬람이 교차하는 곳이다. 보스포르스 해협, Hagia Sophia, Topkapi Palace, Sultan Ahmed Mosque, Grand Bazar … 등 볼거리가 즐비하다.

기독교와 이슬람의 지배 세력이 바뀜에 따라 도시의 분위기와 운명도 바뀌었다. 교회가 모스크가 되고 황제가 술탄으로 바뀐다. 그러나 어느 시대였든 사람들이 모여드는 제국의 수도였다. 이스탄불을 통해 유럽·베니스-이스탄불-비단길이 연결되고, 지중해-이스탄불-흑해·크림반도· 동유럽·러시아와 바로 연결된다.

소피아, 베오그라드, 부다페스트 등 동유럽 몇 도시 여행

소련 붕괴 얼마후 이스탄불로부터 열차로 소피아, 베오그라드, 부다페스트, 독일 남부, 비엔나, 짤스부르그, 프라하를 여행했다.

이스탄불은 기독교와 이슬람간 주인이 바뀔 때마다 건물이나 사원의 주인과 이름이 바뀌는 곳이다. 보스포로스 해협의 푸른 물결, 이쪽은 동양이고 저쪽은 서양이다. 동쪽은 흑해이고 서쪽은 지중해이다. 터키식 케밥과 처음 보는 요리들, 큰 천막 시장….

이스탄불에서 며칠을 묵은 후 소피아로 가는 완행열차에 올랐다. 이스탄불에 와서 무언가를 사가는 동유럽 사람들이 많은 듯했다. 소비에트에 의한 공산권 세력 이전에는 오스만제국이 지배하고 있던 영토들이라 그런지 역사적으로 터키와 관계가 있는 듯했다.

열차는 만석이었다. 동유럽의 꾀죄죄한 사람들이 많았다. 영어는 거의 통하지 않는 것 같았다. 끼리끼리들 무슨 언어로 말하는데 무슨 소린지 알아들을 수 없었다. 폴란드 국적이라는 한 여행객과 인사를 잠깐 나눴다. 이스탄불에 다녀가는 길에 큰 자루를 가리키며 빵을 한 자루 사서 가지고 간다고 했다. 느린 기차는 새벽녘에 터키와 불가리아 국경에 닿았다. 좌석에 앉아 꾸벅꾸벅 졸며 자며 가는데, 갑자기 "빠사뽀르트 콘트롤"이라는 소리가 들렸다. 눈을 떠보니 모두 여행객들이 여행 가방과 소지품들을 들고 열차 밖으로 나갔다. 국경비자 도장을 받도록 저쪽 대략 500미터를 걸어 다녀오라는 것이었다.

거북이 같은 열차는 이른 아침에 소피아에 도착했다. 소피아 기차역은 오래된 석조시멘트 건물로 기억되는데 건물도 꾀죄죄하고 휴지 등이 난무했다. 경찰인지 군인인지 촌스럽게 뵈는 정복을 입은 몇 명이 왔다 갔다 순찰했다. 소련 붕괴 직후 인플레이션이 심해 불가리아 화폐는 휴지 조각 수준이었다. 달러로 음식, 물 등을 살 비용을 위해 환전하는데 엄청난 금액의 현지 화폐 단위의 지폐를 나에게 건네줬다. 이게 현지화로 얼마인지 몰라 어리둥절해 받았는데, 유럽인 여행객이 다가와서 여기는 인플레이션이 너무 심해 제로(0)를 여섯 개를 지우고 세라고 했다.

베오그라드로 이동해보니 베오그라드는 이스탄불, 소피아에 비해 매우 현대화된 건물들이 눈에 많이 띄었다. 유고는 공산권 국가이긴 했지만 티토의 독자 노선으로 일찌감치 서방과 접촉했던 것 같다. 당시 서유럽에는 유고 여성들이 먹고살기가 힘들어서 혹은 화려한 삶을 꿈꾸며 서유럽에서 불법체류자 신분을 감수하며 체류하는 경우들이 많았던 것 같다.

베오그라드로부터 부다페스트로 와서는 민박집에 며칠 머물렀다. 아름다운 다뉴브강, 웅장한 건축물 그리고 미술관. 그 미술관은 예상치 못할 정도의 많은 좋은 그림들을 보유하고 있었다. 아마도 합스부르그가의 오스트리아-헝가리 제국의 일면이 아니었나 생각된다. 다뉴브강에서 유람선을 타고 근처 식당에서 저녁을 먹었다. 부다페스트는 못사는 동유럽 같지 않았다. 현대식 건물이 많아서가 아니라 오스트리아-헝가리 제국 때 건축한 건물과 도로들이 규모도 크고 아름다웠다.

체코

프라하 자유 봉기를 외치던 대로와 건물, 수백 년 묵은 아름다운 성과 정원, 성당 그리고 수백 년 전 건설되었다는 아름다운 다리가 어렴풋이 기억난다. 체코는 동유럽에서는 공업이 발달한 나라로 유일하게 차량을 생산해왔다 한다. 조잡해 뵈긴 해도 그래도 대단하다고 생각했었다. 체코에는 1895년에 설립된 자동차 회사가 있었다니 믿기지 않았다.

러시아

러시아는 우리나라 사람들에게는 모스크바의 붉은 광장, 문화 도시 상트페테르부르크는 많이 알려졌지만, 러시아의 광대한 영토의 자연과 여러 지역이나 도시들은 아직도 비교적 생소한 편이다. 아마도 그것은 알타이산맥, 시베리아, 바이칼호, Lena Pillars, Krasnodar의 온천, 해변, 음식, 캄차카반도의 간헐천 Valley of Geysers 등 러시아의 좋은 명소들이 아직 많이 알려지지 않은 이유 때문일 것이다. 모스크바에 20년 전쯤 늦가을과 겨울철에 방문해서 그런지 을씨년스러운 날씨가 방문 기억을 쇄도한다. 아름다운 도시라기보다는 왠지 썰렁했다.

광란의 유럽 정치와 민주주의 저 너머

전 세계적으로 피살된 왕 또는 황제가 무수히 많았지만, 로마의 황제조차도 언제 암살, 피살될지 몰라 다들 전전긍긍했다. 로마 제국

(BC27~AD476) 기간 77명의 황제 중 39명이 피살(전사자 제외)되고 6명이 자살했는데, 이는 77명 중 45명(58.4%)에 해당한다. 로마 황제가 엄청난 권력과 호사만 누린 것으로 알고 있지만 이걸 보면 권력의 자리나 공직이 얼마나 위험한 자리인지를 실감하게 한다.

그런데 왕이나 실권자들이 단순히 피살되는 것이 아니라 공개적으로 처형되는 것은 사회에 미치는 심리 효과가 훨씬 더 클 것이다. 신사의 나라라는 영국에서 1650년대 초 왕당파와 의회파가 대립했을 때 크롬웰이 주도하던 의회파는 1649년 찰스 1세를 처형했다. 찰스 1세 처형은 영국에서 왕권신수설에 마침표를 찍었다. 그로부터 140년 후인 1789년 프랑스 대혁명의 소용돌이 속에서 1793년 루이 16세와 왕비 마리 앙투아네트의 단두대 처형은 절대다수 시민의 불만 대상이었던 앙시앵 레짐의 붕괴를 가져왔다. 이에 따라 결과적으로 영국과 프랑스에서는 왕권신수설이 막을 내리고 의회 민주주의 시대로 전환되었다.

이와는 달리 제정 러시아에서는 입헌 군주제를 추진하던 알렉산더 2세가 1881년 피살되고 니콜라이 2세 때인 1918년 볼셰비키 혁명이 일어나 황제 일가를 몰살시키는 비극이 일어났다. 러시아 역사에서 알렉산더 2세의 피살과 니콜라이 2세 일가의 처형 이후 러시아는 민주주의로 나아가기보다는 짜르 때 보다 더 지독한 독재 국가로 변모하고 말았다. 이라크의 사담 후세인 대통령 처형도 마찬가지이다. 사담 후세인이 처형되면 이라크에 민주주의가 시행될 것으로 기대했지만 현실은 정치 불안과 혼란의 도가니가 되고 말았다.

동서양을 막론하고 왕이나 군주를 처형하는 경우는 매우 보기 드물다. 왕이나 군주가 마땅찮으면 쿠데타, 혁명으로 쫓아내서 유배 보내는 것은 그나마 점잖은 편이다. 피살, 암살은 매우 극단적이다. 처형은 더 극단적이다. 연산군, 광해군도 축출되어 유배되고 나폴레옹도 유배되었다. 왕이나 군주의 처형이 그 나라와 사회에 어떤 영향을 주는지는 일괄적으로 간단히 설명하기 어려울 것 같다.

1533년 7월 스페인의 프란시스코 피사로(Francisco Pizarro González, 1471년 또는 1476년~1541년 6월 26일)와 그의 정복자들은 잉카 제국의 13대 황제 Atahualpa를 잡아 목매달아 처형했다. 이에 앞서 1520년 6월 아즈텍 황제 Montezuma II는 스페인의 에르난 꼬르테스와 그가 지휘하는 정복자들과 대치 상황에서 아즈텍 제국의 인신 공양, 공물 등 억압을 혐오해온 인디언 부족들로부터 돌팔매질 당해 피살되었다.

미국은 아메리카 대륙에 왕정 체제가 들어서는 것을 매우 싫어하여 먼로 선언을 발표하여 외교정책으로 채택하였다. 멕시코에 1864년 4월 합스부르그 왕가 출신의 황제 막스밀리안 I (Fernando Maximiliano José María de Habsburgo-Lorena; 6 July 1832 – 19 June 1867)가 즉위했을 때 왕당파와 공화파가 대립했다. 프랑스의 나폴레옹 3세는 왕당파를 지지하다 슬그머니 지지를 철회했지만 미국은 끝까지 공화파를 지지했다. 그 결과 1867년 10월 의회파가 승리하여 막스밀리안 황제를 처형했다. 아메리카 대륙에 왕정 체제가 들어서는 것을 극도로 싫어한 미국의 입김과 멕시코 의회파의 정치적인 의지가 반영된 것으로 이해된다. 이후 아메리카에는 더 이상 왕이나 황제가 없다.

왕이나 황제는 그 나라의 정치, 경제, 사회의 변화를 미리 잘 감지하고 그 변화되는 상황에 따라 적절히 대처하는 능력이 없는 경우 본인의 목숨뿐만 아니라 전 일가가 몰살당할 수도 있는 매우 위험한 자리에 앉아 있는 사람들이다. 역사를 돌아보면 그 높은 자리에 앉아 있으니 당연히 그런 정도는 잘 헤아려 처리할 능력이 있을 것으로 판단되는 정치인들이 아예 무감각하거나 잘못된 판단으로 인해 전혀 예기치 않은 화를 당하는 것이 많이 목격되고 있다.

정치가 잘못되면 그 정치인뿐만 아니라 그 영향을 받는 수많은 사람 또는 모든 국민이 불행해진다. 그런 비극적인 정치를 피하고 싶거나 역겨운 정치를 혐오하는 사람 중에는 정치 무관심을 보이는 경향이 있다. 민주주의가 제대로 가지 않으면 무능하거나 인간 말종의 후보들만 출마해서 세상을 어지럽힐지 모른다. 세상 사람들은 그 후보들만 욕할지도 모르지만, 정치판이 그리되는 그것도 주권자인 국민이 어리석어서 그 지경이 되는 것이므로 국민 책임론도 피하기 어려울 것이다. 국민을 늘 신성한 그룹으로 보는 것은 과거에 왕권신수설을 주장하던 사람들의 사고방식과 별반 다를 것이 없다. 국민의 뜻, 민의를 받들어야 하는 것은 당연히 공감하지만 이를 핑계 삼아 정권을 잡으려는 자들이 많다는 것은 매우 경계해야 할 일이다.

3. 아메리카, 라틴아메리카 요항

개관

아메리카, 라틴아메리카 대륙에는 인간, 인류 문명의 역사가 구대륙에 비해 역사가 짧고 거주 인구도 훨씬 적었다. 컬럼버스의 신대륙 발견 이전에는 아메리카 인디언들의 나라와 인구의 규모, 문명의 발전 정도는 구대륙에 비해 상대적으로 미미했다. 그러나 그 인디언 국가들과 그 인구의 규모에 비해 그들이 만들어 놓은 문명이 결코 미미하다고는 할 수 없다. 게다가 아메리카 인디언들은 다른 유럽, 아시아, 중동 등 문화권과 완전히 고립되어 문명, 문화 교류가 적어 발전의 속도가 더딜 수밖에 없었을 것이다.

심지어 오늘날에도 브라질의 아마존 밀림이나 볼리비아와 페루의 아마존 상류 혹은 코스타리카 산악에는 현대문명과는 거의 접촉이 없이 원시 상태로 또는 매우 제한적으로만 접촉하면서 살아가는 인디언 부족들이 있다. 그들은 우리와 같은 시대에 살지만 다른 세상에 사는 것이다. 이들 중에는 스페인어나 폴투갈어도 거의 통하지 않는 일도 있다.

그들의 문명에는 문자와 바퀴가 없었는데, 문자가 없으면 지식을 전수해서 공유하기가 어렵고 바퀴가 없으면 도로와 육상 교역이 발달하기 어렵다.

아메리카 인디언들도 북미지역 인디언들과 중남미 인디언들은 혈통도 인종도 다르고 언어, 문화 등도 매우 다르다. 아메리카 인디언들이 남긴 문화 유적으로는 마야, 아즈텍, 잉카, 나스카 등의 문화가 남아 있다. 그러나 아메리카, 라틴아메리카에서 눈에 더 많이 뵈는 것은 문화 유적 보다는 자연 그 자체이다.

아메리카 대륙은 북극에서 남극까지 어마어마한 거리이며, 잘록한 파나마 지협을 가진 독특한 형상의 긴 대륙이다. 북극과 베링해로부터 아르헨티나 남단, 남극까지 이으면 지구 둘레의 반 바퀴, 약 2만 킬로미터에 이른다. **안데스산맥과 고산 평원**(altiplano), 바다가 융기되어 만들어진 해발 3,812미터에 8,300 제곱킬로미터의 **티티카카 호수**(Lago Titicaca)와 해발 3,656미터에 11,000 제곱킬로미터의 세계에서 가장 큰 거울 **유유니 염호**(Salar de Uyuni), 아타카마 사막, 어마어마한 크기의 **이구아수 폭포**(Cataratas del Iguazú), **그랜드캐년**(Grand Canyon), 1km 높이의 Salto Angel폭포, 지구의 허파 **아마존**, 생물 다양성을 상징하는 **갈라파고스 섬**(Islas de Galapagos), 그리고 인간이 근접하기 어려웠던 **남극**(Antartica)과 **북극**(Artic)의 대자연의 신비를 찾기 위한 여행객들이 들르는 핀란드 Helsinki와 러시아의 Murmansk, 아르헨티나 Ushuaia, 칠레의 Punta Arenas 등 아메리카 대륙은 대자연의 신비를 독차지하는 곳인 듯하다.

아메리카 대륙은 유럽과 아시아처럼 사람이 바글바글하고 지지고 볶고 싸우고 하는 그런 분위기와는 사뭇 다르다. 그래서 도시의 각박한 삶과 사람에 부대끼고 지친 분들에게는 인구가 그다지 많지 않은 아메리카의 자연경관을 찾아 나서거나 카리브해의 섬나라 해변에서 머리를 식히는 것이 힐링에 도움이 될 것이다.

아메리카 대륙 남반구의 계절과 시간대

우리나라의 대척점은 우루과이(Urguay)이다. 사막 등 예외적인 경우를 제외한다면, 위도가 비슷한 북반구와 남반구의 나라들의 계절과 기후는 기본적으로 서로 정반대이다. 한국이 여름이면 우루과이는 겨울이 되고, 한국이 겨울이 되면 우루과이는 여름이 된다. 한·칠레 FTA 이후 우리가 일 년 내내 제철 과일을 먹을 수 있게 된 것도 그런 이유이다.

시간대는 경도를 기준으로 같은 경도에 있으면 북반구와 남반구의 시간대는 같다. 우리나라 기준으로 보면 아메리카 대륙의 국가들은 미국이든, 남미이든 대략 12시간 정도 차이가 나고 밤/낮 또는 아침/저녁이 정반대이다. 계절의 변화는 북반구와 남반구는 정반대이다. 북반구의 한겨울은 남반구의 한여름이다.

라틴아메리카 & 카리브 식민 통치의 유산

아메리카 대륙은 컬럼버스가 발견하였지만, 당시의 탐험 장비, 기술로는 한 나라가 대륙 전체를 탐험하고 활용하기에는 너무나 컸다. 그래서 점차 북미의 북동부는 영국과 프랑스 사람들이 도래하여 정착해 나가고 멕시코, 중남미, 현재의 미국 중서부는 스페인이, 지금의 브라질 연안은 폴투갈이, 식민지를 개척해 나갔다. 스페인은 페루, 볼리비아, 멕시코 등을 중심으로 금은 광 채굴에 큰 관심을 보였지만, 영국, 화란, 프랑스는 남미와 카리브 여러 도서를 점령하고 무역 거점 확보, 사탕수수 재배 등에 관심을 보였다. 나폴레옹이 프랑스를 지배하던 시기에 폴투갈은 영국과의 협조하에 있었고 나폴레옹의 폴투갈 침략이 예상되자 왕실을 브라질로 옮기기로 했다. 1807년 11월 27일 폴투갈 왕가 전체가 영국 해군의 엄호하에 브라질로 이주하여 13년간 통치하다가 1821년 귀국했다. 오늘날 브라질의 수도 브라질리아는 1960년에 건설된 계획도시이다. 그 이전에는 리오데자네이루(리오)가 수도였다.

멕시코부터 아르헨티나까지의 라틴아메리카에서 Brazil(폴투갈), Beliz(영국), Guyana(영국), Surinam(화란), French Guyana(프랑스) 이외는 모두 스페인 식민지이다.

카리브 도서 국가들

카리브 도서 중에서 트리니다드 토바고, 바베이도스, 그레나다. 세인트빈센트, 자메이카 등은 영국령, 아이티는 프랑스령이었고, 쿠라사오, 본 아이레 등은 아직도 화란령이다. 쿠바는 스페인 식민지로 있다가 1898년 미서전쟁 이후 미국령으로 바뀌었다.

아메리카 대륙의 권위주의 청산과 민주주의 메커니즘

아메리카 대륙에는 상대적으로 역사와 유적은 많지 않고 자연에서 더 볼 것이 많다. 그러나 우리가 아메리카 대륙에서 정말 배워야 할 것이 있다면 민주주의를 지키려는 의지와 노력이다.

미국은 공화국으로 존재하던 각 주들이 계약에 따라 국가가 형성된 것으로 동아시아, 중동에서 힘센 자가 왕이나 천자가 되는 나라들이나 유럽의 세습 왕정 국가들과는 매우 다른 새로운 형태의 국가이다.

미국의 정치체제는 형태상으로 보면 전제 군주제와는 완전히 다르다. 미국에서 만들어진 새로운 정치체제는 왕족이나 귀족의 개념을 전혀 인정하지 않는다. 주가 크든 작든 각 주의 지분을 동등하게 인정하여 주당 2명씩의 상원의원을 배정하고 인구비례로 하원의원 수를 배정하여 선거에 의하여 선출되는 대표(대통령, 상원의원, 하원의원)들에 의해 나라가 통치된다는 점에서 그렇다. 미국의 정치체제는 고대 아테네, 고대 로마 공화정, 중세 베니스의 도시국가 등 도시국가와 공화국의 형태를 많이 반영한 것으로 생각된다.

이렇게 건설된 미국이 유럽의 왕정 체제를 좋아할 리 만무하다. 미국은 유럽으로부터 왕정 체제가 아메리카로 수입되는 것을 극도로 싫어했고 그것을 외교정책으로 펼친 것이 먼로 선언이라는 것은 '어느 보통 외교관의 회고'에서 설명한 바 있다. 미국 건국 초기에 미국의 국부들은 유럽의 왕정 체제와는 완전히 다른 방식으로 운영되도록 헌법을 초안했다.

아메리카 대륙의 대통령 3선 금지 전통

아메리카 대륙에서 왕정 문화를 일소한 것은 전술한 바와 같다. 그런데 왕정 제도가 없는 대통령제라 할지라도 3선, 4선을 통해 영구집권을 하게 되면 대책이 없는 것이다. 그런데 이에 대해서는 미국의 국부 조오지 와싱턴이 매우 훌륭한 선례를 남겼다. 그는 3선 이상할 수 있는 인기와 능력에도 불구하고 재임 후 스스로 정치에서 물러났다. 그의 업적만 봐도 미국 대통령으로서 존경받을 만한 대통령인데, 3선 고사로 그는 세계적으로 가장 위대한 대통령이 되었다. 이후 미국에서 그랜트 대통령, 테오도로 대통령이 3선을 시도했으나 실패했다. 루우즈벨트 대통령은 대공황과 2차 세계대전이라는 특별한 상황에서 3선 이후 4선에 당선되어 취임후 3개월을 못채우고 세상을 떠났다. 그후 미국 대통령 임기 제한 헌법 수정안이 발의되어 2회, 10년으로 제한하는 규정이 채택되었다.

프랑스는 부르봉 왕가와 위대한 나폴레옹 황제, 샤를 드골 대통령의 위상에 매료되어 국가 수장의 임기와 연임에 후한 편이었다. 1959년 프랑스 제5공화국이래 프랑스 헌법상 7년 임기, 무제한 연임이 가능했었으나 2008년 헌법 개정을 통해 5년 임기 연임 1회로 제한되어 최장 10년까지만 대통령직을 수행할 수 있게 되었다.

민주주의 국가의 대세가 이러함에도 중남미 정치는 여전히 별반 바꾸지 않고 있다. 중남미 정치에서 가장 취약한 것이 3선 이상에 대한 탐욕이다. 베네수엘라 우고 차베스 대통령이 4선 당선했으나 취임도 못한 채 세상을 떠났다. 볼리비아 에보 모랄레스 대통령은 3선 임기 후 4선에 당선되었으나 부정선거 시비와 쿠데타로 쫓겨나 4선 임기는 시작도 못 하고 말았다. 니카라과 오르테가 대통령은 1984년 이래, 1984년, 2006년, 2011년, 2016년, 2021년 대선에서 5회 당선되어 쿠바와 더불어 중남미 좌파 정부의 독특한 전형이 되고 있다.

최근 들어 라틴아메리카 대통령제 피선 가능 횟수에 관한 헌법 규정들은 긍정적인 방향으로 나아가고 있다. ① 콜롬비아, 과테말라, 온두라스, 멕시코, 파나마는 단임만; ② 칠레, 코스타리카, 하이티, 파나마, 페루, 우루과이는 연임 불가 중임은 허용; ③ 아르헨티나, 브라질, 볼리비아, 쿠바, 에콰도르, 엘살바도르는 연임할 수 있나 3선이나 무기한은 불허; ④ 니카라과, 베네수엘라는 무기한 가능하다.

권력 집중과 사유화를 방지하는 공직 연임 금지

많은 것들이 쇄신이 필요하지만, 우리나라에서 가장 역할이 아쉬운 부문이 정치와 언론이라는 말이 있다. 많은 나라들이 사실 그런 측면이 있긴 하다. 이런 정치판을 신선하게 제도 개혁하는 데 도움 될 만한 것이 있다. 미국의 일부 주, 시에서 채택하고 있는 시장, 시의원 3 연임 금지 규정이다. 코스타리카에서는 대통령, 국회의원, 시장, 시의원 모두 중임은 허용하지만, 연임은 금지하고 있다. 이들이 연임을 허용하지 않는 이유는 권력의 집중과 사유화를 막기 위한 것이다.

코스타리카에서는 초선의원이 국회의장이 되는 경우도 흔히 있다. 나의 막역한 친구 Daniel Soley 의 아버지 Elias Soley는 초선 의원 때 코스타리카 국회의장이 되어 31살에 한국을 방문한 바 있다. 내가 코스타리카에서 재직할 때도 Rafael Angel Ortiz Fabrega 국회의장, Gonzalo Alberto Ramirez Zamora 국회의장은 초선이었다.

미국 여행

미국은 역사가 그리 긴 나라는 아니지만, 슈퍼 강대국으로 여행객에게 구경할 것과 관심거리를 많이 제공하는 나라이다. 워싱턴 DC의 백악관과 의사당, 뉴욕 자유의 여신상, Empire State 빌딩, 유엔 본부, 민주주의와 자유언론, 각종 산업, 인종차별 반대, 대학 학문의 자유, 캘리포니아 Napa valley의 포도밭, 그랜드캐년, Death Valley(저절로 움직여 가는 돌), 요세미티, 유명한 골프장 등 어느 주, 어느 도시를 가서 무엇을 보고 할 것인지는 여행객의 자유로운 선택에 달려 있다.

미국은 자동차의 나라이다. 미국 여행은 자동차를 차를 빌려 여행하거나 투어 버스를 이용하는 경우가 많다.

그러나 미국은 일찍이 대륙 철도를 부설한 나라이기도 하다. 미국에서 기록상 최초의 철로 건설은 1720년대 시작한 바 있으나, 실제로 철로 건설이 본격화된 것은 1820년대 이후이고 미국 횡단철도 건설이 완공된 것은 미국 남북전쟁이 끝난 후인 1869년이다. 대도시 간 장거리 이동의 경우 개인 승용차 또는 렌터카로 여행하거나 비행기로 이동하는 경우가 많지만, 시간적인 여유가 있다면 Amtrack 기차를 타고 이동하면서 경치를 감상하는 것도 여유가 있는 선택이 될 것이다.

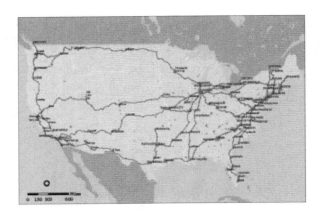

아메리카 대륙의 자연

아래는 아메리카 대륙에서 손꼽히는 자연관광 명소들이다. 대자연의 장엄함, 신비함이 주는 감동은 평생 지워지지 않는다. 특히 그랜드캐년, 이구아수 폭포, 띠띠까까 호수, 우유니 염호, 천사 폭포, 안데스산맥, 남극 등은 다른 대륙에서 찾아보기 어려운 것들이다.

아메리카 대륙의 생물, 동식물은 다양하다. 아마존 밀림, Charles Robert Darwin의 '종의 기원' 연구의 배경이 되는 Galapagos 섬, 아마존 밀림, 안데스산맥은 다양한 생물과 동식물, 곤충의 서식지들이다.
아메리카 대륙의 생물, 식물, 곤충, 새 등 생명체들은 기류를 타고 날아서 구대륙에서 신대륙으로 혹은 그 반대로 이동하는 경우가 있었다. 그러나 남극과 북극, 태평양, 대서양에 의하여 분리되어 아메리카 대륙에만 존재하고 구대륙에는 없는 종이 있는 반면, 그 반대로 구대륙에만 있고 아메리카 대륙에 없는 종도 있다.

구대륙의 동물들이 신대륙의 땅을 처음 밟게 된 것은 1493년이다. 컬럼버스가 말(Caballo, Yeguas), 개, 돼지, 닭, 염소, 양을 싣고 갔으며 그 이래 구대륙과 신대륙간 상호 보완적으로 오고 간 동식물 등은 아래와 같다.

구대륙에서 신대륙으로 건너간 것으로는 면화(Algodón), 보리(Cebada), 밀(Trigo), 쌀(Arroz), 사탕수수(Caña de azúca), 포도(Vid-uvas), 바나나(Plátanos), 오렌지, 리몬(limones), 올리브기름

(Aceite de oliva), 멜론, 망고(Mango), 말(Caballo), 소(Vaca), 돼지
(Cerdo), 염소(Cabra), 양(Oveja), 쇠의 사용(utilización del hierro),
커피나무, cítricos, 시나몬(cáñamo) 등이다.

신대륙에서 구대륙으로 건너온 것은 옥수수(maíz), 콩(frijol), 감자
(patata), 카카오(cacao), 땅콩(cacahuate), 토마토(tomate), 호박
(calabaza), 파인애플(piña), 아보카도(aguacate), 선인장(maguey-
pita), 담배(tabaco), 유까(Yuca-mandioca), 커피, 고구마(Batata),
칠면조(Pavo), 금(Oro), 은(Plata), 좋은 목재(Maderas finas)

아메리카 대륙에는 사자나 호랑이, 낙타 등도 없었다. 반면에 재규어,
야마, 아나콘다, 콘도르, 허밍버드, 분홍색 돌고래, 퀴노아 등이 있다.
코스타리카 정글에는 평소에는 초록색인데 성질이 나면 눈이 빨개지
는 개구리가 있는데, 이 개구리에 독이 있어 뱀도 잡아먹지 못한다.

아메리카 대륙의 문명과 문화

아메리카 대륙의 문명과 문화는 2개로 이뤄져 있다. 하나는 컬럼버스
가 신대륙 발견을 하기 이전의 아메리카 인디언 문화이고, 다른 하나
는 신대륙 발견 이후 500여 년에 걸쳐 나타난 유럽 이민자들과 혼혈
인들에 의한 문명과 문화이다.

신대륙 발견 이전의 인디언 문화는 이들이 아시아, 유럽, 중동, 아프리
카의 다른 대륙과는 교류와 접촉이 완전히 단절되어 고립된 상태에
서 발전되어온 문명과 문화이다. 아메리카 인디언들은 서로 다른 아

시아인들이 몇 차례에 걸쳐 아메리카 대륙으로 건너간 이래 1492년 까지 다른 대륙들과는 교류와 접촉이 완전히 단절된 상태로 발전되어 왔다. 아메리카 인디언들의 부족과 나라들도 다양하다. 그들의 문화 가 구대륙 문화에 비해 덜 발전되고 조잡한 것처럼 여겨질 수도 있지 만 교류와 접촉이 단절된 상황에서 그 정도의 문명과 문화가 있는 것 은 큰 발전이라 생각된다.

아마존 밀림에는 현대인들과 접촉을 거부하고 원시생활을 하는 인디 언들이 아직도 발견되고 있다. 좀 정도가 덜하지만, 제한적으로 접촉 하면서 그들만의 생활과 문화를 이어가는 인디언들도 있다.
아메리카 인디언들도 마야, 아즈텍, 잉카 문명은 상당히 발전된 형태 의 문명과 문화를 가지고 있었던 것 같다. 인디언들의 문명이 늘 평화 적이었던 것은 아니다. 대립과 전쟁, 힘의 차이가 나는 부족 간에는 패 권과 세력권 같은 것도 존재했다. 아즈텍 제국에는 이 제국을 지키는 독수리 부대와 재규어 부대가 있었다. 날짐승 중에서 가장 용감한 독 수리, 들 짐승 중에서 가장 용맹스러운 재규어(아메리카 대륙에는 사 자와 호랑이가 없었다)를 제국을 지키는 부대의 상징으로 삼았다.

컬럼버스 신대륙 발견 이후 유럽의 정복자들은 아즈텍 제국의 전사 의 상징인 독수리, 재규어 조각상의 머리 부위를 잘라버리고 그 위에 유럽식 건축물의 주춧돌로 사용했다. 문명과 문화의 충동이 일어날 때 발생하는 슬픈 현상이 아닐 수 없다.

아메리카 인디언들은 문자가 없었기 때문에 기록이 없다. 그래서 그 들의 문명과 문화를 기록으로 확인할 수가 없다. '퀴푸'라는 문자가 있지만 매우 단순한 의미 이상은 전달할 수가 없었다. 라틴아메리카 인디언들은 인종, 문화, 감정 등이 동아시아인과 유사성이 많다. 제사 풍습, 샤마니즘, 성황당, 부족간 유대와 전통, Pachamanca 요리 방식 (페루 음식 참조) 등 우리 전통 사회와 유사한 점들이 발견된다.

아이마라 언어는 우리말처럼 주격 조사, 방향을 나타내는 전치사 등이 있다. 동사 어간은 유지하고 어미가 바뀌면서 시제가 바뀌는 점 등 우리말 문법과 유사성이 있어 서양인들에 비해 우리가 배우기에는 쉬운 듯했다. 나는 아이마라 언어를 배우면서 관찰한 내용을 한국어와 아이마라어의 유사성에 관하여 현지 언론에 칼럼을 게재하기도 했다.

 아메리카의 인디언 문명 : 마야, 아즈텍, 잉카 문명

아메리카 대륙에는 우리가 흔히 기억하는 마야, 아즈텍, 잉카 문명 이외에도 여러 문명이 있다. 고고학적 연구를 위해서는 전문적인 연구가 필요하겠지만, 관광 목적의 여행일지라도 마야, 아즈텍, 잉카 문명 3가지 정도만이라도 간략히 알아 둘 필요가 있다.

- 지리적인 위치

마야 문명은 오늘날 멕시코 유카탄반도와 중미에, 아즈텍 제국은 오늘날 멕시코 시티를 중심으로 하는 멕시코의 중앙 계곡에, 잉카 제국은 오늘날 페루 꾸스코를 중심으로 하는 남미의 안데스산맥에 있었었다.

- 정치 상황

마야는 독립된 도시국가들이었고, 아즈텍은 황제가 존재하며 특히 전쟁에서 주도적인 역할을 했으며, 지방 유력자들과 피정복민들은 세금을 내야 했다. 잉카 제국은 정치적으로 절대권력을 가진 황제가 종교 지도자이기도 했다.

- 종교, 건축, 예술

마야는 다신, 문자와 달력 사용, Tikal과 같은 사원과 왕궁을 건설했다. 아즈텍은 다신이지만 Huitzilopochtli라는 주신이 있었고 동식물, 신을 새기는 조각이 뛰어났고 다산과 농업의 풍요를 기원했다. 잉카에서는 문자는 없었고 돌 건축과 도로 건설 능력이 뛰어난데, 돌 건축에 회반죽을 전혀 사용하지 않고 돌 사이에 틈이 없을 정도로 돌을 다루는 능력이 뛰어났다.

- 인신 공양, 피라미드

인신 공양 풍습은 동양에도 있었지만, 아메리카 대륙에서는 1500년대까지 존재했다. 마야, 아즈텍, 잉카 모두 인신 공양이 있으나 아즈텍에서 매우 성행했고 식인풍습도 있었다고 한다. 세 개의 문명 모두 피라미드가 있다. 아즈텍 피라미드가 규모 면에서 압도적으로 크다. 마야 피라미드도 과테말라, 온두라스 등에서 다수 있다. 잉카 피라미드는 흔치는 않지만, 리마에 Huaca Pucllana 피라미드가 있다. 중남미의 피라미드는 이집트 피라미드에 비해 연도가 1~3천 년 이후 건설된 것들이다. 이집트 피라미드는 무덤이 주된 용도이나 중남미 피라미드는 제단으로 많이 사용되었다.

인간의 만남과 바이러스의 전파

사람에게는 바이러스가 따라다닌다. 그래서 사람들이 많이 모이는 시장, 집회, 모임에서는 바이러스가 더 쉽게 전파, 확산된다. 그래서 대륙 간 서로 다른 국적, 인종이 많이 방문하고 경유하는 도시들은 바이러스의 전파와 확산의 통로가 되기도 한다. 컬럼버스가 아메리카 대륙을 발견하기 이전에 이미 바이킹들이 방문했었다고는 한다. 그러나 인디언들과 별다른 접촉이나 교류는 없었고 그 방문 규모도 매우 미미했다. 그러나 컬럼버스의 신대륙 발견 이래 유럽으로부터 금, 은 보화 등 일확천금을 노리는 사람들이 탐험과 정복을 목적으로 아메리카 대륙으로 왔다. 유럽인들과 아메리카 인디언들은 상호 간 천연두 등 바이러스와 질병을 전파했고, 면역력이 없던 아메리카 인디언들은 엄청난 재앙적인 결과를 맞게 되었다. 스페인 탐험 대원 중에도 이름 모를 바이러스에 감염되거나 질병에 걸려 죽은 사람이 꽤 많았다고 한다.

3개 문명의 종말

마야 문명이 왜 망했는지는 고고학적으로 잘 알려지지 않았다. 아즈텍제국은 Hernan Cortes에게 멸망 당했고 잉카 제국은 Francisco Pizarro와 전염병, 특히 천연두에 의해 붕괴되었다.

잉카 제국 정복자 Cortes와 변절의 상징 La Malinche

1527년 Hernan Cortes가 아즈텍 제국을 붕괴시키는 데에는 그의 현지 통역이자 자문 역할을 했던 아즈텍의 Nahua 부족 출신 Marina, Malintzin 혹은 La Malinche라 불리는 여성의 도움이 컸다. 그녀는 유카탄 인근의 Tabasco 부족이 Cortes에게 갖다 바친 20여 명의 노예 중의 한 사람이었다. Cortes와 60여 명의 병력으로는 아즈텍 제국을 일거에 무너뜨릴 수 없었다. La Malinche의 통역, 조언에 따라 아즈텍의 공격을 피하거나 대비할 수 있었고, 아즈텍 부족 간 관계를 이용하여 일부 부족들의 지원을 받을 수 있었기 때문이다. Malinche의 이미지는 다양하다. 현지에서 이 여성의 이미지는 시대에 따라 문학, 영화, 연극, 그림, 민예품 등을 통해 유럽인과 아즈텍 여러 부족 간의 다리 역할, 배신자, 현대 멕시코 여성의 창시자 등으로 다양하게 인식되고 있다.

마다가스카르가 원산지로 인도, 아프리카, 아메리카 등 여러 대륙과 도서에 퍼진 Delonix regia라는 나무가 있다. 이 나무는 처음에는 푸른색이나, 계절이 바뀌면서 모두 빨간색으로 변한다. 나무 전체가 빨간색으로 변하기 때문에 꽃인지 나무인지 착각을 일으킬 정도이다. 사람들은 대륙, 나라에 따라 Gulmohar tree, royal poinciana, flamboyant, phoenix flower, flame of the forest, flame tree, Delonix regia 등 다양한 이름으로 부르는데 중미에서는 Malinche라 부른다. 모습이 변하는 것을 보고 변절의 꽃으로 여긴 것으로 보인다.

Hernan Cortes는 Malinche를 현지 통역, 자문 역할에 그치지 않고 그녀와 사이에 Martin Cortes라는 메스티소 아들을 두게 되었다. 이 아들이 유럽인과 아메리카 인디언 사이에서 태어난 최초의 메스티소이다. Hernan Cortes는 이 아들을 그의 사촌 Juan Altamirano에게 맡겨 키우고 그는 Malinche와 함께 온두라스로 원정을 떠났다. 온두라스 원정하는 동안 Malinche는 Juan Jaramillo라는 한량과 결혼했고 Martin Cortes는 그의 어머니 Malinche와 함께 살지 못했다.

Martin Cortes는 그의 아버지 Hernan Cortes가 지체 있는 정식 부인과 결혼해서 1528년 낳은 Don Martin Cortes와는 대조적으로 재산, 작위 상속에서 다른 대우를 받았다. Martin은 1528년 스페인으로 돌아와 왕실에서 교육받고 이후 필립 2세의 종자로 일하기도 했다. 이후 멕시코로 건너와 활동하다 반역 모의 혐오를 받고 조사를 받는 등 불안한 생활을 하다 사망했다. 서자의 사회적인 대우는 스페인이나 한국이나 별반 다를 바 없었던 것 같다. 정식 결혼해서 낳은 자녀가 아닌 경우 재산상속, 작위 상속, 신분상의 차별 등이 불가피했다.

그런데도 지체 있는 집안의 서자들은 일반 평민 또는 다른 하급 신분 혹은 천민보다는 나았던 것 같다. 스페인이나 한국, 동서양을 막론하고 서자 문제, 확대해 본다면 신분상의 차별 문제는 큰 사회적인 문제였는데, 프랑스 대혁명, 미국 민주주의의 발전을 통해 많은 진전을 이뤘다. 계급과 신분이 모두 사라진 오늘날에도 모든 인간사회, 민주주의 사회에서도 보이지 않는 사다리와 상하가 존재한다. 미국에서는 인종차별, 한국에서는 갑질이 그런 사례같다.

멕시코, 과테말라, 온두라스의 피라미드

피라미드는 이집트에만 있는 것이 아니라 멕시코, 과테말라, 온두라스에도 있다. 물론 축조 시기가 이집트 피라미드가 더 오래되었고 크기도 가장 크다. 그러나 멕시코 시티 근처의 Teotihuacán 피라미드는

이집트 피라미드에 버금갈 정도로 규모가 크다. 이집트의 피라미드가 무덤으로 알려져 있지만 멕시코 등의 피라미드는 제단이 주목적이었다는 설이 많다.

고분과 지하 무덤

이집트의 지하 무덤들, 피라미드, 진시황의 병마용, 명나라 신종의 무덤 등은 우리나라에도 보이는 고분들 보다는 그 규모가 엄청나게 크고 그 내부에서 발굴되는 것들도 매우 다르다. 이들은 모두 살아서 권력과 영화를 누리던 왕 또는 권력자들의 사후 세계 혹은 권력자들의 권위를 상징하는 증거들이다.

멕시코
Cuidad de Mexico, Acapulco

컬럼버스 신대륙 발견 이전과 이후의 인디언 문화, 식민지 문화와 유산을 가장 잘 볼 수 있는 대표적인 나라를 꼽으라면 역시 멕시코와 페루이다. 스페인 식민지 시대에는 페루와 볼리비아를 같은 부왕청에서 관할했고 볼리비아를 '높은 페루'(Alto Peru)라고 불렀다. 다른 나라에도 인디언들이 거주했었지만 아즈텍, 잉카 제국만큼 번성했던 곳은 없고 스페인 제국의 식민지 경영의 축도 멕시코와 페루가 가장 중요했다고 봐도 무방할 것이다. Teotihuacan 유적, Zocalo 광장, Museo de Antropologia, Chpultepec castle, Palacio de Bellas Artes 등 관심을 끄는 곳들이 너무나 많다. Acapulco도 태평양 연안의 휴양 도시로도 유명하지만 식민지 시대에 1565~1815년 기간 약 250년 동안 매년 아카풀코와 마닐라 간에 Galleon 무역선이 다닌 곳이다.

코스타리카

코스타리카는 작은 나라지만 아메리카 대륙의 중앙에 위치하고 3천 미터가 넘는 높은 산과 태평양, 대서양의 두 바다를 가진 나라이다. 위도 15도의 아열대 기후이면서도 태평양과 대서양 연안의 날씨와 기후는 사뭇 다르고 도시의 해발 고도에 따라 온도가 다소 다르다. 코스타리카의 북서부에서 산호세 지역에는 멕시코, 콰테말라로부터 오는 기후의 영향을 받아 매년 한철 혹심한 건조기와 가뭄이 반복된다.

코스타리카에는 화려한 것은 아무것도 없다. 군대도 폐지하여 군 시설로 사용하던 건물은 박물관이 되었다. 코스타리카에는 28개의 국립공원은 국토의 28%에 해당한다. 자연, 커피, 화산, 새, 나무, 민주주의, 인권, 환경은 코스타리카인의 자부심이다. 산호세 근처 커피 농장에 들러 커피밭을 구경하고 뽀아스 화산(Volcán Poás)을 방문하거나 좀 더 멀리 아레날(Arenal) 화산을 구경하는 것만으로도 힐링에 도움이 될 것이다. 온천을 좋아하는 분들은 산호세에서 2시간반 거리의 따바콘(Tabacón) 온천을 찾는다.

코스타리카에서 화려한 것은 정말 찾아보기 어렵다. 시내 스타디움 근처의 호텔 Hotel Grano de Oro(Hotel Grain of Gold, 즉 '금'의 곡알이라는 뜻인데, 커피를 상징한다)은 조그만한 규모이지만 저녁 시간의 불빛은 화려하다. 코스타리카 시민들의 민족적인 자존심을 상징하는 국립극장은 100여 년 전 1897년 코스타리카 커피 재배 농부들이 돈을 모아 건설했다고 하는데 그리 큰 규모는 아니지만 아담하게 괜찮은 편이다. 이 극장의 2층에 올라가면 정부 요인 등 귀빈들을 위한 좌석들과 리셉션 홀이 눈에 띈다. 이 수수한 극장에서 가장 화려한 것은 일반인에게는 공개하지 않는 그림이다. 이 그림은 한 번도 코스타리카를 방문해 본 적이 없는 이탈리아 화가에게 의뢰하여 배편으로 가져왔는데, 커피 농부들과 리몬(Limón) 항구를 배경으로 한 것으로 그림 크기는 제법 크다. 코스타리카에는 화려한 것과는 거리가 먼 나라이지만 내가 코스타리카에서 본 것 중 가장 화려한 것이다.

코스타리카에서는 이런저런 이유로 정부 각료, 국회의원과 정치인, 대학교수들과 친하게 지냈다. 그중에서도 Universidad de Costa Rica 부총장을 지낸 Bernal Herrera Montero 교수와는 지금도 자주 연락하고 지낸다. 그는 2019년 이래 La Revista 라는 디지털 언론에서 매주 한 번씩 Podcast 방송 칼럼을 내보내고 있다. 2022년 12월 중순에는 '대화의 기술'에 관하여 자기 생각을 이야기했는데, 내가 당신 의견이 코스타리카 민주주의 크게 기여할 것으로 본다고 코멘트했더니, 그는 나더러 한국에서도 한번 해 보라고 했다. 나는 한국 정치판에는 모두들 귀는 닫고 확성기만 들고 다니는 분들밖에 없어 내 방송 칼럼 청취할 분이 아무도 없을 거라고 대답하고 웃어넘겼다. 그는 그래도 해보면 누군가가 듣게 된다면서 희망을 가지라고 했다.

코스타리카 남부 Diquis 의 둥근 돌(stone spheres)

코스타리카 남부의 태평양 연안에는 수많은 크고 작은 동그란 돌들이 널려져 있다. 이것을 누가 무슨 용도로 만들었는지 수수께끼이다.

이 사진은 그 돌중 하나를 수도 산호세에 옮겨다 놓았는데 Luis Guillermo Solis 대통령이 이 돌에 손을 얹은 모습이다.

파나마 & 파나마 모자

파나마는 콜롬비아의 일부였지만, 파나마 운하 건설을 계기로 콜롬비아로부터 분리, 독립되었다. 파나마 하면 파나마 운하가 당연히 떠오른다. 파나마를 두 번이나 공무로 방문했지만 일이 바빠 파나마 운하 구경은 하지를 못했다. 10여년 전 중미통합체제(SICA) 대표들과의 대화를 위하여 그리고 마르띠넬리 대통령과의 면담 배석을 위하여 파나마 시티를 방문했었는데, 가만히 있어도 땀이 줄줄 흘러내렸다. 대통령 집무실에는 대형 선풍기 돌아가는 소리가 면담 기록하는 것이

방해될 지경이었다. 남미의 대서양 연안 나라 가이아나를 방문했을 때도 유사한 체험을 했는데, 그 느낌은 과거 20세기 초 영국이나 프랑스의 식민지였던 인도 혹은 동남아의 식민지 관청 혹은 호텔에서 칙칙 들러붙는 날씨 속에 회전하는 고풍스러운 그런 선풍기를 연상시킨다.

100여 년 전 파나마 운하 건설에 참여했던 노동자들은 습기와 불쾌지수가 극에 달하는 찜통더위와 위험한 공사 현장, 말라리아 등으로 무수히 죽고 혹독한 고생을 했다. 이 노동자들이 더위를 이기기 위해 착용했던 모자가 파나마모자(sombrero panameno)이다. 원산지가 파나마가 아니라 에콰도르이다. 파나마 운하 건설 당시 미국 대통령으로는 처음으로 외국을 방문한 테오도르 루우즈벨트 대통령이 이 모자를 쓴 이후 더 많이 알려졌다고 한다. 나도 에콰도르 방문 기회에 하나 사서 기념으로 보관하고 있다. 재료가 플라스틱이 아닌 자연 식물 줄기로 짠 것인데도 가볍고 질길 뿐만 아니라 구겨도 다시 금방 원상으로 돌아오는 것이 신기하다.

그란 꼴롬비아(Gran Colombia)

베네수엘라, 콜롬비아(파나마 포함), 에콰도르는 1819년 Simon Bolivar(1783-1830) 장군에 의해 원래 Gran Colombia(1819-1830)라는 나라로 독립해서 1831년 3국으로 분리되었다. 이후 파나마 운하가 추진중이던 1903년 파나마가 콜롬비아로부터 독립을 선언하였다. 이 나라들의 날씨는 대부분 중남미의 열대 우림, 아열대에 속하나 해발 2,500미터 이상의 고산에는 연중 우리나라 봄, 가을 날씨와 유사하다.

콜롬비아, 베네수엘라, 에콰도르의 독립과는 별개로, 볼리비아의 독립도 Simon Bolivar에 의해 이뤄졌는데, 1809년 독립전쟁이 개시되어 1825년에 쟁취되었다.

그래서 콜롬비아, 베네수엘라, 에콰도르, 볼리비아는 국부가 같다. 그래서 전자 3국의 국기 기본 3색(노란, 파랑, 빨강)은 같고 국기 중앙의 문장(escudo)만 다르다. 베네수엘라의 수도 까라까스 인근 Maiquetia 에 소재하는 베네수엘라 국제공항의 이름은 Simon Bolivar International Airport이고 볼리비아는 국명을 그의 이름에서 따왔다. 3국의 수도에는 17∞19세기의 오래된 식민지 시기의 건물들이 남아 있고 지방들에는 목가풍의 커피농장 혹은 사탕수수 농장(Hacienda)들이 남아 있다.

베네수엘라

베네수엘라를 방문하신 분들의 이 나라에 대한 기억은 우고 차베스 대통령 집권 이전과 이후에 따라 매우 다를 것이다. 차베스 대통령이 1999년 2월 대통령으로 취임했는데 내가 근무했던 2000년 8월부터 2003년 2월까지만 해도 이 나라의 국정운영 방향이 이전과는 완전히 다르게 선회하고 있었지만, 사람들은 여전히 그 이전의 베네수엘라에 대해 좋은 기억을 하고 있었다.

차베스의 정치적 등장이 베네수엘라 역사에서 국민에 대한 인식의 변화, 국민 교육, 서민 복지에 관한 관심 등 긍정적인 측면이 없는 것은 아니다. 그러나 차비스타(Chavista)들은 나라를 이념적으로 완전히 두 동강 냈다. 신자유주의 이념 투쟁에 너무나 많은 자금을 쏟아붓고 경제를 망가뜨려 놓았다. 대개 이념 주의자들이 나라를 운영하면 경제 원리에 따라 나라를 통치하는 것이 아니라 이념에 몰입해서 통치하기 때문에 이런 폐해가 생기게 된다. 생계형 강도 혹은 절도 중에 발생하는 총기 사고도 잦다. 내가 까라까스에 있을 때 유럽인 관광객 2명이 택시를 탔는데 택시 기사가 무장 강도여서 산 중턱까지 끌려가 여행 가방과 옷까지 모두 빼앗기고 속옷만 입힌 채로 산에 내버려진 충격적인 사건이 있었다고 들은 적이 있다. 지금은 베네수엘라 치안 상황이 얼마나 나아졌는지 모르겠다. 베네수엘라의 석유가 신의 축복인가 재앙인가 하는 말이 나올만하다.

까라까스는 남미 해방의 영웅 Simon Bolivar가 출생하고 자란 곳이다. Avila산 중턱으로 지나가는 항공기를 바라다보면 안데스산맥이 얼마나 큰지를 새삼 느낀다. 언젠가 다시 베네수엘라를 다시 여행하기를 희망한다. Junko GC의 아름다운 경치, Maracay Country Club의 무더운 여름, 180년 전 390명의 독일(당시는 Baden 공국) 이민자가 정착해 건설한 Colonia Tovar, 발렌시아 호수(Lago Valencia), 메리다의 안데스 풍경과 바이올린 음악(Clavelito, A pesar de todo), 물 떨어지는 길이가 거의 1km에 이르는 Salto de Angel 폭포, …

카리브해 도서 혹은 연안 국가
트리니다드 토바고, 수리남, 그레나다. 바베이도스, 가이아나, 꾸라사오, 본아이레

2000.8월~2003.2월 베네수엘라 까라까스에 상주하면서 카리브 연안 혹은 도서 국가들로 출장을 자주 다녔다. 카리브해의 항공교통 허브는 트리니다드 토바고와 자메이카다. 까라까스에서 상기 카리브 연안국 혹은 도서 국가로 여행하기 위해서는 트리니다드 토바고의 수도 Port of Spain에서 항공편을 갈아타야 했다.

까라까스 공항에서 오전 10시경 출발해서 1시간 남짓 걸려 Port of Spain에 도착하면 다른 카리브 나라들로 가는 항공편은 그날 밤 10시경에 출발하는 경우가 많았다. 오후 내내 Port of Spain 시내 구경을 하거나 대포 포대가 설치된 산성에 올라가 아래로 파노라마를 감상했다. Port of Spain에서 일이 있어 숙박하는 날 오후 여가 시간이 나면 호텔 수영장에 앉아 책을 읽거나 맥주를 마시며 흘러나오는 음악을 감상하곤 했다. 트리니다드 토바고는 영연방으로 인구가 흑인계, 인도계가 각기 약 45%씩이고 나머지 백인 혹은 다른 인종, 혼혈들이 캐스팅 보트를 쥔다. 이 흑인계와 인도계는 모두 식민지 시대의 후손들이다.

카리브 국가 중에서도 가이아나, 수리남은 소득수준이 더 낮았고 바베이도스는 물가가 엄청 비쌌다. 2000년대 초 바닷가에 있는 괜찮은 호텔은 약 320불 정도였고, 저렴한 호텔도 180불 정도 했다. 아마도 여름철 성수기 숙박 가격이라 더 비쌀 것으로 생각된다. 바베이도스 해변의 백사장은 매우 아름다워 미국, 영국으로부터 관광객이 많은 것 같았다. 영국 링스 코스 골프장을 연상시키는 그런 풍경도 있었고 대체로 약간 메마른 풍경이었다. 바베이도스 인구는 약 20만 명으로 다른 카리브 도서 국가에 비해 상대적으로 매우 큰 나라였다. 외교부 청사와 간부진들은 영국의 저명 대학에서 수학한 엘리트였던 같다.

그레나다는 아름다운 꽃들이 많았고 물가가 상대적으로 비교적 저렴했다. 인구 45,000명밖에 안 되는 작은 나라인데, 당시 외교부 정식 직원이 4명밖에 안 된다고 했다.

수리남은 화란 식민지였고 가이아나는 영국식민지였는데, 두 나라 모두 가난했다. 수리남은 1970년대 초 독립 때까지 화란 령이었는데, 한국전 당시 화란 군의 일원으로 수리남 병사들이 참전했다. 수리남에는 새우잡이 업에 종사하는 우리 동포 가정들이 살고 있었다. 2001년 출장 때 동포 약 20명과 저녁 식사를 했는데 미화 200불 채 안 될 정도로 물가가 저렴했던 것으로 기억된다.

콜롬비아

콜롬비아의 스페인어는 500년 전 스페인어에 가장 가까운 스페인어라고 한다. 발음이 명확하고 점잖은 신사·숙녀들이 구사하는 정말 괜찮은 톤이고 속도도 완만하다. 오늘날 마드리드 스페인어는 청춘 남녀들이 말하는 걸 들으면 귀엽기는 하지만 발음이 축구 선수가 축구공을 드리블하듯이 빠르다.

수도 보고타의 평균 해발고도는 2,640m로 고산 도시를 처음 방문하는 분들은 소로치 약을 지참하는 것이 좋다. 보고타 시내의 호텔들에는 고용되어 일하는 아줌마들은 파리가 미끄러져 엉덩방아를 찔 정도로 탁자, 의자, 창틀, 현관문을 닦고 또 닦는다. 카페에서 나오는 구수한 커피 향. 그러나 콜롬비아 커피 농부들은 제대로 된 좋은 커피를 소비하지 못한다. 늘 좋은 커피콩은 다 내다 판다. 살림을 위해 돈을 벌어야 하기 때문이다. 콜롬비아는 세계에서 화훼 3위의 국가이다. 우리나라에도 장미 혹은 열대 꽃을 팔기를 희망했다. 비 오는 날 사무실에서 늦게 나오다 꽃 파는 아가씨나 아줌마를 만난다. 오천 원, 만 원에 한 아름이다. 꽃이 안 팔리는 날들이 계속되면 수입이 크게 줄어든다. 나는 거실의 창가. 현관에 꽃을 꽂아두려 꽃을 사지만 꽃 파는 사람들은 한 푼이라도 건져야 하는 애타는 농부의 심정일 것이다.

요즈음은 콜롬비아의 치안 상황이 사실상 거의 해소되었지만 1960년대 이래 최근 20년 전쯤 만해도 콜롬비아는 중남미 양산박이라 해도 과언이 아닐 지경이었다. 좌익 게릴라 FARC의 준동과 인질 납치 살해, 우익 무장 집단 등이 각축하는 극도로 불안한 치안 상황의 연속이었다. 그렇게 친절하고 성격 좋은 콜롬비아인들이 과거에 그렇게 무도한 납치와 잔인한 살인을 그렇게 무분별하게 했었다는 것은 정말 믿기 어렵다. 사람의 이중성을 대변하는 듯하다.

보고타 시내 대통령궁, 국회, 금 박물관, 주변 까페와 식당들, 케이블카(Teleferico)를 타고 오르는 3,152미터의 Monserrate 에서 내려다 뵈이는 보고타 전경. 보고타 시내에는 두 개의 골프 클럽이 있다. Country 클럽 회원은 정치인, 군부 인사들이 많은 곳이고 한국 코스(Cancha Corea)가 있는 Lagartos 클럽에는 재계인사들이 많다. 보고타 근교 소금 성당(Catedral de Sal)도 볼 만 하다. 마약왕 Pablo Escobar, Uribe대통령, 화가 Botero, 할리우드 영화배우같은 미녀들로 소문난 메데진(Medellin), 대서양 연안의 까르따헤나

(Cartagena), ···.

에콰도르
Quito, Guayaquil, Galapagos

영어로 적도에 해당하는 equator를 스페인어로는 ecuador terrestre, línea ecuatorial 이라고 한다. 에콰도르 나라 이름 자체가 적도라는 뜻이다. 수도 Quito는 해발 2,850미터의 고산이고 이 도시는 16∽17세기에 건설된 성당 등 건축물들이 그대로 남아 있다. 해발 4,000미터에 오르는 케이블카(teleferico)는 한번 타 볼만하다. 해발 2,850미터에서 해발 4,000미터를 삽시간에 올라가면 뒷골이 당기거나 4,000미터에 내렸을 때는 달나라를 와서 걷는 느낌을 가질 수도 있다. 볼리비아보다는 해발 높이가 약 1,000미터가 낮은 곳인데도 짧은 시간에 케이블카로 갑자기 올라오면 고산 증상을 확연히 느낀다. 혈관에 문제가 있거나 심장질환이 있는 분들은 고산 도시 방문을 삼가는 것이 좋다.

수도 Quito에서 북쪽으로 22km를 가면 Pichincha지역에 세계의 중간(Mitad del Mundo)이라는 조그만 마을이 있다. 그러나 최근 GPS의 기술로 확인한 결과로는 여기로부터 240미터 더 북쪽이 실제로 적도라고 한다. 이 근처에 Intiñan Solar Museum이라는 박물관이 있다. 이 박물관 관계자는 정확히 적도 기점, 그 북쪽, 그 남쪽에서 서서 개수대에 물을 부어 가며 Coriolis force 원리대로 적도 아래 남반구에서는 물이 흘러 내려가는 것이 시계방향, 북반구에서는 시계 반대방향임을 증명해 보인다. 그러나 과학자들은 Coriolis force는 태풍이나 허리케인의 궤적 혹은 장거리 항공기의 궤적에서는 나타나지만 아주 짧은 거리에서는 전혀 나타나지 않는다고 한다. 나는 에콰도르를 두 번째 방문했을 때 이곳을 방문한 적이 있었는데 이 당시는 그 신기함에 진실처럼 느껴졌었다. 결국 관광객 유치를 위한 그럴듯한 상술에 불과했다.

Galapagos 섬은 에콰도르에서 1,000km 서쪽으로 태평양에 있는 섬이다. 영국의 Charles Darwin이 1835년 이 섬을 방문하여 그의 이론을 정립하여 1858년에 종의 기원을 발표하는데 배경이 된 섬이다.

Yasuni Park라는 약 10,000 제곱킬로미터 크기의 큰 생태 공원이다. 나무, 풀 등 종의 보고이고 현대인과 접촉이 없는 두 인디언 부족이 살고 있다.

이 지구상에서 가장 높은 산은 에베레스트산이지만, 해발을 기준으로 하지 않고 우주 관점에서 가장 높은 산은 6,263미터인 Mount Chimborazo 산이 가장 높은 산이다. 그래서 이 산을 Space Mountain이라 부른다.

페루

Nazca

페루 남부의 해안가 Nazca 지역 (아래 지도)에 가면 각종 동물, 새 등 형상을 기하학적 선으로 대형 그림을 그린 것들이 있다. 500 제곱킬

로미터의 면적에 800개 이상의 선들, 300개 이상의 기하학적 형상, 70
개의 동식물 등이 그려져 있는데, 이 형상의 그림들의 선들이 모두
1,300킬로미터나 된다. 과학자들은 이것을 BC 100~700년 사이
Nazca 사람들이 그린 것으로 믿고 있는데, 지금까지 왜, 어떻게 이 기
하학 형상의 그림을 그렸는지는 확실히 밝혀지지 않았다. 이 지역이
건조하고 습기가 없다는 점이라고도 하지만, 그것만으로 약 2,000년
이상 잘 보존되고 있는 것은 믿기 어렵다.

꾸스꼬 Sacsayhuamán, 마추피추

잉카 제국의 수도 쿠스코(해발 3,399미터)와 마추피추 (해발 2,430미
터)는 잉카 시대의 대표적인 유적이다. 회반죽을 전혀 사용하지 않고
도 건축물에 틈이 전혀 없도록 잘 맞춰 만들었다. 잉카인들은 문자가
없어 마추피추가 왜 건설되고 방치되었는지 확실히는 알기 어려우

나, 고고학자들은 이 도시가 Pachacuti (1438-1472) 황제를 위해 건설되었다가 스페인 정복자들이 들어오기 전에 방치된 것으로 보고 있다.

볼리비아

La Paz, Santa Cruz, Cochabamba, Oruro, Sucre, Potosi, Tarija, Beni, Pando, Copacabana, Rurrenabarque, Santa Rosa de Yacuma, Coroico, Jungas, Caranavi, San Julian, San Ramon

라빠스 까라꼬또 (La Paz Calacoto)의 까페들

Zona Sur의 Calacoto 구역에는 카페가 많다. 오늘은 이 카페, 내일은 저 까페, ... 우연히 혹은 약속을 정해서 장관들, 친구 대사들도 종종 만난다. 오가는 사람들, 까라나비(Caranavi), 융가스(Jungas)의 커피 냄새, 정면의 산 아래는 달의 계곡(Valle de luna), 그 뒤엔 라빠스 골프클럽(LPGC), 정면 약간 왼쪽엔 악마의 어금니(Mueble de Diablo) 봉우리, 그 너머 어딘 가에는 6,460미터의 설산 Montaña Ilimani가 있다. 보름달이 뜨는 날이면 라빠스 시내에서 공항이 있는 El Alto에 올라가는 언저리에서 보는 둥근 달과 Ilimani 산의신비로운 풍경은 사진으로는 느낄 수 없는 그 무언가가 있다.

띠띠까까 호수(Lago de Titicaca)

해발 3,812미터의 고산에 8,300제곱킬로미터, 북서–동남 방향 대각선으로 190킬로미터에 이르는 엄청난 크기의 호수이다. 호수의 평균 깊이는 135미터이고 가장 깊은 곳은 284미터에 이른다. 최소한 수천 년 이전부터 인간이 거주해왔으며 인근에는 아이마라족이 아직도 거주하고 있다. 모랄레스 전 대통령과 다비드 초께우안까(David Choquehuanca) 외교장관(현 부통령)이 이 부족 출신이다. 이들의 풍속은 우리나라 전통 풍속과 유사성이 많다. 그들의 언어도 한글과 문법적으로 유사점이 많이 잘 발견된다. 아이마라족은 페루 띠띠까까 주변에도 많이 모여 산다.

띠띠까까 호수와 근처에는 이 호수와 물을 기반으로 인간은 물론 동식물, 생물이 서식하고 있다. 띠띠까까 호수를 채우는 물은 자연 강우와 주변의 높은 산들로부터 눈 녹은 물이 Ramis, Coata, Ilave, Huancané, and Suchez 등의 강과 다른 20여 개의 작은 개울을 따라 내려와 띠띠까까 호수로 흘러 들어온다. 띠띠까까 호수로부터 물이 빠져나가는 것은 Rio Desaguadero 강 하나밖에 없다. 오랜 긴긴 세월에 걸쳐 바닷물의 염도는 점점 약해지고 민물로 대체되어 가는 것으로 추측된다.

이 호숫물은 바닷물에 비해서는 미미하지만, 민물에 비해 높은 정도의 염도가 있다. 지중해 38/1000, 홍해 36/1000, 발틱해 10/1000 그리고 일반적으로 바다는 34-36/1000인 데 비해, 띠띠까까 호수는 5.2-5.5/1000이다. 일반 민물 0-0.5/1000에 비해서는 꽤 높은 편이다.

초께우안까 외교장관과 띠띠까까 호수를 이용하여 볼리비아 고원평야 농업 용수 활용방안을 논의한 적이 있다. 그는 고산지대에서의 농업은 고산 기후대에 적합한 작물의 선정 문제 이외에도 띠띠까까 호수의 물 염도 극복방안이 강구되어야 할 것임을 언급한 바 있다. 나는 쵸께우안까 장관에게 앞으로 연구가 많이 필요하겠지만 볼리비아 고원평야에는 일조 일수가 많아 태평양 전기를 활용하여 염분을 걸러내서 고원평야를 관개하고 투명 플라스틱 온실을 이용하여 고원평야의 심한 주야간 온도 차 극복과 우박 피해를 극복할 수는 있을 것 같다고 그 가능성을 제시한 바 있다.

띠띠까까 호수가 직면한 큰 문제는 이 호수가 밀려드는 각종 쓰레기와 하수, 오폐수 등으로 빠르게 오염되어가고 있다는 점이다. 띠띠까까 호수의 오염을 방지하고 살릴 연구와 대책이 마련되어야 할 때이다.

띠와나꾸/띠우화나꾸 유적

볼리비아 쪽의 띠띠까까 호수 근처에는 띠와나꾸 유적이 있다. 이 유적은 길게는 BC 1,580년, BC 200~300년 또는 짧게 잡아도 AD 110년경으로 거슬러 올라가는 문화로, AD 1000년경까지 유지된 문화로 알려져 있다. 띠와나꾸는 페루의 Wari 문화권과 접촉을 해 온 것으로 추정되고 있다. 2014년 인디언 출신 에보 모랄레스 대통령은 인디언 문화의 전통을 위하여 그의 재임 때 볼리비아 국회에서뿐만 아니라 이곳에서도 취임식을 거행한 바 있다.

우유니 염호 (Salar de Uyuni)

해발 3,656미터의 고산 평원에 11,000제곱킬로미터의 소금 호수가 있다. 깊은 곳은 120미터가량 된다. 대략 11개의 소금층으로 되어 있는데, 각 층이 1-10/20미터 정도라고 한다. 건기에는 하얀 눈처럼 보이고 우기에는 하늘을 담은 이 지구에서 가장 큰 거울이 된다. 이 우유니 염호(Salar de Uyuni)는 30,000년~42,000년 전에 형성된 Minchin Lake의 일부였는데, 이후 물이 증발하면서 수심 140미터의 Tauca Lake (Lago de Pocoyu)로 변했다가 더 물이 증발하면서 뽀오뽀 호수(Lago de Poopo), 우루우루 호수(Lago de Uru Uru) 그리고 우유니 염호(Salr de Uyuni), 꼬이빠사 염호(Salar de Coipasa)가 생겨났다. 말하자면 현재의 2개의 호수와 2개의 염호는 자연이 낳은 형제자매인 셈이다.

우유니 염호에 들어서면 이상하게도 6각형 모양들이 발아래 수없이 이어진다. 우유니 염호의 상부 표면이 육각형을 이루는 이유는 물이 얼었다 녹았다 하는 과정에서 natural convention 현상으로, 우유니 염호 뿐만 아니라 미국 유타주의 Bonneville Salt Flats에서도 마찬가지 현상을 보인다고 한다.

* 염도 수준

Fresh water (< 0.05%)

Brackish water (0.05 – 3%)

Saline water (3 – 5%)

Brine/salmuera (> 5% up to 26% – 28% max)

우유니 염호 1-10/20미터의 소금층 11개의 소금층 아래에는 Brine 로 불리는 고농도 소금 용액이 있다. Brine/Salmuera 소금 용액에는 각종 소디움, 포타시움, 리튬, 마그네슘 등이 포함되어 있다. 우유니 염호의 리튬 매장량은 전 세계 매장량의 25%이고 더더욱 좋은 것은 우유니 염호의 표면에 구멍을 뚫어 소금 용액을 퍼 올려서 분해하면 손쉽게 리튬을 얻을 수 있기 때문이다. 그래서 1980년대부터 외국기업들이 이 리튬 개발 가능성에 큰 기대를 걸었으나 볼리비아 현지인들로부터 강한 반발에 부딪혔다.

리튬 배터리 생산과 판매에 세계적인 지분을 가지고 있는 우리나라에서는 이상득 의원이 볼리비아와의 협력에 큰 관심을 가지고 팔순 가까운 나이에 해발 4,000미터가 넘는 라파스 공항까지 6번이나 왕래했었지만, MB 자원외교에 대한 국내 비난 속에 좌초하고 말았다. 볼리비아 정부도 외국 업체에 의한 리튬 착취 가능성을 우려하여 외국기업과의 협조에 소극적이었다.

대지의 신 & 기독교 (Pachamama and Christianity)

컬럼버스가 신대륙 발견 이후 카톨릭이 전파되기 시작했지만, 그 이전에 각 아즈텍, 잉카 등 인디언 나라에는 그들 나름대로 민간신앙이 존재했었다. 볼리비아 아이마라족 인디언들은 대지의 신 (Pachamama)을 숭상한다. 아이마라 인디언들은 망자의 날에 제사를 지낸다. 큰 상 위에 각종 음식을 차려놓고 향을 피우고 뭐라고 주문을 외면서 의례를 행한다. 이 의식이 끝나면 참석자들에게 음식을 나눠 함께 먹는다. 술잔을 채워주며 우선 대지의 신에게 먼저 드리라고 하는데 우리나라 고시레 풍속과 비슷하다.

마을을 지키는 성황당 신도 있다. 성황당 신의 이름을 부르기도 하고 성모 마리아라고도 한다. 인디언 사회에 성모 마리아를 달리 설명할 방도가 없으니 수호신과 같은 개념으로 이해시킨 듯하다. 유럽이나 미국의 백인들은 라틴아메리카 인디언들의 대지의 신을 잘 이해하지 못한다. 인디언 문화, 감정은 동양인이 서양인 보다는 훨씬 빨리 이해하는 것 같다.

Oruro 소까봉(Sokabon)과 디아블라다(Diablada)

볼리비아 제3의 도시, 해발 3,800미터의 오루로(Oruro)는 광산 도시이다. 이 도시 산자락에는 Socavón Mine (la Salvadora mine) 광산 갱도가 있는데 이곳에 성모 마리아이자 민간 수호신인 소까봉이 안치되어 있다. 유럽인 이주자들 시각에서 보면 성모 마리아상인데, 원주민들은 민간신앙을 더하여 성모 마리아이자 수호신인 소까봉이라 부른다. 방문객들은 소까봉 앞에 와서 소원을 빌며 기도를 드린다. 기독교와 민간신앙이 합쳐진 셈이다.

이 도시에는 2월 말에는 남미 3대 축제인 오루로 축제가 열린다. 부활절 55일 전에 시작해서 부활절 46일 전에 끝나므로 매년 개최 일자가 조금씩 다르나 2월 초에서 2월 하순에 시작한다. 주민 악대와 젊은 남녀들이 형형색색의 귀신 복장과 전통 복장을 하고 나와 춤추고 광장을 돌거나 거리를 걷는다. 이 축제를 보면 남미인들의 문화와 행복을 느낄 수 있다. 젊은이, 늙은이, 내국인, 외국인 누구나 할 거 없이 모두 즐겁다.

볼리비아 아마존 상류 밀림 탐험

La Paz와 인근의 4,000미터가 넘는 고산과 만년설이 덮인 산이 즐비하다(최고 높은 산은 6,438미터의 Ilimani). 3,000-4,500미터 정도의 **고원평야(Altiplano)**가 북쪽 페루 Cusco로부터 남쪽 혹은 서쪽으로 아르헨티나, 칠레 국경까지 이어진다.

그러나 볼리비아 모든 영토가 높은 고산 국가로 잘못 알고 있으나 한반도 5배의 볼리비아 영토 중 2/3는 고산지역이 아니다. 고산이 아닌 지역의 절반 이상은 해발 500미터 미만의 아마존 상류이다. 볼리비아가 바다가 없어 생선이 없는 걸로 생각하기 쉽지만, 아마존 밀림 강에는 몇십 킬로그램 되는 물고기도 꽤 있다.

La Paz 공항으로부터 항공편으로 30분~1시간이면 아마존 상류의 열대 우림 지역에 도착한다. 안데스산맥 최고봉 산맥을 중심으로 브라질, 대서양 방향으로, 즉 오른쪽으로는 열대 우림이다. 이에 반해 왼쪽으로 태평양 방향으로는 식물이 거의 자라지 않는 사막, 준사막 지형이 많은데 이런 지질, 지형의 특성은 페루, 칠레도 마찬가지이다. 볼리비아의 Titicaca, Salar de Uyuni, 페루의 Nazca, 칠레의 Atacama 사막, 멕시코는 물론 미국의 아리조나, 네바다, 캘리포니아 등도 유사한 지질 구조를 가진 게 아닌가 생각한다.

볼리비아 수도 라파스에서 항공편으로 30여 분만 가면 아마존 상류 Rurrenabarque에 착륙했다. 10년 전 여기에서 기사가 포함된 SUV 차량을 빌려 Santa Rosa de Yacuma로 향했다. 비포장도로는 흙과 돌이 많고 바퀴가 진흙 뻘 속에 빠지면 빠져나오기 어렵다. 비가 많은 우기에 차량 바퀴가 진흙 뻘 속에 빠지면 여행객들은 모두 차에서 내려 차를 밀어 빼내야 한다. 그래도 잘 빠져나오지 못하면 트럭이 지나가기를 기다려 도움을 받아 빼낸다. 약 70km를 대략 3시간 반 걸렸다.

여정에는 어려움이 많았지만, Santa Rosa de Yacuma 에 도착해서 숙소 호텔로 가는 길은 차량이 아니라 강으로 보트를 타고 이동했다. 강으로 이동 중에는 악어(Alegator), 분홍돌고래, 형형색색의 새들, 이 지역에만 사는 멧돼지 같은 동물, 피그미 원숭이 등을 볼 수 있다. 이쪽저쪽에 악어(Alegator)들이 널려 있었다. 눈을 감고 꿈쩍도 하지 않았다. 안내인은 악어들이 햇볕을 쬐며 휴식하고 기를 받고 있다고 했다. 안내인은 보트를 소리 없이 저속으로 몰아 악어가 배 위로 덮칠 수 있는 거리까지 가까이 다가갔다 우린 모두 놀라 소리도 내지 못하고 손짓으로 보트를 뒤로 이동하도록 사정했다. 안내인은 이 Alegator 악어는 성격이 사나운 Kaiman 악어와는 달리 사람을 물지 않는다고 했다. 저녁 무렵부터는 모기가 기성을 부렸다.

저녁 식사를 마치고 통나무로 지은 집에서 휴식하고 잠을 잤는데 이 날은 그믐이라 숲속 하늘이 전깃불을 끄니 아무것도 보이지 않는 암흑 세상이 되었다. 모든 문명으로부터 차단된 느낌이었다. 그다음 날은 아마존강 강가를 다시 탐험했다. 저쪽 강가로 배를 가까이 갔더니 피그미 원숭이들이 약 20마리 보트로 올라와 먹을 것을 찾았다. 사람에 대해 겁이 없었다. 먹을 것을 집어 저쪽 강가로 던지자 원숭이들은 그것을 주우러 모두 보트에서 내렸다. 물이 꽤 많은 어느 지역에는 분홍색 돌고래가 집단으로 서식하는 곳이다. 안내인은 플라스틱 물병을 던져 분홍색 돌고래와 장난을 했다. 여행객 중 희망자는 돌고래와 물속 수영을 해 보라고 권했다. 안내인은 오후에는 피곤을 느끼자 꼬까 잎을 꺼내 껌처럼 씹었다. 피로를 해소하는 데 도움이 된다고 했다.

이전에 아마존 상류의 Beni 주의 수도 Trinidad를 방문했을 때 Fish Fauna Museum (Museo Ictícola)을 방문한 적이 있다. 프랑스 정부가 지원해서 만든 볼리비아 아마존 물고기 박물관이다. 아마존에 서식하는 400여 종 어류를 보유하고 있는데 생김새 혹은 색상이 특이한 물고기도 많았다. 어떤 물고기는 물속에서 계속 있지 못하고 고래처럼 수분마다 물 위로 올라와야 하는 물고기도 있었다. 아마존은 아직도 미지의 땅이고 알려지지 않은 게 너무나 많은 듯하다. 베니에서는 도마뱀(lagartos)를 팬에 튀겨 먹는데, 오징어 맛과 유사하다.

험준한 볼리비아 안데스산맥의 도시 간 여행

La Paz-Oruro-Cochbamba-Santa Cruz 구간 (860km, 18시간)과 La Paz-Oruro-Potosi(540km, 10시간), Cochabamba-Sucre-Potosi (520km, 9시간), La Paz- Salar de Uyuni(520km, 10시간)를 연결하는 도로는 볼리비아의 안데스산맥이 얼마나 험악한가를 잘 보여준다. 이 소요 시간은 도로에 별다른 일이 없는 정상적인 상황일 때 걸리는 시간이다. 도로포장 이전에는 라빠스에서 우유니 염호까지 도로포장 이전에는 16시간 걸렸다고 한다. 우리나라에서는 3~5시간 걸리는 차량 이동도 매우 힘들다고 하지만, 볼리비아에서 장거리

버스를 많이 이용하는 소시민들은 10시간, 20시간도 마다하지 않는다. 때로 우기에 도로가 유실되는 경우 1주일이 걸릴 수도 있다.

모기와 바퀴벌레가 살지 않는 La Paz와 Oruro, 커피 산지 Jungas & Caranavi, 포도, 포도주 산지 Tarija, 거주 인구보다 10배 더 많은 소 목축 지역 Beni와 Pando, 인디언들이 겨울에 입는 빤쵸(Pancho) 외투, 인디언 여성 촐리따(Cholita)의 치마와 모자, 멀리 높은 산의 흰 눈, 화성처럼 생명이 전혀 없는 듯한 고산은 쓸쓸하다 못해 황량하다.

칠레

영토는 76만 평방킬로미터이고, 남북으로 6,435km의 태평양 연안 국가이다.

수도 산띠아고 데 칠레 (Santiago de Chile), 휴양 항구도시 발빠라이소 (Valparaiso), 칠레 북부의 항구 도시 Arica, Iquique 주변과 Atacama는 사막이지만, 수도 주변에는 3,000미터에서 해발 6,000미터가 넘는 높은 산들이 많다. 칠레가 생산하는 포도, 포도주, 돼지고기 등은 양국간 FTA 체결 이후 우리나라로 많이 수입되고 있다. 칠레는 독일계 이민자들이 많아 인종, 문화, 제도 등 면에서 라틴아메리카에서 독일을 가장 많이 닮은 나라이다.

파라과이

남미에서 가장 가난한 나라 중의 하나이다. 바다 없는 내륙국인데, Parana 강을 통해 볼리비아와 수로로 연결된다. 남미 강국 브라질, 아르헨티나에 둘러싸여 있다. 1864-70년 브라질, 아르헨티나, 우루과이와 3국 전쟁으로 영토의 40%를 상실하고 1,377,000명의 인구 중 60%가 사망 내지는 이민하였다. 적어도 300,000명은 사망함으로써 파라과이는 치명적인 손실을 보았다. 그로부터 60년 후에는 1932-35년 볼리비아와 차코(Chaco) 전쟁이 벌어져 파라과이는 240,000제곱킬로미터를 할양받았지만, 양국 합계 9만 명이 사망했다. 오늘날 아순시온의 모습은 평화롭기만 하다. 산이 없이 평평한 대지는 저 멀리 지평선이 끝이다. 1월은 여름이라 40도가 넘어 몹시 덥고, 6월에는 꽤 추웠던 기억이 있다.

우루과이

우루과이도 파라과이처럼 작은 나라이나 바다에 접해있어 도시의 분위기가 많이 다른 느낌을 준다. 아르헨티나, 브라질 등 부호들이 많이 와서 산다고 한다. 대통령 별장 Residence of Suarez를 가 볼 기회가 있었다. 화려하진 않았지만, 부지가 넓고 유럽의 부호 지주가 사는 그런 느낌을 줬다. 방문했을 때 날씨가 좋아 해변에서 보는 하늘과 바다는 푸르고 바닷가 풍경은 아름다웠다. 바람은 마치 지중해처럼 부드러웠다. 화가들이나 화가 지망생들이 내놓은 그림들을 구경하고 해변에서 커피나 차를 마시거나 대화하기에는 아주 좋았다.

아르헨티나

우리는 목축하는 평원의 나라라만 기억하기 쉽지만, 남북 3,694km, 동서 1,423km의 큰 영토와 국경선 길이 9,376km를 지닌 나라로,

6,959미터의 Aconcagua 산은 남반구, 서반구에서 가장 높다. 아르헨티나 영토는 전체적으로 볼 때 안데스산맥 지역, 팜파스 평원, 파타고니아(남위 40~55도의 지역으로 남극에 가까운 아르헨티나와 칠레의 남단 지역) 등 3개 지역으로 나눠 볼수 있다. 해당 지역마다 기후, 동식물이 다양하다. 인구 4.2천만 명, 소 목축, 포도주, 축구(마라도나, 메시), 탱고, 생물 다양성, 이탈리아어 액센트가 묻어나는 스페인어, Peron & Evita, "아르헨티나여, 나를 위해 울지 말아요." 포클랜드 전쟁 등을 기억하게 하는 나라이다. 아르헨티나 인구의 96.7%는 백인이다.

브라질

브라질은 8.5백만 제곱킬로미터의 영토와 2.17억명의 인구를 지닌 대국이다. 브라질 인구는 남미 전체인구의 1/2. 라틴아메리카 전체인구의 1/3에 해당한다. 영토는 남미 전체의 47.6%, 라틴아메리카 전체의 42%에 해당한다. 브라질은 지구의 허파라 불리는 아마존 밀림을 가지고 있으며 남북 길이 4,350km, 해안선 길이 7,400km를 지닌 큰 나라이지만 대서양 연안만 있고 태평양 연안은 없다. 브라질은 농업과 각종 산업을 가지고 있으며, 미국처럼 인종적, 문화적 다양성을 지닌 나라이다. 행정수도는 브라질리아이나, 최대인구, 상업측면에서는 상파울, 문화적, 역사적으로는 리오데자네이로가 으뜸이다. 인구의 47.7%는 백인, 혼혈 43.1%, 흑인 7.6% 등이다. 나라가 큰 만큼 음악, 문화, 음식, 영화, 스포츠(축구) 등 제 분야에서 다양하고 활발한 편이다.

남미 3대 축제

브라질 리오 축제, 아르헨티나 부에노스아이레스 카르나발, 오루로
축제

개관

중동, 아랍을 생각하면 우리는 사막과 뜨거운 날씨, 낙타, 피라미드와 스핑크스, 코란과 라마단 풍속, 모스크, 대추야자 나무(종려 나무) 등이 떠오른다. 그리고 남자들이 긴 원피스 모양의 하얀색 의복을 입고 머리에는 수건을 얹고 검은띠를 두른다. 여성들은 긴 원피스 모양의 검정색 옷에 머리와 귀를 수건으로 싸거나 혹은 얼굴을 모두 가리거나 눈만 내놓는 이해하기 어려운 의상을 한다. 중국의 서쪽 끝에는 위구르 이슬람 교도들이 있지만 동북아는 중동, 아랍, 이슬람과는 거의 접촉이 없었다. 8세기 초 이슬람의 팽창은 키르기즈의 탈라스에서 당의 현종이 보낸 총사령관 고선지 장군이 지휘하는 당의 연합군과 압바시드 칼리파와 운명적인 탈라스 전투(Battle of Talas)이래 상호간 큰 무력 충돌이 없었다. 게다가 히말라야와 파미르 고원도 접촉과 교류는 물론 전쟁을 막는 자연적인 장애물로 작용했다.

아랍 상인들이 인도, 동남아, 중국에 까지는 물론 한반도의 고려에까지 왔었다는 역사적 기술들이 있지만 이 사람들이 지금의 아라비아 반도 또는 그 인근의 GCC 국가 사람들이었는지 12-13세기에 이슬람으로 개종한 인도네시아, 말레이시아 등의 이슬람 교도들이었는지 정확히 알기는 어렵다. 우리는 이슬람 의상을 입은 사람들은 아랍인인지 아닌지 별 구분없이 아랍인이라 부른다. 그러나 고려 시대에 동북아의 중국 해안, 고려까지 항해할 선박과 무역할 물품을 가진 나라는 아마도 이란을 제외하면 사실 별로 없을 것 같은 생각이 든다.

아라비아 반도와 GCC, 레바논, 시리아 등의 레반트 지역, 홍해와 이집트, 수단, 그리고 그 서쪽으로 지중해 연안의 리비아, 튀니지아, 알제리 등의 나라들은 이슬람국가로서 코란과 라마단, 아랍어를 공유하지만, 지리적인 위치는 물론 정치 사회적으로 상당히 다르다. 이슬람국가에는 아랍어를 사용하지 않는 나라들도 많다. 이슬람교도들은 아라비아반도와 지중해 연안의 북아프리카에만 거주하는 것이 아니라 이란과 튀르기예와 동유럽의 알바니아, 구 유고 그리고 인도의 남서부, 파키스탄, 아프가니스탄, 동남아의 인도네시아와 말레이시아, 중국의 위구르, 중앙아시아의 카작스탄, 우즈벡스탄, 키르기즈스탄, 투르크메니스탄, 아제르바이잔 등에 이르기까지 상당히 많다.

중동, 아랍, 이슬람문화권 세계는 지역적으로, 인종적으로, 문화적으로 너무나 방대하다. 이에 대한 나의 이해는 이스탄불, 이집트 카이로와 룩소(Luxor), 안달루시아(세비야, 꼬르도바, 그라나다)를 여행한 것과 그리고 두바이 3년 근무하면서 UAE와 아부다비, 두바이, 샤르자, 라쌀카이마 등 에미레이트를 방문하고 주변의 GCC, 이란, 중앙아시아, 그리고 인도와 동남아의 무슬림들에 관해 관찰하고 청취한 내용에 불과해서, 아랍, 중동, 무슬림에 관한 나의 이해는 충분치는 않다. 아랍, 중동, 무슬림 세계를 보다 폭넓은 이해를 위해서는 다른 여행 책자들을 더 많이 읽어 보시는 것이 좋을 것 같다.

이집트로의 여행

약 30년 전 이집트의 카이로, 룩소를 여행했다. 카이로가 한국과는 별 다른 관계가 없을 듯한데 문득 1943년 11월 연합국 수뇌부의 루우즈벨트 대통령, 처칠 수상, 장개석 3인이 모여 회합한 '카이로 회담'이 머리에 떠올랐다 그 호텔에 며칠 묵으면서 피라미드를 바라보았다. 카이로 회담에서는 한국을 일본의 식민지로부터 해방시키자는 합의가 세계 정상들 사이에 이뤄진 곳이다. 당시 그 많은 식민지에서 왜 유독 한국만 독립시키자고 한 걸까? 막후에서 누가 이런 역할을 했을까?

카이로와 이집트에 관한 나의 기억은 박물관과 미라, 나일강과 유람선, 이집트 여인의 배꼽춤, 미세한 모래 먼지, 사막 위로 떠오르는 태양 등이다. 동아시아에서는 익숙하지 않은 것들이지만, 카이로는 수천 년 전부터 인간이 살아온 대도시였다. 피라미드와 스핑크스, Luxor에 있는 왕의 계곡과 왕비들의 계곡, 카르낙(Karnak) 신전, 오벨리스크와 돌들에 그려진 난해한 문자와 그림들. 지구상에서 구조물 중에서는 가장 크고 이해하기 어려운 것들이었다. '사람은 세월을 무서워하고, 세월은 피라미드를 무서워한다'고 한다. 피라미드를 쳐다보면 이 사람들은 왜 이런 걸 만들었을까? 이런 걸 만들고자 한 지도자의 말을 추종해서 1,200km 거리에 있는 채석장으로부터 돌들을 채취해서 나일강을 통해 운반하고 이 어마어마한 석조 건축물을 만든 사람들은 인간인지 우주인인지? 인간이라면 이집트인의 선조들인지? 이집트 문명 이래 이렇다 할 것을 전혀 보여주지 못하는 현대 이집트인들은 이 피라미드를 만든 선조들과는 다른 후손들인지 혹은 DNA가 퇴화한 것일까?

에라토스테네스, 피타고라스 보다 1,500여 년 전에 이전에 피라미드, 스핑크스, 카르낙 신전을 건설한 것을 보면 당대 이집트인들은 세계 최고 수준의 수학 수준과 과학기술 능력을 갖춘 것만은 틀림없는 것 같다. 이런 문명을 보면 콧대 높은 유럽인들도 컴플렉스를 느낄 것 같다.

이집트의 피라미드와 아메리카 대륙의 피라미드

피라미드라면 이집트의 Giza 피라미드를 생각한다. 멕시코와 중미의 과테말라, 온두라스에도 피라미드가 있다는 것은 우리 여행객들도 웬만큼 인지하고 있다. 특히 멕시코의 Teotihuacan 피라미드들중 Pyramid of the Sun이 유명하다. 최근까지만 해도 이집트 Giza 피라미드가 가장 큰 것으로 알고 있었다. 그런데 최근에 밝혀진 바로는 멕시코의 Cholula 피라미드의 기단 아래 언덕이 진흙과 풀로 덮여 있어 인지하지 못했는데 이것이 Cholula 피라미드의 기단으로 밝혀졌다고 보도되었다, 그래서 이 기단의 폭은 Giza 피라미드의 4배에 이르고 전체적으로 규모가 Giza 피라미드의 2배 정도 된다고 한다.

이집트 피라미드와 아메리카 피라미드는 둘 다 크다는 점에서는 유사하다. 그러나 건설 목적(용도), 건설시기, 건설자재, 디자인 등에서 많은 차이가 있다. 용도면에서 이집트 피라미드는 파라오의 무덤이나 아메리카 피라미드는 일종의 공공건물이다. 건설시기는 이집트 피라미드가 2000~3500년 앞선다. 이집트 피라미드는 채석장에서 채취한 돌만 잘라 사용했으나 아메리카 인디언들은 모르타르 등을 사용했다. 디자인 면에서 이집트 피라미드는 정확한 피라미드이지만 멕시코, 중미의 피라미드는 계단식으로 건설하여 상단부가 삼각뿔이 아니라 제단 모양이다. 이집트 피라미드에는 미로의 방들이 있고 계단식 피라미드가 있다고 하니, 건축 기술로는 이집트 피라미드가 훨씬 수학이나 과학 원리를 많이 활용한 듯하다.

아랍, 중동, 무슬림 세계

일반인들은 아랍, 중동, 이슬람, GCC, Mashreq, MAGREB, MENA 등이 어느 나라들을 의미하는 것인지 혼란을 겪는다. 아랍은 아라비아반도에 살면서 아랍어를 쓰고 이슬람을 믿는 사람들을 의미한다. 인종적 혈통보다는 언어, 종교적 요소를 반영해서 의미가 확대되었다. 중동은 지리적인 지정학적인 의미로 사용되는 개념이다. GCC는 아라비아반도의 아래 지도의 나라들로서 사우디, 쿠웨이트, 바레인, 카타르, UAE, 오만을 지칭한다.

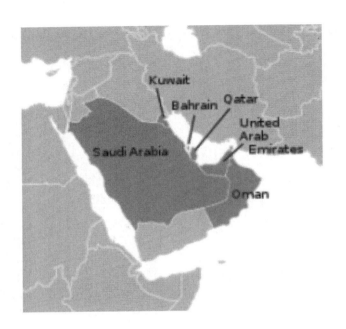

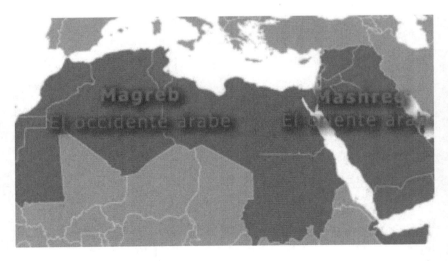

Mashriq, Mashreq, Mashrek 동쪽 아랍 국가들

이집트, 수단을 기준으로 그 동쪽에 있는 나라들을 의미하는데, 당연히 아라비아반도의 GCC 국가는 모두 포함된다. 즉, 이집트, 수단, +GCC(사우디, 쿠웨이트, 바레인, 카타르, UAE, 오만) +예멘, +이라크, 이스라엘, 레바논, 팔레스타인, 시리아

MAGHREB 서쪽 아랍 국가들

지중해 연안의 북부 아프리카, 이집트/나일강의 서쪽, 사하라 사막의 북쪽의 나라들이다. 알제리, 리비아, 모리타니아, 모로코, 튀니지, 샤라위 아랍 민주 공화국

MENA (Mashriq + Magreb +)

청색 국가들은 늘 MENA로 분류된다. 하늘색은 때때로, 엷은 하늘색은 드물게 MENA에 포함한다.

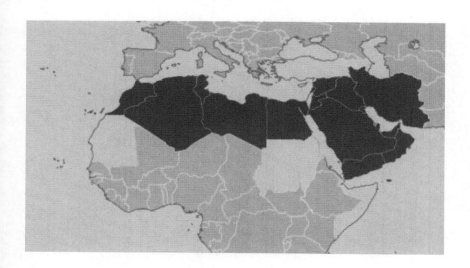

아랍어 사용지역, 오스만 제국 영토, 무슬림 지역을 나타낸 아래 3개 지도를 비교해 보면 유용하다. 아랍어를 사용하지 않지만, 말레이시아, 인도네시아, 알바니아, 중앙아시아 국가들은 이슬람 종교를 믿는다. 오스만 제국은 아랍어 사용국 대다수, 지중해와 흑해 연안의 국가는 물론 불가리아, 알바니아, 유고, 헝가리 등 아랍어 사용국이 아닌 동유럽 국가들까지 지배했었다.

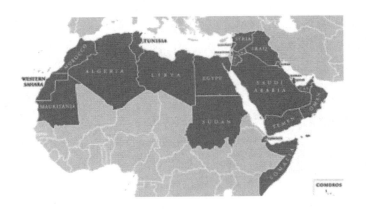

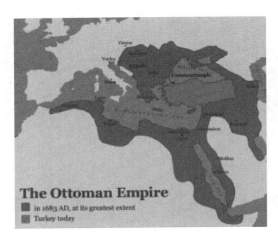

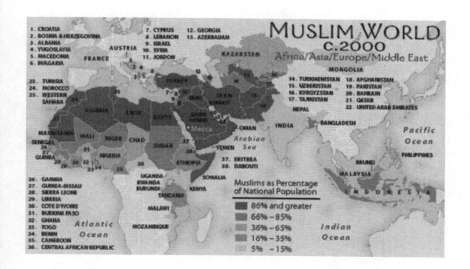

이슬람은 622년 이슬람교가 창시된 이래 8세기 초부터는 대외적 팽
창이 현저해졌다. 711년 이베리아반도에 침입한 이래, 732년 피레네
산맥을 넘어 프랑크 왕국과 투르 푸아티에 전투(Battle of Tours or
Battle of Poitiers)를 치렀고 동아시아에서는 751년 키르기즈스탄 탈
라스강 근처에서 고선지 장군이 이끄는 당나라 군과의 탈라스 전투
(Battle of Talas)를 치렀다. 이리하여 이슬람 세력권은 8세기 중엽 동
쪽으로는 중앙아시아와 인도 북서부, 서쪽으로는 아프리카 북부 지중
해 연안과 이베리아반도와 북아프리카의 대서양 연안에 이르렀다.
8-11세기에는 이란과 중앙아시아 거의 전역이 이슬람화되고, 12~13
세기에는 인도와 인도네시아, 말레이시아 등 동남아 상당 나라들도
이슬람화되었다.

시아파, 수니파 그리고 헤즈볼라, 알카에다, 탈레반, IS

중동 분쟁의 배후에는 많은 배후 요소가 있지만 시아파 수니파도 그 원인 중의 하나이다. 사우디, 이집트, 터키, 오만, UAE 등 절대다수는 수니파이다. 나라 전체가 시아파는 이란이 유일하다. 최근 내전 혹은 전쟁을 겪은 이라크, 시리아, 예멘, 아프가니스탄 등에는 시아파가 상당수 있다. 예컨대, 시리아 정부군, 예멘 반군은 시아파이다.

이슬람의 종파적 차이와는 별개로 정치 지향 목표와 방식에 따라 무장 정치조직들이 형성되어 활동해 왔다. **헤즈볼라**는 중동 최대의 시아파 무장 조직이다.

호메이니의 이슬람 원리주의 영향으로 1983년 레바논에서 결성되었다. 시아파 교리에 반하는 자와 미국인, 이스라엘인 대상 테러를 해오다 2000년 이스라엘이 레바논 남부에서 철수하자 무장 집단에서 정당으로 변신했다. **알카에다**는 반서방 다국적 조직이고 **탈레반**은 아프가니스탄에만 관심을 둔다. 알카에다와 탈레반은 우호적인 관계이다. IS는 원리주의 국가 건설을 목표로 하는 다국적 조직으로 영토에 집착하고 이슬람이라도 시아파를 좋아하지 않고 탈레반, 알카에다와 사이가 좋지 않다.

우리만 잘 모르는 두바이

두바이는 세계에서 가장 높은 빌딩 828미터의 Burj Khalifa가 있는 나라이다. 두바이에는 세계에서 유일한 칠성급 호텔 Burj Al Arab 호텔이 있다. 이외에도 두바이의 현대적인 시설과 혁신, 첨단 도시 이미지가 매력이어서 우리에게 낯설지 않은 것처럼 여겨진다. 그러나 우리가 두바이를 방문하더라도 두바이 왕족은커녕 두바이 일반 시민(두바이인을 포함한 UAE 국적자는 Emirati라고 부른다)조차 길거리나 카페, 식당에서 좀처럼 만나기는 어렵다. 왜냐하면 두바이 거주자 중 두바이인은 불과 10% 정도에 불과해서 90%는 외국인 거주자 이다. 그리고 두바이 호텔, 식당, 카페에 있는 사람들은 두바이에 거주하는 사람이 아니라 일시 여행을 왔거나 경유중인 사람들이 많다.

아랍인들이 머리에 얹는 흰 수건 위에 검은색 끈 Aqal를 자기 체면과 동일시 하거나 두바이 등 왕실의 궁전에는 남자용 화장실에 남자용 소변기가 없다거나 하는 등은 소소한 것으로 보이지만 그들의 오랜 전통 또는 의식구조를 반영하는 것이다. 두바이 통치자의 리더쉽과 혜안, 두바이 상인의 무한한 도전정신과 네트웍, 무슬림 국가이지만 돼지고기와 술의 판매를 허용하는 것, 농업 생산성에는 전혀 쓸모없는 사막 땅이지만 전 세계로부터 돈뭉치가 굴러 들어오게 만드는 그들의 지혜는 누가 봐도 놀랄 만하다.

두바이 장사꾼들이 다 지독한 기업인 같지만 그들 중에는 숭고한 박애주의자들이 많다. Juma Al Majid은 이름난 두바이 부자이다. 몇 년 전에 연로한 그를 두바이 시내에 있는 그의 아랍, 이슬람 고문서, 장서 보관 개인 도서관이라 할 수 있는 Juma Al Majid center for Culture and Heritage에서 만났다. 웬만한 공공 도서관 수준의 규모 이상이었다. 그는 Islamic and Arbic Studies College 등을 세워 가정 형편이 어려워 직업교육을 받지 못하는 젊은이들을 대상으로 약

3,000명에게 무상 교육을 제공한다고 했다. 그는 한국의 교육제도에 관심이 많았다. 그리고 지금은 이름을 기억하지 못하지만 매년 의복과 식품 등을 몇만 불어치 사서 시리아 난민촌을 방문해서 나눠주는 두바이 비즈니스맨을 만난 적도 있다. 언론에서는 두바이 사업가들의 인도적 지원 사례들이 소개되고 있다. Ghassan Aboud의 시리아 난민 및 어린이 지원, Abdul Aziz Al Ghurair의 15,000명 난민 어린이 교육지원 펀드, 최근 아프간 정부가 여성들의 대학 공부를 금지 조치와 관련하여 Khalaf Al Habtoor의 아프간 여성 100명에 대한 두바이 소재 대학 수학 지원 약속, 이외에 두바이에 사업 기반을 둔 인도계, 아프리카계 등의 인도적인 기여도 종종 보도된다. 예컨대, Surinder Pal Singh Oberoi, Mahmood Ahmadu, Abdur Rahman, Kabir Mulchandani ...

이슬람 사제가 하는 말씀은 성당이나 교회에서 신부나 목사의 설교 내용과 유사하고 성스러운 믿음과 교육적인 메시지를 담고 있다. 그분들의 말씀을 듣다 보면 CNN이 방송하는 인질 참수 장면은 다른 행성의 사막에서 일어나는 일 같다. 두바이 상인들은 두바이, 아부다비 또는 여타 에미레이트 왕실과 친인척관계를 형성하고 있다. 두바이에 있는 대학들, 영사단, 비즈니스 모임 등에 사람들이 모이면 인종, 종교, 문화, 관습, 언어의 전시장이다.

아래는 다른 대륙의 다른 나라 사람들은 잘 아는, 그러나 우리나라 사람들은 잘 모르는 두바이에 관한 상식들이다.
- 거주인구의 11%만 자국인(emirati)이고 89%는 외국인이다.
- 세계에서 가장 비싼 고급차들이 많은 도시이다.

- 대략 200개 국적자가 거주한다.
- 거주 인구의 통용 언어는 영어이다. (거의 100% 영어 사용)
- 아랍어를 사용할 줄 아는 사람은 거주 인구의 1/3 미만이다.
- 모든 대학 모든 학과에서는 영어로 수업한다.
각 대학에는 외국인 국적 학생이 70-130여 개국 국적자가 다닌다.
우리나라 국적의 학생과 교수는 좀처럼 찾아보기 어렵다.
- 두바이는 경찰, 이민, 보건, 방역, 법원 등 기관들은 아부다비 에미레이트와는 거의 독자적으로 운영한다. 물론 아부다비 에미레이트와 조율은 하지만,과장해서 표현하자면 아부다비 에미레이트와는 다른 별개의 나라 같다. 특히 코로나 바이러스에 대처하는 이민, 보건, 방역 등 정책이 달라 외국인들은 물론 내국인들도 혼란을 다소 겪었다.
아랍 문화, 무슬림 문화, 라마단 관행에 관해 일반적으로 한국인과 일본인만큼 문외한은 찾아보기 어렵다.
- 두바이는 자유 언론이 아니다.
- 두바이 대학들에는 정치학과가 없다.
- 두바이 등 에미레이트에서 민주주의를 주창하는 것은 삼가해야 한다.
- 두바이 등 에미레이트 궁전에는 남자 화장실에 남자용 소변기가 없다.
- 남자들이 전통 복장으로 머리에 두르는 검은 끈 Aqal에 모욕적인 태도를 보이는 것은 그 사람의 체면과 자존심을 건드리는 것이니 유의해야 한다.
- 두바이에는 우리나라 업체가 100개 정도 주재하는데 이는 독일, 프랑스, 이탈리아, 영국 등 국가의 업체 수에 비해 20% 정도에 불과하다.

– 두바이에서는 술과 돼지고기 판매를 허용한다.

– 두바이 정부는 기독교 목사에게 종교 비자를 발급한다.

– 두바이 왕실이나 부자 상인 저택을 방문하면 아라비안나이트에나 나올만한 멋있는 주전자에 금속으로 만든 조그마한 에스프레소 잔에 따뜻한 마실 것과 말린 대추야자(Dates)를 누구에게나 대접한다. 서구식 커피와는 다른 따뜻한 차 같기도 한데 이것은 차가 아니라 아랍식 커피이다.

– 회사 등록, 자동차 등록은 UAE의 각 에미레이트 별로 한다. 예컨대 아부다비에서 두바이로 사무실을 이전하려면 아부다비 등록을 철회하고 두바이에 새로이 등록해야 한다. 아부다비와 두바이는 각기 자동차 등록을 받고 있어 아부다비에 등록된 중고차를 사서 두바이에 등록하려면 외국에서 수입해온 수입 차량과 똑같은 절차가 적용된다.

세계에서 가장 많은 기네스북 신기록을 보유한 나라 UAE

UAE/두바이는 UAE는 세계에서 가장 많은 기네스북 기록 425개를 가지고 있다. 이 중 60%가 두바이가 차지하고 있다.

한 도시에서 혹은 가장 짧은 기간에 많은 수의 기네스북에 오른 것들을 보고자 한다면 당연히 두바이를 방문하는 것이 최상일 것이다.

The world's tallest tower
The World's Highest Infinity Pool
The largest dancing fountain show in the world
The world's deepest swimming pool

The largest Mall in the world

The world's tallest hotel

Most skyscrapers in the world

The world's twistiest tower

The world's longest urban zipline

The worlds highest tennis court

The world's largest flower garden

The longest driverless Metro system

The world's largest cup of hot tea

The world's largest incense burner

The world's largest gold ring,

The World's Deepest Pool - Deep Dive, Dubai

The Largest Picture Frame

The Highest Restaurant - At.Mosphere

Highest Outdoor Infinity Pool- Address Beach Resort

The biggest observation wheel in the world

Tallest freestanding structure in the world (to its very tip, with spire, 829.8m)

The building with the highest number of stories in the world (163 floors)

The highest outdoor observation deck in the world (Level 124&125 + Level 148)

The highest restaurant in the world (At.Mosphere on level 123 - 441.3m high)

The highest lounge in the world (Levels 152-154 - 585m)

Tallest service elevator in the world (504m - 1,654 feet), ...

외국인이 가장 많이 이용하는 두바이 국제공항

두바이는 비즈니스, 물류, 금융, 컨퍼런스, 교통, 관광의 허브이다. 두바이에는 세계에서 Free Zone이 가장 많은 도시이다. DXB는 외국인들이 가장 많이 찾는 대륙 간의 국제공항이다. 두바이는 대륙 간의 항공편 교통의 허브로서 UAE, GCC, 중동, 중앙아시아, 아프리카 인도, 유럽, 러시아, 동남아, 미국, 상파울 등 전 세계 직항 노선이 있으며 8시간 이내에 전 지구상의 나라의 2/3에 도착할 수 있다. 우리나라에서 상파울 갈 때 대개 미국을 경유하는 것이 일반적이지만 최근 인천-두바이-상파울 노선을 통해 가는 이들도 있다.

아랍어 알파벳을 사용하는 국가들

아랍 알파벳은 28개 자음과 단모음, 장모음, 이중모음으로 구성되는데, 아랍어를 사용하지 않는 나라 중에도 자국의 말을 적는 글자로 아랍어 알파벳을 사용하는 나라들이 꽤 있다. 이란, 아프가니스탄, 파키스탄, 중국 등이 대표적인 나라들이다. Azerbaijani, Baluchi, Brahui, Persian, Pashto, Central Kurdish, Urdu, Sindhi, Kashmiri, Punjabi and Uyghur 등 언어가 아랍어 알파벳으로 표기되고 있는데, 여러 대륙, 여러 나라에서 60개 이상의 언어가 아랍어 알파벳으로 표기한다.

20세기 이래 아랍어 알파벳을 글자로 쓰던 나라 중에서 발칸지역, 서부 사하라 아프리카 일부, 동남아 국가들은 라틴문자로 바꿨다. 구소련에서는 Cyrillic/Slavic도 교체하였고, 튀르기예는 1928년 라틴문자로 바꿨다. 구소련 붕괴 이후 투르크계 언어를 사용하던 나라들이 튀르기예 사례를 따라 터키식 라틴문자를 채택하려고 하고 있다.

지중해, 아드리아해 연안 지역으로 이슬람 세력권 확대

이슬람 세력권을 중동으로부터 지중해와 아드리아해 연안 지역으로 강화하거나 확장한 것은 오스만제국(1299-1922)이다. 오스만제국의 전성기에는 로마 세력권과 맞먹을 정도로 세력을 확장하여 지중해 연안 북부 아프리카의 알제리, 튀니지, 이집트 등으로부터 레반트 지역인 예루살렘, 다마스커스, 바그다드 그리고 사우디, 현재의 튀르기예, 알바니아, 불가리아, 유고슬라비아, 헝가리, 흑해 북부와 연안 지역 전체, 헝가리, 사이프러스, 몰타, 그리스 등을 지배하고 오스트리아 비엔나 바로 앞까지 진출했었다. 오스만제국에서는 터키어, 아랍어, 이란어 3개 언어가 많이 사용되었다. 731년부터 1492년까지 이베리아 반도도 이슬람 세력 하에 있었던 것을 감안하면 유럽 전역이 이슬람 세력의 위협에 직면해 있었다.

중앙아시아와 이슬람

중앙아시아는 동서로는 몽골, 중국으로부터 카스피해까지, 남북으로는 아프가니스탄, 이란으로부터 러시아 남부까지의 광대한 지역이다. 일부 국가들은 의도적으로 중앙아시아를 협소하게 정의하려는 것으로 추측된다. 현재의 투르크메니스탄, 우즈베키스탄, 카작스탄, 키르기즈스탄, 타직스탄, 아프가니스탄, 파키스탄 등 지역을 포함하는 광대한 지역으로 과거 비단길이 이곳을 경유한다. 비단길의 요로에서 번영을 누리던 중앙아시아 국가들은 16세기 항해의 시대가 열리면서 비단길은 쇠퇴하고 그 영광과 번영도 사라졌다.

중국 대륙과 유럽대륙(그리스, 로마, 르네상스 이탈리아) 사이에 있는 이 지역은 2500년 전부터 페르시아로부터 영향을 받았으며, 알렉산더의 동방 원정과 알렉산더 헬레니즘이 인도 북서부, 투르크메니스탄 등까지 영향을 미쳤다. 중앙아시아는 비단길 루트, 북방의 스텝·사막지대, 남부 산악지대 등으로 지역적 성향이 각기 조금씩 다르다.

중앙아시아는 이슬람화되기 이전에 이 지역은 불교, 조로아스터교, 마니교, 헬레닉 우상숭배 등이 있었으나 8~11세기에 걸쳐 거의 모두 이슬람화되었으며, 종파적으로는 수니파다. 이후 몽골제국의 침략과 지배, 러시아 제국 등의 직·간접 영향을 받게 된다.

현재 중앙아시아 대다수 국가는 투르크계 언어를 사용하는 나라로 일부는 이란계의 언어와 문화를 가지고 있다. 오늘날 중앙아시아는 넓은 영토와 많은 석유·가스 매장량, 부존자원, 그리고 작은 인구가 대체적인 모습이다.
중앙아시아를 경유하던 비단길 무역로가 셀주크 투르크, 오스만 투르크의 세력 확대로 점차 어렵게 되자 바닷길 개척 필요 때문에 명나라 초기에 이슬람 출신의 환관 정화로 하여금 바닷길로 원정하게 한 것으로 보는 시각이 있다. 동서 간의 비단길 무역 루트가 막히자 서양쪽에서도 바닷길을 통한 항해의 루트를 찾아 나서게 된다.

중앙아시아 지역의 말과 글

중앙아시아 나라들은 이슬람화되기 이전에는 페르시아계 언어가 많이 사용되었으나 현재는 Turkmen, Uzbec, Kazakh, Kyrgyz 등 투르크계 언어가 많이 사용되고 있다. 한때 번성하던 이란계의 Sogdian, Khwarezmian, Bactrian, Scythian 등 언어는 사라졌다. 7세기 이래 이슬람 전파와 투르크계의 티무르제국, 셀주크 제국, 오스만제국 그리고 러시아 제국의 세력권의 영향으로 언어도 직·간접적으로 영향을 받았다.

가장 최근에 러시아 제국, 구소련 연방의 지배 아래에 있었기 때문에 러시아어가 보편적으로 많이 사용되나 젊은 층은 영어 선호가 증가하고 있다. 투르크계 자국어, 러시아어, 페르시아 그룹 언어(Tajik, Dari), 우르두(힌디어 유사) 등이 사용된다.

이란계 언어인 파슈투(Pashto)는 아프가니스탄과 파키스탄 북부에서 사용되고 있다. Shughni, Munji, Ishkashimi, Sarikoli, Wakhi, Yaghnobi, Ossetic 등 이란계 언어는 중앙아 여러 지역에서 사용되고 있다. Dari (in Afghanistan), Tajik (in Tajikistan and Uzbekistan), and Bukhori (by the Bukharan Jews of Central Asia) 등 이란계 언어는 특정 지역에서만 주된 언어로 사용된다.

몽골어는 몽골과 Buryatia (몽골 인접), Kalmyk (흑해와 카스피해 사이, 조오지아 아래), 내몽골, 신장에서 사용되고 있다. 신장의 타림분지에서 사용되던 인도·유럽어 계통인 Tocharian 언어는 사멸되었다.

말, 글(문자), 종교의 변경

외부로부터 큰 영향을 받거나 세력권이 바뀌면 신앙과 언어(말과 글자/문자)가 바뀌기도 한다. 이들을 바꾸는 것은 어렵지만 그중에서는 문자가 비교적 쉽게 바뀌는 듯하다. 말을 사용하지 않으면 문자도 잊힌다. 부족 또는 나라의 인구가 상대적으로 적을 때 그들이 다른 정치경제권, 문화권에 들어가면 고유의 언어(말과 글)를 쉽게 상실한다. 그러나 그 사용인구가 1천만 명 이상이 되면 고유 언어는 웬만해서는 잘 없어지지 않는다. 한 나라 국민의 종교도 통째로 바뀌기는 쉽지 않다. 바뀌더라도 점차 서서히 바뀐다. 언어를 강제적으로 바꾸도록 하는 것은 제국주의자들의 정책 목표가 되기도 한다. 일제의 한국민에 대한 한글 사용금지, 중국의 위구르어 사용금지가 그러한 사례이다.

이란과 이슬람

이란은 과거 페르시아 제국의 나라이다. 이란은 633~654년 이슬람에 의해 정복되어 서서히 이슬람으로 개종이 시작되지만 9세기까지만 해도 주로 조로아스터교를 믿고 있었다. 이슬람에 의해 정복된 후 우마이야드 시기에는 이란의 이슬람 인구는 10%에 불과했으나, 압바시드 시기에는 9세기 40%, 11세기 80%에 이르렀다.

이란은 아랍도 아니고 중동도 아니다. 그러나 오늘날 중동문제에 있어 이란은 늘 가장 중요한 상수이다. 예멘 내전, 아프가니스탄 전쟁, 시리아 내전 등에서는 물론 여타 중동의 여러 나라에서 미국, 이스라엘, 사우디 등과 대립하고 있다. 지정학적으로도 인도, 아프가니스탄,

사우디아라비아, 중앙아시아와 국경을 맞대고 있을 뿐만 아니라 과거에 다른 나라로 가서 거주하는 이란계 후손 또는 페르시아 제국의 영향 아래 증가한 이란어 사용 부족과 나라들에 관한 관심과 이해관계 때문으로 보인다.

동남아, 인도, 중국의 이슬람인들

7세기부터 확장하기 시작한 이슬람은 해상 무역로를 따라 인도, 수마트라, 인도네시아, 필리핀, 브루네이, 중국 등으로 확장되었다. 수 세기에 걸쳐 이슬람 상인들과의 접촉, 혼혈 등에 의해 확장되어 12~13세기경에는 동남아 지역도 상당히 이슬람화되었다. 중국 신장성의 서쪽 지역은 중앙아시아의 카작스탄, 키르기즈스탄, 타직스탄 등과 국경을 접하고 있다. 신장성 우르무치, 타림분지 근처, Kashgar/Kashi 등에는 중국 전체 위구르 인구 약 1,300만 명 중 절대 다수가 거주하고 있다.

역사적으로 가장 큰 의미있는 운하를 꼽으라면 중국의 대운하와 수에즈 운하, 파나마 운하가 될 것이다. 운하는 사람과 재화, 물동량의 이동을 편리하게 하여 무역을 증진하고 시장과 경제발전, 교류를 촉진한다.

대운하

중국의 대운하는 이미 BC 5세기부터 시작되어 수문제, 수양제 때 큰 진전을 이뤘고 송대에 크게 확대되었다. 이 운하는 강남의 물동량을 장안과 북경으로 이동시켜 중국 북부 물량의 수요와 공급에 부응했다. 중국의 운하는 갑문식으로 훨씬 후대에 파나마 운하와 유럽의 여러 운하 건설에 기술적인 모델의 효시가 된다.

수문제, 수양제 때 완공된 이 운하는 수, 당의 고구려 정벌을 위한 군사와 병참 이동에도 크게 기여했다. 운하 공사는 대토목 공사로서 민심을 잃어 수나라가 일찍 망하게 되는 원인이 되었다고 한다.

수에즈 운하

이집트의 수에즈 운하는 수에즈 지협을 통해 지중해와 홍해를 연결하는 193.3km의 운하이다. 이 운하는 유럽과 아시아 간의 항로에서 남대서양, 남인도양 대신 지중해, 수에즈 운하, 홍해를 이용하여 런던에서 아라비아해까지 항행할 경우 8,900km 거리를 단축해서 항해 일수로는 약 10일을 단축할 수 있다.

나일강의 물은 지중해로 자연적으로 흘러 가지만 나일강과 홍해 사이에는 Bitter Lake가 있을 뿐 물길이 홍해로 바로 연결되지 않는다. 그래서 약 4,000년 전 고대 이집트 때부터 나일강과 홍해를 연결하려는 노력이 줄곧 이어져 왔으며 간헐적으로 일부 구간 이용되기도 했다 (Canal of the Pharaohs).

그러나 운하를 제대로 건설하려는 시도는 1800년대 프랑스인들에 의해 시도되었다. 그중 한 사람이 Ferdinand de Lesseps (1805~1894)라는 프랑스 귀족이다. 그는 1830년대 이집트에서 영사로 지내면서 이집트의 실권자 Sa'id Pasha, the Khedive of Egypt and Sudan와 친분을 갖게 되었다. 그와의 개인적인 신뢰를 바탕으로 1854년 그로부터 수에즈 운하 건설을 위한 허가권을 얻게 되었다. 그의 노력으로 수에즈 운하가 가시화되자 가장 강하게 수에즈운하 건설과 개통에 반대하고 나선 것은 영국의 Palmerston 경 이었다. Palmerston(1784~1865)은 1807년부터 1865년 사망 때까지 거의 줄곧 정부 공직에 있었으며, 1830~1865년 기간 영국 대외정책을 주도하고 1855~1865년 수상을 지냈다. 그가 수에즈 운하의 건설을 반대한 이유는 영국이 누리고 있는 아프리카 남단을 돌아 인도, 아시아로 가는 희망봉 루트와 이를 바탕으로 누리던 영국의 상업적 그리고 해상 운송 등에서의 우위에 부정적인 영향을 줄 것으로 우려했기 때문이었다. 그는 1848.3월 하원에서 영국에게는 영원한 적도 우방도 없고, 오직 국가이익만이 추구해야 영원한 의무라고 말했다.

* We have no eternal allies, and we have no perpetual enemies. Our interests are eternal and perpetual, and those interests it is our duty to follow.

파나마 운하

파나마 운하가 유용하리라는 것은 컬럼버스가 신대륙을 발견하고 나서 그렇게 긴 세월이 필요하지 않았다. 스페인 제국의 왕이자 신성로마제국 황제였던 Carlos V는 1534년 파나마 지협에 운하 건설을 구상하였으나 그 당시의 기술력이나 제반 능력은 이 어마어마한 토목공사를 감당하기 어려웠다. 미국이나 유럽이 대서양 쪽에서 태평양으로 이동하기 위해서는 남미의 끝단인 현 아르헨티나의 마젤란 해협을 통과해서 다시 북상해 올라와야 하는데 파나마 운하를 이용하는 것과 비교하면 약 15,000km 거리 차이가 있다.

19세기 초중반 영국과 프랑스가 파나마 운하 건설 실현 가능성을 검토하고 구상했다. 파나마 건설에 실제 뛰어든 것은 수에즈 운하를 건설해 본 경험이 있는 Ferdinand de Lesseps이었다. 그의 주도하에 1881년부터 건설하려고 노력했으나 1889년 회사가 파산하고 말았다. 1889년까지 287 백만 달러를 사용하고 22,000명이 질병, 사고로 죽고, 800,000명의 투자가가 돈을 잃었다. Lesseps 부자와 에펠탑을 건설한 Gustave Eiffel까지 파나마 사건(Panama affair)으로 기소되었다. 1894년 다른 프랑스회사가 이 공사에 뛰어들어 1899까지 추진하였으나 결국 실패했다. 수에즈운하 건설 공사와 비교하면 파나마 운하 건설 공사는 거리는 짧았지만 열대 우림의 더운 날씨와 밀림 정글, 폭우, 곤충과 뱀, 모기 등으로 공사 여건이 최악이었다.

2개의 프랑스 회사가 파나마 건설에 실패한 후 프랑스 회사의 자산을 인수해서 공사에 뛰어든 나라는 미국이었다. 1903년 미국은 콜롬비아와 파나마 운하 건설을 위한 조약을 체결하고 비준했으나 콜롬비아 상원은 비준 동의를 거부했다. 이때 콜롬비아의 파나마 지역에는 분리 독립이 일어났고 미국은 분리 독립을 승인하고 군대를 파견하여 이들을 비호했다. 당시 콜롬비아 국내에도 무장 대립이 지속되는 등 어려움이 많았기 때문에 콜롬비아가 미국을 상대로 전쟁을 감당할 형편이 되지 못했다. 그 결과 콜롬비아와 미국은 1921년 Thomson- Urrutia 조약을 체결하여 콜롬비아가 파나마 독립을 승인하는 조건으로 미국은 콜롬비아에게 2천5백만 달러를 지불하고 운하 지역에서 콜롬비아에게 특별한 특권을 부여하기로 합의하고 종결되었다.

북극 항로

기후변화는 지구와 인류에게 큰 재앙을 초래할 것으로 우려되지만 북극해가 점차 해빙되면서 북극 항로를 통한 새로운 항로 개발에 큰 기대를 주고 있다.

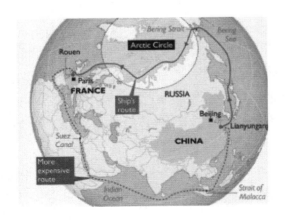

수에즈, 파나마 두 운하 건설로 해상 운송 거리와 비용은 현저히 감소하였다. 해상 운송거리는 런던-상하이 거리는 32%, 로테르담-뭄바이 거리는 41%, 뉴욕-LA 거리는 60% 감소 되었다. 북극 항로가 실현된다면 세계 물동량의 이동이 어떤 모습으로 변모할지 상상하기 어렵다. 동북아에서 북극 항로를 거쳐 유럽으로 가는 경우 이동 소요 기간이 30% 줄어든다고 한다. 위 지도에서는 나타나 있지 않지만, 동북아에서 북극 항로를 거쳐 미국 동부, 예컨대 뉴욕항으로 갈 수도 있을 것이다.

19세기 말에서 20세기 초에는 과학기술과 산업기술이 비약적으로 발전했는데 건축과 건설에서도 그러했다. 프랑스의 에펠탑, 수에즈 운하, 파나마 운하, 미국의 동서 대륙횡단철도 등은 세기의 건축, 토목 공사였다. 1983년 수주한 리비아 대수로 공사, 2010년 완공한 부르즈 칼리파 등에는 우리 기업의 참여는 우리 기업들의 역량이 신장하고 있는 증거이다. 신항로 건설에 우리 업체들이 많이 참여하길 기대한다.

두바이-시애틀 논스톱 항공편 항로

두바이에서 논스톱 항공편으로 시애틀로 갈 때 태평양, 대서양 어느 방향 가는 것이 빨리 갈까? 모두들 태평양, 대서양쪽 거리를 생각할지 모른다. 그러나 실제 지구본에서 두 도시를 실로 연결해 보면 거의 북극을 넘어가는 것이 최단 항로라는 걸을 알게 된다. 인천공항으로부터 브라질 상파울까지의 최단 직항 항로는 태평양을 가로질러 멕시코를 넘어가는 것이라고 생각하기 쉽지만 스칸디나비아반도와 스페인, 대서양 상공으로 가는 것이 더 가깝다. 우리의 사고는 평면 지도의 함정에 빠져있다. 이와 마찬가지로 사물이나 현상을 관찰할 때 이와 같은 오류에 빠져 세상을 바라보지 않도록 유의할 필요가 있다.

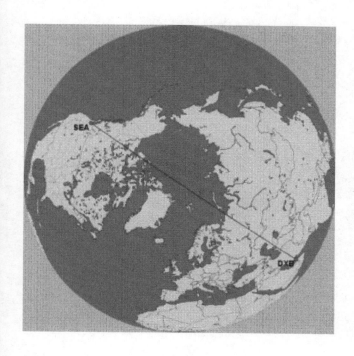

지구의 둘레 계산

여행을 자주 하다 보면 이 지구의 둘레는 얼마나 될까 하는 생각이 떠오른다. 지금으로부터 2,200여 년 전 그리스의 과학자 에라토스테네스는 하지날 정오에 Alexandria와 Syene(오늘날 Aswan)에서 막대기를 지면에 직각으로 세워 드리우는 그림자의 각도(Alexandria에서는 0도, Syene에서는 7.2도)를 재고 두 도시간의 거리(5,000 Stadia = 약 800킬로미터)를 이용하여 지구의 둘레를 측정했다. 에라토스테네스의 이 방식을 바탕으로 위도, 경도에 의한 지도를 작성하고 도시 간의 거리를 측정하는 토대를 마련했다.

360도÷7.2도 = 50배

800킬로미터x50배=40,000킬로미터

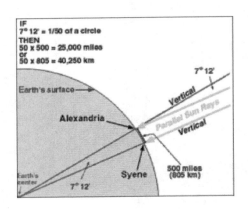

이것을 보면 인간의 능력과 잠재력이 얼마나 무한한가를 새삼 느끼게 한다. 물론 이전에 기하학이 발전했고 지구가 둥글다는 인식이 존재했기 때문에 이런 계산이 가능했겠지만, 과학기술이 미미했던 고대

에도 이 정도의 지혜가 있었다는 것은 정말 놀랍다.

지구의 자전·공전 속도와 Coriolis effect

지구의 둘레는 약 4만km이고 지구는 24시간에 한 바퀴 돈다. 이를 바탕으로 지구의 자전 속도를 계산하면 시속 1,670km/hour이 된다. 이것은 적도 지역 자전 속도이고 위도에 따라 도는 시속은 달라진다. 위도가 북위 45°이면 COS(45)=0.707를 곱해서 1,180km/hr.이라는 것을 알 수 있다.

지구 자전의 결과로 이동하는 물체가 원래 의도하는 방향보다는 커버 곡선을 그리며 움직이게 된다 (Coriolis effect). 북반구에서는 오른쪽으로, 남반구에서는 왼쪽으로 향한다. 위도에 따라 그 정도는 다르다. 적도에서는 효과 제로(0), 극지방에서는 최대 효과가 나타난다. 지구 자전의 속도로 인해 기류, 태풍이나 허리케인 또는 장거리 미사일, 항공기의 이동 방향 등에 영향을 미친다.

지구는 태양을 중심으로 공전한다. 한 바퀴 도는 데 365일 걸린다. 지구와 태양 간 거리가 149,597,870km(공전 궤도의 반지름(r)에 해당)임을 알면 지구의 공전 속도를 측정할 수 있다.
* 지구 태양간 거리는 고대부터 금성, 화성을 활용하여 기하학적으로 계산했는데 에라토스테네스도 그중 한 사람이다. 요즘은 레이다 파장을 활용하여 계산한다고 한다.

공전 타원 전체 거리 = $2\pi r$ = 940백만km

하루당 공전 거리 = 940백만km÷365.25일=2.6백만km/day
시간당 공전 거리/공전 시속 = 2.6백만km백만÷24시간
=107,226km/시간당.

이렇게 계산해 보지 않고서는 지구의 자전, 공전 속도가 이렇게 빠르다고 생각하는 일반인은 아마도 없을 것 같다.

밤낮의 길이와 계절의 변화

우리나라에서는 1년 사계절이 있고, 하루 24시간 해뜨는 시간, 해지는 시간을 기준으로 밤낮의 길이가 어느 정도 일정하다. 하지 때 스칸디나비아반도를 여행해서 위도 50도 이상 지역을 여행하거나 거주해 보면 우리나라보다는 낮이 훨씬 길고 반대로 동지 때는 밤이 훨씬 더 길다는 것을 알 수 있다.

그러면 북극, 남극에서는 어떨까? 북극에서는 춘분에 해가 나기 시작해서 하지 전후 Midnight Sun이 지속되다가 추분이 되면 해가 수평선 아래로 내려간다. 10월 초가 되면 암흑 세상이 된다. 10월 초~3월 초 기간 해를 볼 수가 없다. 남극에서는 이와 정반대의 현상이 발생한다.

남극, 북극 온도와 지구 온난화

북극은 육지에 에워싸인 바다이고, 남극은 바다에 둘러싸인 육지이다. 북극 얼음은 3~4미터에 불과하고 그 밑은 바다이다. 북극 지역은

춥지만, 바닷물은 얼음만큼 차지는 않다. 남극 땅은 해발 100미터 정도에 불과하나 그 땅 위의 얼음층은 평균 2km 이상이나 된다. 남극의 얼음은 지구 얼음 전체의 90%에 해당한다. 그래서 남극이 북극보다 훨씬 더 춥다. 여름철과 겨울철의 북극의 평균온도는 0도, -40도이고 남극의 평균온도는 -28.2도, -60도이다.

지금처럼 지구 온난화가 계속된다면 언젠가 북극이 먼저 사라져 모두 바다로 변할 것이다. 북극의 얼음이 사라지는 것과는 달리 남극의 얼음층은 지난 40년간 오히려 증가하는 아이러니 현상이 관찰되고 있다고 한다. 북극 얼음 녹는량이 남극 얼음층 증가하는 것보다는 많아 지구 전체적으로는 얼음이 줄어들고 있는 것은 사실이다.

7. 통치와 지배의 원천, 제국의 꿈과 영예

고대 철학자들과 제자백가 그리고 신이 지배하는 시대

지금으로부터 약 2,500년 전 고대 그리스와 중국 춘추전국시대에는 뛰어난 학자와 사상가들이 많았다. 소크라테스, 플라톤, 아리스토텔레스 등 그리스를 대표하는 학자들과 춘추전국시대를 대표하는 유가, 법가, 노자, 장자 등의 철학과 가르침은 당대 또는 이후 유럽과 동아시아에 크게 영향을 미쳤다. 송대의 주자학, 조선시대의 성리학도 그런 영향 일부이다.

이와 같은 이성적인 지식인들의 강론에 영향을 받기보다는 종교와 신에 심취한 시대도 있었다. 콘스탄틴 로마 황제가 기독교를 공인한 이래 르네상스에 이르기까지 1,000여 년 중세 유럽인들은 종교와 신이 가르치는 삶에 충실한 것을 인간의 도리로 생각하고 살았다. 그 보다 훨씬 이전에 피라미드를 건설한 이집트인들도 신이 인간을 지배하는 세상에 살았던 것 같다. 아랍의 이슬람교도들도 예외는 아니다. 동북아에서도 불교 혹은 샤머니즘의 영향이 컸지만, 유교의 영향 때문인지 중세 유럽, 중동, 고대 이집트에 비해 상대적으로 신에 의한 지배를 덜 받은 것 같다.

인류 역사를 신이 지배하는 시기와 이성이 지배하는 시기를 나눠본다면 아마도 신이 지배한 시간이 훨씬 더 길지 않았을까 싶다.

왕권제약과 민주주의로의 전진

어느 대륙이든 왕이나 황제가 있었다. 왕이나 황제가 오랜 기간 정치를 하고 체제가 유지되어 온 나라들은 개인주의, 자유, 평등이 나타나기 어렵다. 서양에서도 왕이나 황제가 있었지만, 이들의 권력에 대한 제한, 통제를 강화해왔다. 그리스 도시국가, 로마 공화정에는 왕이 없다. 로마 황제는 원로원의 견제를 받는다. 그러나 동아시아, 중동에서는 이와 같은 사례들을 찾아보기 어렵다. 17세기 중엽 이후 유럽에서는 왕권과 의회 권력, 시민 권력이 대립하는 과정에서 왕이 처형되고 왕권신수설은 바닥에 내팽개쳐지는 상황이 전개되면서 의회와 시민들의 권리가 점차 자리를 잡게 되었다. 절대왕정은 상징 군주로 물러나고 정부의 실질 권력은 의회 또는 이후 유권자가 제 손으로 뽑은 당선인들이 한정된 기간만 권한을 행사하게 되었다.

그러나 동아시아와 동북아의 사정은 전혀 다르다. 조선 왕국에서도 연산군이 쫓겨나고, 광해군이 쫓겨나도 사형시키지는 않았다. 권력을 잡은 자들도 자신들의 시각 혹은 이해에 부합하지 않은 왕을 쫓아냈을 뿐 왕의 권한을 제도적으로 제약하고 제어하고 귀족 또는 시민들의 이익이나 의사를 대변하는 제도, 기관(의회, 국민회의)을 설치하지도 않았다.

왕조문화, 절대권력의 전통이 뿌리 깊은 동아시아, 중동, 러시아에서는 시민의 정치적 권리와 자유를 인정하려 하지 않는다. 국제 권력정치에서도 이런 나라들은 식민지 시대, 냉전 시대처럼 속국, 위성국가, 보호국 등의 형태로 패권을 유지, 확대하고자 한다. 시진핑이나 푸틴은 호칭은 황제가 아니지만 그들의 생각과 체제를 지탱하는 기반은 그런 부류들이다. 우크라이나-러시아 전쟁의 이면에도 과거 러시아 제국, 소련연방의 영광을 그리워하는 러시아와 제국의 패권이나 위계질서를 거부하는 우크라이나의 심리적인 대립이 첨예하게 깔려 있다.

민주주의와 권위주의

인류 역사를 돌아보면 동아시아 역사상 공화국 혹은 민주주의의 붕아가 될 만한 상황이 한 번도 이뤄진 적이 없었던 것 같다. 3황 5제도 다 황제들이다. 주 왕실을 떠받든 춘추 5패, 전국 7웅도 왕국이다. 전국시대에 소진(蘇秦)이 주창한 합종책(合縱策)으로 진의 공격을 저지하지 못하고 결국은 장의(張儀)가 보여준 연횡책(連衡策)에 따라 진시황에 의해 통일 왕조가 나타났다. 이후 중국은 통일과 분열을 지속했지만 통일 제국들이 계속 나타남으로써 민주주의를 기대하기 어렵고 수직적인 권위주의 문화가 지배적인 정치문화를 가질 수밖에 없었다. 고대 이집트 왕국, 아랍의 이슬람 제국들은 물론 몽골 제국도 마찬가지였다.

* BC4세기 말 전국시대 연나라의 재상 소진은 세력이 점점 커지는 진나라에 대항하기 위해서는 그 보다 작은 나라들인 위, 한, 조, 초, 제, 연 들은 종적으로 힘을 합쳐 진에 대항하는 외교 전략을 추진했고(합종책), 이어 소진과 귀곡자 선생 밑에서 함께 공부한 장의는 진나라 재상이 되어 진나라와 다른 나라들간에 각기 횡으로 동맹을 맺어야 상호 공존할 수 있다는 전략을 펴서(연횡책), 한 나라씩 무너뜨리는 전략을 추진했다. 전국시대에는 이 두 정책이 오락가락 펼쳐졌다. 당시 상황에서 보면 합종책은 1:5로 세력균형을 추구하는 것이고, 연횡책은 다섯 나라의 소국들을 흡수, 병합하려는 감언이설에 불과한 것으로 보인다. 결국 다섯 소국은 망하고 진에 의한 통일 왕조가 나타나게 된다.

서양 역사에는 왕정, 과두정, 공화정, 제정 등 다양한 형태가 존재했다. 고대 그리스에는 city states가 많았다. 로마는 BC 700~500년까지 왕정이 이어지다가 BC 500~BC 31 기간 공화정이고 BC 31 이후 제정(황제 국가)이 되었다. 로마의 황제들도 세습되기도 했지만 선출되기도 했고 원로원의 통제를 받았다. 게다가 로마 황제들 제 명을 못 살고 피살된 황제가 39명이나 된다. 전반적으로 서양 역사에서는 왕정, 제정, 공화정의 역사가 모두 있었지만 토론, 견제와 균형을 바탕으로 하는 민주주의 문화가 싹틀 수 있는 여지가 있었다. 10세기부터 신성로마 황제라는 직위가 세습 또는 선출에 의해 유럽 왕들의 선망 대상이 되는 감투 자리였지만 누구도 중동의 파라오, 동아시아의 황제 같은 힘과 권한을 갖지 못했다. 합스부르크 왕가의 스페인 제국의 왕이자 신성로마 황제였던 까를로스 5세조차도 유럽 전체를 통치하기에는 역부족이었다. 1649년 영국에서 크롬웰 일파가 찰스 1세를 처형하고 프랑스 대혁명 소용돌이 속에서 1793년 루이 16세와 왕비 마리 앙트와네트의 단두대에서 처형되었다. 절대왕정과 왕권신수설의 시대가 끝나고 민주주의 시대로 나아가는 고통이 얼마나 큰가를 잘 보여주고 있다.

2차 세계대전 이후 미국, 영국에 의해 민주주의가 여러 나라에 많이 보급되고 확산되었지만 북미와 유럽을 제외하고는 민주주의 정착은 여전히 불안하기만 하다. 중동은 물론이고 대다수 동아시아 국가, 일부 라틴아메리카도 마찬가지이다. 몽골 제국 때 러시아에 남겨진 문화적 유산이 푸틴에게까지 전수되어 그는 우크라이나를 복속시켜 짜르 제국을 꿈꾸는 듯하다. 중국에서도 시황제가 대만과 남중국해를 무력으로 차지하려 할 것 같은 불안감이 우려되고 있다.

선거 권력의 문제점들

선거와 투표는 민주주의 사회에서 정치권력 사용의 정당성과 권한을 부여하는 절차이다. 절대왕정 시대에는 왕권신수설이 정당성의 근원이었고 왕의 판단에 따라 모든 것을 처리했다. 절대왕정이 상징 군주로 바뀌거나 왕정이 폐지된 민주주의 사회에서는 모든 국민이 선거, 투표에 의하여 자기들이 원하는 지도자를 뽑는다.

선거 권력은 임기 동안만 권력과 권한을 행사한다. 이들의 자의나 독재, 전횡을 방지하기 위하여 여러 법과 제도가 존재한다. 당선 요건의 설정(예컨대, 대통령 선거의 경우 유효 투표의 40% 이상 득표 아닌 경우 결선 투표), 임기 제한, 연임 혹은 중임 금지, 국민소환 등 제도가 있다.

그러나 민주주의 사회의 문제점은 이런 제도들을 결정하는 주체가 본인과 직, 간접 이해관계가 있는 정치인 본인이라는 것이다. 헌법, 법률 개정의 건에 있어 본인이나 자기 그룹에 손해가 되는 경우 입법이나 법안 수정이 되지 않도록 의도적으로 방치하거나 은밀히 방해한다. 때로는 이런저런 이유를 내세워 절차상 중단시키거나 지연시켜 고사시킨다. 집단행동을 하거나 영향력을 행사할 수도 있다. 오늘날 민주주의 사회라고는 하지만 기득권화된 정치인들은 표현의 자유와 면책특권을 주장하며 절대왕정 시대의 왕보다도 더 심한 독선과 도그마에 빠져있고 본인 또는 소속 정당을 대변하여 자기주장만 반복하는 듯하다.

또 하나의 민주주의의 단점은 실제 일을 잘 할 수 있는 사람이 뽑히기
보다는 선거에서 이길 수 있는 사람이 뽑히는 경향이 많다.

더구나 민주주의는 결과보다는 절차와 과정이 중요하기 때문에 위급
할 때는 운영이 쉽지 않은 제도이다. COVID-19 상황이 처음 전개되
었을 때 왕정이나 권위주의 정부들은 혼란 없이 매우 효과적으로 대
응했지만 민주주의 국가에서는 혼란과 항의, 상호 비방이 끊임이 없
다. 물론 코로나가 장기화하면서 민주주의 국가에서는 집단지성에 따
라 지혜로운 선택을 해가면서 권위주의 정부보다 더 잘 대처하고 있
는 것 같다.

국민의 자질이나 시민의식, 도덕성이 없으면 훌륭한 인품과 자질을
가진 분들은 아예 출마할 생각도 없고 아무리 하라고 해도 고사하는
경향이 있다. 그래서 그 나라의 지도자는 그 나라 국민 수준과 비슷하
다는 말이 나오는 것이다.

Dark Horse 정치인

정치와 행정은 인적 네트웍과 종합적인 감각과 업무능력이 뛰어나야
도정이든 국정이든 잘 처리할 수 있다. 오랜 경륜이 있는 직업 정치인
들은 그런 점에서 큰 장점이 있다. 그러나 기성 정치인들은 유권자들
로부터 신선도가 떨어지고 루머, 구설수로 오해를 사거나 과거의 비
행 등으로 이미지가 나빠지기도 한다. 기성 정치인들이 국민으로부
터 신뢰를 얻지 못하면 Dark Horse 정치인이 나타나는 경우가 많다.

사르코지 대통령은 헝가리계에 유대인 집안 이력이 있다. 최근에는 영국의 Boris Johnson 총리(2019.7.24.~22.9.6) 사임 이후 최단명 Liz Truss 총리(9.26-10.25)를 거쳐 영국 정치에 답이 보이지 않자 인도계의 최연소 정치인 Rishi Sunak(.22.10.25-)가 영국 총리가 되었다. 아메리카 대륙에서도 페루의 후지모리 대통령은 일본계이고, 미국의 J. F. Kennedy도 당시는 미국 대통령이 되는 것이 거의 불가능한 카톨릭-아이리시 배경을 지니고 있었다. 파라과이 루고 대통령은 신부 출신이고, 레이건 대통령은 영화배우 출신이다. 라틴아메리카에서 가장 민주주의 국가로 꼽히는 코스타리카에서는 대학 교수 출신 무명의 대통령 후보 Luis Guillermo Solis(2014.5.-2018.5 역임)가 대통령으로 당선된 바 있고 이어 같은 정당의 Carlos Alvarado Quesada(1980년생, 2018.5.-2022.5. 역임)가 대통령으로 당선되어 기성 정치인들에게 경종을 울렸다. 최근 우리나라에서도 정치와는 무관해 뵈던 분이 갑자기 당선되는 이변이 나타났다.

이런 현상들이 일어나는 것이 그 나라와 시민들에게 바람직한지 여부는 판단하기 쉽지 않다. 어느 나라든 기성 정치인들이 신뢰를 받지 못하거나 정치가 잘 풀리지 않을 때 이전과는 다른 하이브리드 정치인이나 아주 젊은 혹은 정치 이력이 없는 대통령이 나타날 가능성이 많은 듯하다.

동아시아 제국과 주변국의 유사한 흥망성쇠 궤적

우주 천체의 행성에도 위성이 있듯이 동아시아 중국 대륙에 일원적인 제국이 지배할 때는 이 제국이 태어나고 망할 때 한반도의 왕조들도 그 흥망의 역사를 함께 했다. 당, 송, 원, 명, 청이 건국되고 망할 때 한반도의 왕조들도 유사한 시기에 흥망을 함께 한 경우가 많았다.

당이 망할 때 발해, 통일신라가 망하고,
송이 건국될 때 고려가 건국되고,
원에 의해 송이 망할 때 고려도 원의 지배하에 들어가고, 원이 망할 때 고려가 망하고,
명이 건국될 때 조선이 건국되고,
명이 망할 때 조선은 청에 준 속국이 되고(병자호란),
청이 망할 때 조선도 망했다.
이 비슷한 역사적 흥망의 수레바퀴 궤적을 우연이라고 보기에는 너무나 사례가 많다. 동아시아의 제국이 태양이라면 주변의 여러 나라들은 그 ,위성과 같아서 제국의 정치 제도, 체제, 문화 등과 뗄래야 뗄 수 없는 유, 무형의 관계가 있기 때문인지도 모를 일이다.

매우 예외적으로 자국의 의지와 노력으로 역사를 바꾼 사례로는 유일한 것이 일본이다. 동아시아 모든 국가가 서구 열강의 식민지가 되거나 그 처분에 맡겨지는 경우가 대다수였지만 일본은 그렇지 않았다. 일본은 양이와의 접촉을 통해 변화를 실감하고, 명치유신을 단행하여 정치근대화, 국민교육, 서양 기술 도입을 통한 공업화와 부국강병을 추진했다. 그 결과 동아시아에서 유일하게 성공하여 그 운명의 수레바퀴 궤적을 다르게 가졌던 사례이다.

중원의 천자를 떠받들고 사는 것이 우리의 역사적 사명은 아니다

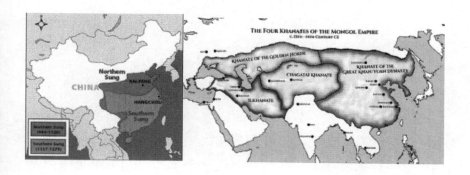

천자, 중화사상의 핵심은 대륙 중심부의 왕조가 천하의 중심이니 주변 나라들은 천자의 말 잘 듣고 따르라는 의미를 내포한다. 그리고 이 중화사상의 핵심에는 한족이 있었다. 우리는 고구려, 발해를 계승한 국가라고 하면서도 언젠가부터 스스로 중국보다 더 심한 중화 (소중화) 사상에 빠져 있었다. 고구려, 발해가 붕괴한 이래 특히 조선시대 이래 이런 기상은 다 사라지고 스스로 말 잘 듣는 중화사상 중독자가 되었다. 놀라운 점은 오늘날도 국내에 그런 부류의 사람이 상당히 많다는 점이다. 천자, 중화사상은 한족이 중국 역사의 주인공일 때 주창되던 것들인데 중국의 역사 인식이 한족 중심에서 모든 민족 중심으로 바뀐 오늘날도 국제사회에서 중국의 태도는 권위주의적이고 고압적인 태도를 벗어나지 못하고 있다.

조선 왕국이 구한말에 수 없는 모욕과 창피를 당하고 식민지 지배를 받은 후 분단까지 당하게 된 것은 중국 천자를 떠받들고 사는 것을 우리의 사명처럼 여긴 머리가 텅 빈 부류의 국가 지도자들이 이전부터

오랜 기간 이어져 왔기 때문이다. 최근 중국의 경제력 신장으로 중국의 국력이 미국을 추월할 것이라는 뉴스가 나오면서 또 중원 천자 시대로 돌아가는 것이 현명하다고 생각하는 이들이 적지 않은듯하다. 이런 부류의 사람이 정치인이거나 나라의 큰 중책을 맡게 되면 나라의 운명이 크게 위험해질 것이다.

다행히도 우리나라는 중국 대륙에서 명멸해간 어떤 나라(왕조)보다 생명력이 긴 나라였다. 중국의 영토 크기, 인구수, 경제력 신장에 지레 겁먹을 이유는 없다. 중국은 민주주의, 인권 등 면에서 미흡한 점이 많고 우리와는 다르게 살아가고 있다. 그들이 필요하면 우리로부터 민주주의, 인권을 배워가야 할 날이 올지도 모른다.

힘과 외교에 바탕을 두고 내 나라를 유지.발전하려는 의지와 노력을 게을리하고 큰 나라 등에 기대어 왕조와 정권 유지를 도모하려는 경향은 우리 스스로를 나약한 존재로 만들었다. 우리 주변의 제국이나 초강대국의 품 안에 안주하거나 기대는 것으로 정권을 유지하는 자들은 나라를 팔아먹은 이완용과 별반 다를 게 없다. 부국강병과 세력균형 활용, 신축적인 외교는 나라를 보존하는 데 필수적이다.

많은 사람들이 명청 교체기처럼 미국과 중국의 국력이 곧 뒤바뀔 것이므로 줄을 잘 서야 한다고 한다. 과연 그럴까? 설령 숫자 통계상으로 그렇게 된다 해도 미국과 서방이 중국을 견제하지 못할 정도로 되지 않을 것으로 본다. 우리에게 중국의 넓은 시장이 제 아무리 중요해도 대한민국은 이미 자유, 인권, 민주주의를 포기할 수 없는 나라가 되었다는 점이다. 앞으로는 한국이 중국, 러시아 심지어 미국의 민주주

의에 자극을 주고 동기 부여를 해야 할 때가 오게 될지도 모른다. 한
미동맹은 지금까지 필요했고 앞으로도 활용할 가치가 있다. 한 가지
되새겨 봐야 할 점이 있다. 우리 안보와 외교를 전적으로 미국에 의존
하는 태도, 우리의 입장, 의지, 의견, 역할, 전략과 수단, 권한과 책임
이 미흡한 한미동맹은 동맹이라기보다 일방적인 의존이고 종속이고,
또 다른 형태의 小中華가 될 것이다.

중국 정부는 현명한 길을 가고 있는 것일까?

중국 정치 체제는 그들이 선택한 결정이므로 우리가 관여할 일은 아
니다. 그러나 중국의 문화, 시, 문학, 문명을 좋아하는 사람들은 중국
정부의 대외정책을 보면서 안타까운 마음을 금하지 않을 수 없을 것
이다. 사실 위안부, 징용 등 사안만을 보면 우리는 일본을 고운 시선으
로 바라보긴 어렵다. 그러나 일본이 보여준 러일전쟁의 결과, 2차대
전 직후 경제부흥 등은 동양인, 동아시아의 능력을 서방세계에 각인
시켜 동양인이 덜 무시당하는데 기여한 공적은 인정하지 않을 수 없
다. 현재 중국의 눈부신 경제발전은 동양인, 동아시아에 대한 지위를
다시 한번 격상시켜 동양의 능력과 잠재력을 서양인 이상으로 끌어올
릴 상황에 와 있다. 그런데 현재 중국의 대외정책을 보면 그럴 가능성
이나 잠재력을 자기 스스로 내쫓는 것 같은 느낌을 주고 있어 매우 안
타까울 따름이다.

현 중국 정부의 남중국해, 홍콩, 위구르, 대만 문제 등에 대한 입장과
국가 주석 무기한 연임 등은 대외적으로 서방세계로부터 중국에 대
한 우려와 의구심을 증폭시켜 서방의 경계감과 견제를 불러오고 있

다. 중국의 정책은 세계사 혹은 문명사 흐름에 역행하는 것으로 오히려 중국의 힘과 잠재력을 더욱 제약시키게 될 것이다. 일부 의견이기는 하나 중국으로부터 신장, 티벳, 만주를 떼어내서 독립시켜야 한다는 의견까지 제기되고 있다. 중국의 제국주의적 행보를 우려해서 나온 의견으로 보인다.

중국은 추가적인 영토와 공간, 인구에 대한 지배를 추구하기 보다는 중국 내의 민주주의, 자유, 평등 그리고 인권 신장에 관심을 기울이는 것이 현명하지 않을까 생각된다. 중국이 개방적이고 국제법에 충실하고 정치 체제를 점진적으로 민주주의적으로 바꿔나가는 것이 서방과의 마찰도 줄이면서도 장기적으로 중국이 세계 최강국으로 나아 가는 데 도움이 될 것이다. 앞으로 중국의 현 정치 체제로 중국 인민들의 의사가 잘 수용되어 거버넌스가 잘 되면 다행이겠지만 그렇지 못하면 혹독한 결과를 감수해야 할지도 모른다. 현 중국 체제에는 민주적인 토론과정과 언론의 비판기능 그리고 이를 통한 보다 나은 방안을 위한 숙고의 과정이 없다.

지금은 제국의 영광을 위해 주변 약소국을 침략해도 별반 문제가 되지 않았던 19세기 이전의 시대가 아니다. 러시아가 핵무기를 가지고 있고 중국이 세계 제1의 경제력이 된다 한들, 러시아의 우크라이나 침략행위, 중국의 대만침공을 정당화하진 못한다. 국제사회가 공감할 수 있는 이상과 목표를 위해 함께 일하기는커녕 그들만의 영광을 위해 시곗바늘을 뒤로 돌리려는 행위는 그들 스스로 입지를 궁지에 몰아넣을 수 있다. 힘을 잘못 사용하면 제국의 위신이 어이없이 추락하는 모습을 이미 우리는 목격하고 있다.

시대별 최강자가 천자국이 되는 중국사

중국 정부는 중국이 1949년 건국한 새로운 국가라는 것을 강조한다. 그러나 한편으로는 현 중국 정부는 과거 중국 대륙의 여러 왕조의 역사를 이은 정통성을 강조한다. 중국의 각 왕조는 그 정체성이 많이 다르다. 유일한 공통점은 중원이라는 곳을 가장 힘센 자가 차지하면 바로 그때부터 천명을 받은 천자라고 했다. 그 나라들이 지배하는 신민/국민의 구성과 지리적인 범위는 제각각 너무나 달랐다.

말하자면 중국 대륙의 각 왕조 중에서 그 당대에 힘이 가장 센 자가 저 스스로 '천명을 받은 천자'가 되고 천자국이 되어 왔다. 이 정체성이 모호하거나 완전히 다른 각 왕조를 시대별로 길게 이어서 나열한다고 해서 통일된 통합된 혹은 통일된 정체성을 갖는 것이 아니다. 그래서 현재 중국인들은 혼란스럽다. 한족의 철천지 원수국이던 몽골족 원나라와 오랑캐 만주족 청나라가 자국의 필수불가결한 역사의 한 부분이라 한다. 과거에는 '우리'와 '적'으로 구분되었지만, 시대가 지나고 나면 '우리'와 '적'이 모두 '우리'가 되는 역사가 된다. 향후 현재의 중국을 정복, 지배하는 국가가 나타난다면 그 나라도 중국이 될 것이다. 중국 대륙에서 시대별 최강자는 중국 역사라는 독특한 역사관이다. 이런 제각각의 왕조를 다 얽어 모아 전체를 포괄하는 지리적인 개념을 적용하여 중국, 중국사라 부르는 것은 유럽 각국 고유의 역사를 일체 다 무시하고 유럽, 유럽사라고 부르는 것과 비슷한 것 같다. 이러다간 중국사가 세계사가 될 듯하다.

유럽에서도 이와 반드시 같지는 않지만 유사한 사례가 한 번 있었다. 유럽의 나라가 아니라 이슬람 세력으로 유럽을 공략하던 오스만제국의 술탄들이다. 1453년 오스만제국이 동로마제국/비잔틴제국을 함락하여 멸망시킨 후 Mehmed II, Bayezid II, Selim I, Suleiman I 등 술탄들은 그들이 비잔틴 황제들을 계승했으므로 자신들이 합법적인 로마의 황제라고 주장하였다. 그들은 그 주장을 합리화하기 위하여 비잔틴제국의 귀족들, 대다수 그리스 귀족들을 고위직에 중용하고 콘스탄티노플을 수도로 유지하고 도로를 건설, 확대하기도 했다. 또한 그들은 그 주장을 서유럽 지역, 특히 이탈리아를 무력으로 정복하는 데에도 활용하였다. 유럽인들은 동로마제국을 멸망시킨 오스만제국을 로마를 계승한 나라로 보지 않았고 로마 황제로서 인정하지 않았다. 오스만제국이 그 더 이상 (중국과 같이 천명을 받은 천자)에 해당하는 술탄들이 로마 황제라고 더 계속 주장하지 못하게 된 이유는 유럽에도 오스만제국을 견제할 절대왕정이 나타났기 때문이다.

중국, 러시아 전제 군주제의 붕괴와 또 다른 전제 군주

양국은 시민혁명 없이 절대왕정이 무너지고 공산당이 주도하는 국가 운영을 해왔다. 중국은 마오쩌둥 이후에도 공산당 주도의 국가 운영 시스템의 골격은 변하지 않았다. 중국에서는 2018년 국가 주석 연임 제한이 폐지되고 최근 시진핑 3번째 연임이 확정되어 전제 군주제로 회귀할 가능성이 많아졌다. 소련 붕괴 이후 러시아는 선거제를 도입하여 진일보했다. 그러나 2000.5.-2008.5기간 4년 임기를 2회 마친 푸틴 대통령은 헌법상 규정을 우회적으로 피하려고 메데네프를 대통령으로 내세우고 본인은 총리(2008.5-2012.5.)로 4년 임기를 채우고, 6년제 임기 대통령으로 2번째 임기에 재임하고 있다(2012.5.~2024.5). 푸틴은 2024년 대선에 출마하여 다시 6년 임기를 두 번 할

수 있어 사실상 정국을 잘 관리하면 세습 황제나 다를 바 없다. 형식적인 민주주의 체제 측면에서 본다면 러시아가 중국보다는 진일보했지만, 정부에 의한 유력 대선 후보 배제 조치, 러시아 국민의 정치 무관심과 언론 통제 등으로 인해 러시아 민주주의의 길은 아직 멀어 보인다.

동아시아 몇몇 도시들과 모스크바

북경의 자금성, 이화원, 유리알, 만리장성, 신종의 지하 무덤을 둘러보면 중국대륙 왕조들의 위상이나 규모를 가늠할 수 있다. 그 규모는 크지만, 오가는 중원의 왕조들은 중원이나 자금성에 일시 묵는 객들에 불과하고 주인은 없다.

언제 시진핑이 세계의 천자로 등극하고 푸틴이 유라시아 짜르 대관식을 개최할 런지에 관해 전 세계 뉴스들은 관심이 많은 듯하다.

모스크바의 붉은 광장과 과거 공산당 당사들, 고르바초프와 KGB, 톨스토이와 도스토옙스키, 상트페테르부르크…. 션양의 고궁, 태국의 왕궁과 시장, 울란바토르 야외 풍경, 전통 가옥, 박물관, 전통음악….

션양의 고궁, 울란바토르의 초원을 바라보면 후금과 청의 건국, 칭기즈칸의 몽골 제국의 가능성과 잠재력을 거의 상상할 수 없다. 그런데도 역사는 일어났고 그들이 250여 년씩 중국 대륙의 중원과 모든 동아시아, 중앙아시아, 러시아 그리고 유럽 일부까지 정복하고 지배했다. 이들의 힘의 원천과 잠재력, 전략과 전술은 어디에서 온 것일까.

우연한 시대적 상황일까? 그들의 보이지 않는 능력일까?

방콕 날씨는 우리에게 가혹하게 덥다. 기후대가 다르고 사람들의 인상도 달라 뵌다. 유적지를 돌다 보면 왕궁이나 불교적 색채에는 친근감이 있다.

중체서용을 통한 부국강병

19세기 청국은 중체서용 운동을 벌였다. 역사학자들은 청국이 서양의 기술을 배워 부국강병을 꾀하려 했으나 정치적인 근대화가 없어 결국 청 왕조가 붕괴하는 것으로 설명한다. 그런데, 최근 중국은 민주주의 체제로의 전환 없이 과거의 중국 천자 통치방식과 유사한 전제군주제 또는 집단지도체제에 의한 국가 경영에 따라 나라를 운영하여 상당한 정도로 효과를 거둔 바 있다. 중국이 민주주의 체제로 전환하지 않고 중국 국민의 의사를 잘 반영하며 효과적으로 통치하며 계속 번영할 수 있을지에 관심이 쏠리고 있다.

미성숙한 제국이 국제사회에 던지는 위험

지금 우크라이나-러시아 전쟁이 진행되면서 이에 따라 많은 나라 시민들이 고통을 받고 있다. 이 전쟁에서 러시아가 승리하면 중국이 대만을 침략할 것으로 보는 추측들이 많다.

중국과 러시아는 20세기 초 전제 군주제가 붕괴하고 시민혁명을 거치는 듯했으나 레닌-스탈린 공산당 일당 독재와 모택동의 공산당 일당 독재로 이어졌다. 중국은 선거에 의한 투표로 선출된 정부가 아니다. 러시아는 선거를 하기는 하지만 러시아의 독특한 정치문화, 언론 통제 등으로 민주주의 기능이 제대로 작동하지 않는다.

이 두 나라의 공통점은 광대한 영토를 보유하고 오랜 전제 군주제와 권위주의 정치 유산이 있다. 선거와 자유언론, 시민들의 정치 참여를 통해 나라가 운영되는 것이 아니라 공산당과 군부 그리고 그 엘리트층이 지배하는 그 엘리트층 정치 참여를 오랜 공산당 일당 독재 정치문화가 지배하는 나라이다. 이 두 나라는 대외 전쟁 수행도 시민들의 의견과 자유언론으로부터 유리되어 있다. 이 두 제국의 지도자 중 한 사람은 이미 일을 벌여놨고 또 한 사람은 일을 벌일지도 모르는 상황이다.

미성숙한 제국의 지도자들은 거대 제국의 영광에 사로잡혀 공산당과 군부의 박수갈채 속에 이웃 나라 침략을 아무렇지 않게 여기고 있다. 오히려 과거 자국의 영토를(대만이나 우크라이나가 러시아 고유의 영토였는지 여부 자체가 불확실한 것임에도) 또는 영토에 대한 지배력을 그것도 무력으로라도 회복하는 것을 자국의 영광으로 여기는 듯하다. 푸틴의 닫힌 사고와 시진핑의 황당한 남중국해 영유 주장, 동북공정이 몰고 올 앞으로의 세계는 심히 불안하기만 하다.

국제사회에서 미국의 이중적인 행태도 예외는 아니다. 군산복합체적 음모, 1990년대초 소련의 붕괴로 더 이상 NATO가 필요치 않은 것으로 보이는데도 오히려 강화되는 경향, 기축 통화국 입지를 활용한 인플레이션 수출, 독재정치와 인권유린이 자행되는 독재 국가를 견제하고 민주주의를 확산한다는 공언을 하면서도 자국의 경제적인 혹은 권력 정치적 실익에 따라 개입 여부를 결정하는 것 등이 그것이다. 그러나 미국 사회가 다행인 점은 미국 정부가 늘 의회, 언론, NGO, 시민사회에 의해 늘 감시받고 여론의 비판 대상이라는 점이다. 국제사회가 미국 정부의 결정을 모두 신뢰하진 않지만, 미국 사회의 자유로운 감시, 비판기능은 러시아, 중국보다는 미국이 건전한 판단을 하도록 하는 역할을 하고 있다. 그럼에도 국제사회의 미국에 대한 쓴소리는 늘 필요하다.

우크라이나-러시아 전쟁

전쟁 초기에 러시아는 젤렌스키와 우크라이나 정부가 나찌스주의자라고 비난했지만 근거가 없거나 과도한 또는 날조된 억지 주장일 개연성이 높다. 우크라이나-러시아 전쟁은 예상보다 엄청나게 길게 이어지고 그 결과도 예상치 못한 점들이 많이 나타나고 있다. 러시아와 우크라이나 간의 전쟁이라기보다는 우크라이나 영토에서 벌어지는 러시아와 서방(미국·유럽) 간의 전쟁 양상이다. 양쪽은 그래 누가 이기나 해보자, 너희들이 지치고 기진맥진할 때가 머지않았다. 이런 심산들이다. 우크라이나는 말할 것도 없고, 러시아는 러시아대로, 서방은 서방대로 첩첩산중 어려움이 가중되고 있다.

이미 겨울이 왔고 러시아가 유럽으로 가는 가스관을 잠그고 유럽인들은 혹독한 동장군과 싸우게 되었다. 미국과 유럽은 여타 다른 나라들도 식량과 에너지 그리고 공산품 생산에 필수적인 희귀 자원 등의 품귀현상으로 수출품 생산 차질, 무역 감소, 식량과 에너지 부족으로 인한 물가 폭등으로 큰 어려움에 있다. 러시아는 무기 부품, 탄약이 거덜

나고 있다고 한다.

러시아는 이미 초강대국으로서의 체면을 크게 손상당했을 뿐만 아니라 중립국이던 스웨덴, 핀란드는 이미 NATO에 가입했다. 결과적으로 러시아가 무용지물로 여겨지던 NATO 필요성과 강화 기회를 스스로 만들어주는 꼴이 되었다. 그리고 이번 전쟁은 제국과 보통 국가간 전쟁에서 나타나는 일반 관행을 뒤엎고 젤렌스키는 의외로 선전하고 있다. 물론 서방이 첨단 무기를 공급하고 우크라이나 국민들의 항전 의지가 대단하기 때문이기도 하지만, 전쟁 이후 우크라이나와 러시아의 국제적 이미지는 매우 대조적으로 비춰지고 있다. 물론 핵무기 사용 우려는 남아 있지만, 그 결과가 너무나 참혹한 핵무기를 사용하는 것은 그 결과 감당, 국제적 체면상 실제로 쉽게 사용할 입장은 못된다. 러시아의 국제적인 고립, 국제적인 이미지와 신뢰는 회복 불가능할 정도로 곤두박질했다. 푸틴에게는 괜찮을지 몰라도 러시아 국민에게는 그렇지 않다. 푸틴이 마음대로 전쟁하는 것을 방치하면 사랑하는 내 자식, 조카들이 시신으로 돌아오고 이웃나라들이 러시아를 이상하게 쳐다보는 것을 인식하게 될 것이다.

이 전쟁은 세계 많은 나라에 영향을 끼치고 있지만 일차적으로는 우크라이나와 러시아에 그리고 그다음으로는 유럽에 가장 힘든 시련이 되는 듯하다. 미국도 여러 어려움이 있겠지만 러시아와 유럽을 동시에 길들이는 동시에 중국에도 중국이 대만침공, 남중국해에서 무력 도발시 어떤 양상으로 끝날 것인지에 관해 좋은 교훈이 되기를 기대하는 것 같다. 앞으로 독일, 일본, 한국, 대만 등도 핵무기와 첨단 전략 무기를 보유하려 할 가능성이 많아지고 있어 국제사회의 무기통제 부담은 가중되고 러시아, 중국에게는 별로 바라지 않는 양상으로 전개될 것으로 추측된다. 우-러 전쟁, 중국의 대만 침공 가능성, 북한 핵위협과 미사일 발사, 일본의 첨단 무기 무장 발표 등은 우리의 안보 지형이 이전과는 상당한 정도로 다르게 변화하고 있음을 보여준다.

아메리칸드림과 중국몽

요즘 우리나라에서는 아메리칸드림에 그다지 큰 기대를 걸지는 않지만, 과거에는 늘 선망의 대상이었다. 최근 중국에서 중국몽이 제시되면서 무언가 궁금증을 더하고 있다. 중국이 세상으로부터 존경받고 싶은 대국이 되고 싶다면 중국 주변 이웃과 세상에 이로운 중국몽이 되기를 기대되고 있다.

Voyager I, II

1977년과 1978년 미국은 우주의 다른 행성을 향하여 보이저 1호와 2호를 발사했다. 이 우주선들은 이미 오래전에 태양계를 벗어나 어딘지도 모르는 우주 공간을 날아가고 있다. 보이저 1호 발사 때 NASA는 각국의 인사말, 쿠르트 발트하임 유엔사무총장 인사말, 여러 나라의 아름다운 노래 음반도 함께 실어 발사했다. 다른 행성인이 보이저 1호와 우연히 만나서 각국 인사말과 노래를 들어본다 해도 안타깝게도 한글 인사말과 아리랑은 들어 있지 않다. 다른 행성인 들은 한국 인사말과 한국 노래를 들어보지 못할 것이다. 언제가 우리 국력으로 우주 탐사선을 발사하면서 아리랑과 우리 가곡, K-pop, 한류 드라마를 실어 보냈으면 좋겠다.

제국과 명예

힘의 우위와 지배력은 제국으로서의 기본 요건이다. 그러나 제국이 영예롭고 존중받기 위해서는 자국은 물론 주변 지역에 무언가 이로운 것이나 새로운 세상을 열어야 한다. 자국민과 주변 지역 나라들에 힘의 만용과 민폐를 부리는 것으로 허우적거리다 명멸한다면 그저 보통 국가로 남는 것만 못한 것이다. 다 함께 공감하고 공유할 구상, 국제연합의 창설, 국제기구에 의한 인류 문제 공동 대응, 민주주의의 확산, 문화의 교류와 융합, 무역과 여행의 자유 제공···. 앞으로 나타날 영예로운 제국이 할 일은 너무나 많은 듯하다.

비단길, 위구르, Gulyarxan

위구르인들의 노래 Gulyarxan/Gulyarkhan을 시청할 때 동반되는 그들의 춤과 노래, 악기들을 보면 위구르인들의 음악과 정서가 매우 풍부함을 짐작할 수 있다. 이 노래는 비단길이 번영했을 오랜 옛날부터 비단길 노상의 여관이나 주막에서 흔히 불리지 않았을까 생각된다. 위구르인들은 음악과 악기는 중국에도 많은 영향을 줬다고 한다. 중국 신장성의 서쪽 끝은 카작스탄, 키르기즈, 우즈벡, 타직스탄, 아프가니스탄, 파키스탄, 인도, 러시아 등과 국경을 맞닿고 있다. 신장성에는 타클라마칸 사막과 그 북쪽으로 타림 분지가 자리하고 있다. 그 분지의 서쪽에는 Kashgar/Kashi라는 위구르의 오랜 비단길 노상 도시가 있다. 거기로부터 불과 몇십 킬로미터 거리에 중앙아시아 국가들과 국경이다.

중국내 위구르인들의 절대 다수는 우르무치, 타림분지, Kashgar 등 신장성에 거주하고 있다.

신장성이 중국에 속해 있다 보니 우리나라 사람들은 신장과 위구르인들이 한국으로부터 그렇게 멀리 있는 것으로 느끼지 않는 듯하다. 그러나 서울에서 신장성의 Kashgar까지는 항공 거리로 4,378미터이다. Kashgar로부터 항공 거리로 우즈벡 사마르칸드까지 773km, 튀르기예 이스탄불까지 3,943km, 그리스 아테네까지 4,469km라는 것을 알게 되면 우리의 지리적인 거리 감각이 얼마나 무딘지를 느낄 것이다.

위구르는 투르크계의 일파로 역사적으로 주변의 흉노, 티벳, 서하, 요, 몽골, 압바스, 토번 등의 나라들과 인접하여 생존해 왔다. 현 위구르인들의 선조들은 비단길 번영의 시대에 동서간 교역에 큰 기여를 했다. 그러나 그들의 운명은 항해의 시대가 도래하여 무역의 경로로 바닷길이 열리면서 세계에서 가장 낙후된 지역 중의 하나로 변모하고 말았다. 위구르는 한때는 위구르 제국으로 번성하기도 했지만 1759년 청에 복속되었다. 이후 여러 차례 독립을 시도했지만 실패하고 말았다. 위구르인들은 절대 다수가 중국 신장 위주로 약 1,300만명이 살고 있고, 다른 나라에는 카작스탄 22만명, 튀르기예 5만명(또는 10-30만명), 키르기즈 6만명, 우즈벡 5만명, 파키스탄, 미국, 사우디 등에 각약 1만명이 거주하고 있다.

한때 비단길 주역의 위구르인들이 일대일로 시대에도 큰 역할을 할수 있으련만, 위구르인들의 현 처지는 암울하기만 하다. 최근 수년간위구르인들은 중국 정부로부터 위구르 수용소 캠프 수감, 강제 불임

수술, 수용소 내 강간과 성고문 등 각종 인권탄압이 있다는 뉴스가 전해지고 국제적인 비난의 대상이 되고 있다. 이런 행위들을 감추고 주권국의 내부 문제로 외국의 간섭 대상이 아니라고 하는 것은 세계 리더를 꿈꾸는 큰 대국이 해서는 안 될 일이다. 제국은 열린 마음으로 다양한 인종과 문화, 시각을 포용할 수 있어야 한다.

8. 우리나라 역사, 문화, 사회에 관한 단상

한반도와 그 주변에서 사라진 왕국들

고구려, 발해, 대마도, 류큐, 내몽골, 티벳, 위구르는 이미 사라졌다. 시진핑은 2027년까지 대만 침공 준비를 하라고 지시했다고 언론에 보도되었다. 중국은 멀쩡한 국제수역을 영유하려는 의도를 드러내며 미국뿐만 아니라 동남아 국가들의 불안을 자아내고 있다. 한반도도 마음이 편한 곳이 아니다. 한반도는 이미 반 토막이 나 있고 서로 대립토록 해서 진이 빠지도록 하거나 적절한 시기에 내몽골, 티벳 지역을 자국에 편입하듯이 밀고 들어올 수 있다. 중국의 북핵 악용, 동북공정에 깔린 의도를 읽고 장기적인 혜안을 가지고 대책을 마련하여야 할 것 같다.

중국 왕조들은 전통적으로 주변 민족들을 병합하는 방법으로는 직접적인 침략, 복속(1759 청의 위구르 침공, 편입), 두 개로 분리해 힘을 빼고(583년 수나라 이간책으로 동돌궐, 서돌궐로 분열), 속국 내지는 보호령(1750년 건륭제때 티벳 보호령)으로 두다가 적당한 시기가 오면 삼키는 방식(1950 티벳 무력침공, 중국 편입)으로 병합해왔다. 중국 왕조의 이런 방식은 19세기 제국주의 국가들도 마찬가지이다. 일본은 류큐, 대마도, 한반도를 속국, 보호국 등으로 두다가 병합해버렸다.

내몽골, 티벳, 대마도, 류큐의 운명과 신라-당 전쟁을 돌아보면 자주 독립국으로서의 생존 의지, 국방력과 외교가 얼마나 중한지를 알 수 있다. 사라져간 이웃들을 돌아보며 거울로 삼아야 할 것이다.

요동정벌 포기의 애석함

고구려, 발해가 망한 이래 고려가 옛 고구려 발해 영토를 회복하지는 못했지만 몽골 제국의 지배하에 요동과 만주는 한족의 땅이 아닌 중국 주변부 여러 민족의 나라로 혹은 거주지로 남아 있었다. 다른 나라들과는 다르게 고려는 대몽항쟁에도 불구하고 고려 왕은 원 제국의 부마국으로서 심양왕에 봉해져 심양을 통치했다. 14세기 중엽 홍건적의 난이 일어나고 명이 건국되고 원의 세력이 점점 약해지자 명나라가 철령위 설치를 추진하게 되었을 때 고려가 요동 정벌을 나서게 된 것은 너무나 당연한 일이다. 위화도 회군으로 요동 회복의 꿈은 완전히 사라졌다. 물론 당시 고려의 국력, 요동과 만주에 남아 있던 여러 세력과 왜구 창궐을 감안하면 위화도 회군이 합리적인 판단이었다는 데 동의하는 학자들도 있을 것이다. 그러나 그것으로 우리 민족의 요동, 만주 수복은 종지부를 찍게 된 것이다. 한편으로 생각해 보면 당시 명나라도 이제 건국되어 내치에 신경을 써야 할 판이고 원은 세력을 잃어 더 이상 요동, 만주에 대한 의지가 상실된 때이므로 여하한 어려움이 있더라도 고토를 수복하여 통치하에 두는 기회를 스스로 포기한 것은 매우 안타까운 일이다. 명나라가 철령위 설치를 주장한다고 해서 우리가 영토적 연고권에 관해 함구하고 명의 입장을 묵인하는 것은 이완용이 나라 팔아먹는 것과 별로 다를 것이 없다. 요동, 만주를 완전히 잃어버리는 것이 일차적인 문제이지만 이 영토가 명, 청의 영토에 포함되어 한반도가 안보상 고립무원의 섬이 되는 것도 큰 문제이다.

요동 보다는 덜하지만, 대마도와 류큐에 관해서도 다소 아쉬움을 말하는 사람들이 있다. 고려말 조선 초 우리가 대마도를 정벌하였을 때 일본으로부터 반발, 항의가 없었고 이후 조선에 조공을 바쳤으나 조선 정부가 대마도를 직접 병합하여 통치할 의도를 분명히 표명하지 않았다. 이후 대마도는 일본의 영향력에 놓이면서 임진왜란 때는 도요토미 히데요시의 조선 공격 기지가 되었다. 류큐는 일본, 조선, 명에 조공을 바쳤으나, 1879년 일본이 무력으로 병합하였다. 대마도와 유구는 조선과도 직접적인 통상, 조공 관계가 있었으나 조선이 우리 영토화 의도를 표명하지 않는 사이에 일본이 먼저 병합해버린 것이다.

망국의 원인

우리는 조선 왕국이 망한 것은 대원군의 쇄국과 척화비, 이완용이 나라를 팔아먹어 망한 걸로 학교에서 배웠다. 조선 백성들이 굶고 배고팠던 것도 탐관오리의 갑질과 부패라고 배웠다. 그들의 행위는 문제가 심각하고 역사적 책임을 면하기 어렵겠지만, 과연 이 사람들만 책임이 있는 것일까? 배고픔에 관해서는 산업혁명으로 세계에서 가장 부유한 나라로 부상하던 영국 같은 나라조차도 국가의 생산력이 인구 증가율을 이기지 못해 경제학은 우울한 학문이라는 말이 나올 정도였다. 우리 역사학자들은 망국과 배고픔의 죄목을 대원군과 이완용, 탐관오리에게 몽땅 다 뒤집어씌워 희생양을 만들고 있는 것은 아닐까?

조선 왕국 망국의 원인을 척화비와 쇄국, 이완용의 매국 행위로만 돌리는 것은매우 근시안적인 이해인 것 같다. 임진왜란, 병자호란에서 국난을 당해봤으면 정신 차렸어야 할 조선 왕국의 지도자들이 세계의 흐름이 어떻게 돌아가는지 인식이 없었던 것이 심각한 문제였다.

그들은 국제흐름, 국제정세에 관한 정보수집, 분석과 활용에 거의 관심을 두지 않았다. 오히려 궁중 권력을 둘러싸고 관직을 나눠 가지는 것에는 관심을 두고 국제정세, 세계 흐름이야 어떻게 되든 조선 왕국과는 관계없는 것으로 여겼다.

임진왜란 기간과 직후에 이순신과 유성룡은 그들이 느낀 전쟁을 난중일기와 징비록을 남겼는데, 조선 왕국이 망할 때까지 얼마나 많이 읽혔을까? 조선 왕국에서 징비록과 난중일기가 그다지 많이 인쇄된 것 같지도 않고, 읽은 사람도 매우 소수가 아닌가 생각된다. 징비록이 일본에 넘어가 후일에 일본의 조선 침략의 참고가 되었다는 이야기도 있다. 징비록과 난중일기를 한자로 쓰지 않고 한글로 썼다면 더 좋았을 것이다. 한글로 쓰고 세계 최고의 활자본을 자랑하는 나라답게 금속활자로 대량으로 인쇄하여 전 국민이 읽었다면 어땠을까 생각한다.

조선 모든 백성이 징비록과 난중일기를 다 읽었다면, 망국을 피할 수 있었을까? 물론 그렇다고 답변하기는 쉽지 않을 것 같다. 난중일기와 징비록은 임진왜란 상황 또는 유사 상황을 을 염두에 두고 쓴 것이지 앞으로 다가올 새로운 세계의 대비에 관한 정책을 어떻게 할지에 대해서는 별반 뚜렷한 인식이 없었기 때문이다. 조선의 지도자들은 1492년 신대륙 발견이래 펼쳐지는 이전과 다른 형태의 세상, 세계관, 문물에 관해 소상한 정보와 인지와 인식이 매우 미흡했기 때문이다.

그러나 세상은 이미 바뀌고 있었다. 항해의 시대가 도래하여 유럽인들이 동아시아로 찾아오면서 앞으로 다가오는 국제질서와 새로운 문명과 기술, 다른 형태의 부국강병책, 새로운 총포와 무기의 출현 등으로 세계정세, 세계 패러다임이 바뀌고 있었다. 그러나 조선의 지도층들은 이것을 주목하지 못했다. 임진왜란 때 이미 서양에 유입된 기술로 제조된 일본의 조총 때문에 혹독하게 당했다. 1623년 벨트 브레(박연)가 오고 1653년 하멜 일행이 표류해 왔다. 청국에 오가는 우리 사신들과 하멜 일행을 본 조선의 대신들은 그들이 어디에서 왔고 무엇 때문에 동아시아로 오는지에 관해 제대로 알지 못했고 그들로부터 정보를 파악하고 분석해서 활용하는데 큰 관심을 보이지 않았다. 18세기 조선 정부가 실학자들이 정권을 잡아 주도했다 해도 일본처럼 메이지유신을 하고 유럽의 도래와 새로운 세계질서에 효과적으로 대응할 수 있었을지 확신하기는 어렵다. 그래도 조선 왕국이 18세기 말, 20초에 보여준 것처럼 그렇게 부끄럽고 무능하고 무력하게 망하지는 않았을 것이다.

국제정세 흐름을 인지하지 못하고 아무런 생각도 대책도 없던 조선 왕국 후반 250년간의 무대책은 우리 민족에게 연쇄적인 불행과 시련을 몰고 왔다. 구한말 나라의 모욕당함과 망국, 식민지, 그리고 일본이 패망하면 해방과 독립, 통일한국이 올 거라는 어리석은 낙관만 하다 맞게 된 분단, 김일성의 무지한 한국전쟁 도발과 동족상잔 등으로 이어졌다. 국정을 맡은 위정자들의 무대책과 세상 흐름에 대한 식견 미흡, 무사안일, 어리석음의 연속이었다.

해방되었으니 독립이라는 순진무구

1945.8.15. 해방이라고 모든 국민이 감격했다. 곧 독립국이 되고 독립 정부가 될 거라는 달콤한 단꿈에 젖어 있었다. 우리 손으로, 우리

힘으로 일본 제국주의를 무너뜨린 것이 아닌데 그걸 해방이라고 생각하고 우리가 당연히 나라의 주인이 되었다고 생각한다면 너무 순진하다고밖에 볼 수 없다. 1945.8.15 우리가 해방이 된 것이 아니라 점령국이 바뀐 것밖에 없다. 점령국이 지독한 일본 놈에서 남한에는 좀 더 부드러운 자유주의적인 미국이, 북한 쪽에는 다른 이데올로기를 가진 소련으로 대체되었을 뿐이다.

우리는 1905년 을사늑약, 1910년 국권 피탈이래 일본 제국의 일부로 속해 있었다. 우리 민족이 나라를 되찾기 위해 투쟁이나 노력을 전혀 하지 않은 것은 아니지만, 결정적으로 일제를 패퇴시킨 미국과 러시아의 입장에서 보면 우리는 연합국의 대일본 태평양전쟁에서 이렇다 할 도움이나 기여를 한 것이 별로 없었다. 2차대전 당시 독일 나찌스에 대항하는 전선에서 상당히 기여했던 폴란드인들에 대해서조차도 연합국은 매우 인색했다. 국제 권력정치에서 공짜는 없다. 이 말은 우리 민족과 역사에도 에누리없이 그대로 적용되었다.

우리 힘으로 찾지 못한 나라와 땅은 우리나라, 우리 땅이 아니다.

국제 현실에서는 힘과 외교가 없이는 나라가 지켜지지 않는다. 그리고 내 힘으로 찾지 못한 나라와 땅은 내 나라가 아니다. 소중화 사상에 빠져 있던 우리 민족은 우리가 남의 나라를 쳐들어가 남을 괴롭힌 적은 없으니, 내가 아닌 제3자에 의해서라도 저 나쁜 일본 놈들만 거꾸러지면 우리가 해방되고 독립된다고 생각했다. 한반도가 반토막 날 것으로 누구도 생각하지 않았다. 일본 제국주의가 원자폭탄에 폭망했으니 내 나라 내 땅이 되고 주인이 된 것으로 착각했던 것이다.

사실 우리 힘과 능력으로 되찾은 해방과 독립이 아니니, 점령국이 바뀐 것에 불과했다. 우리 스스로는 독립운동을 열심히 해서 찾은 것처럼 여겼지만 연합국 어느 나라도 그렇게 인정하지 않았다. 우리는 연합국측과 그런 전선을 협의하고 협조하고 기여한 것이 거의 전무했다. 우리는 우리 스스로가 그 전리품 처리 대상이 될 운명이라는 현실을 모르고 있었다. 떡 줄 놈(연합국)한테 물어보지도 않고 김칫국부터 마셨다. 미국이든 소련이든 그들 입장에서는 한반도는 전리품에 지나지 않았다. 그들은 그들의 국익과 이해관계를 위하여 한반도를 두 동강 내는 방향으로 정책을 추진하는 것을 조금도 주저하지 않았다. 미국이 자국 군인들의 수많은 생명을 희생해가면서 통일된 한국으로 독립시켜줄 이유도 없었고 소련도 자국 군대를 만주와 한반도에 출병한 이상 한반도 반토막이라도 챙겨야 하는 것은 자국 입장에서는 당연했을 것이다.

힘과 외교에 바탕을 두고 내 나라를 유지, 발전하려는 의지와 노력을 게을리하고 큰 나라 등에 기대어 왕조와 정권 유지를 도모하려는 경향은 우리 스스로를 나약한 존재로 만들었다. 몽골 제국 이외에도 여진, 금, 후금, 청의 잠재력을 과소평가하고 무시한 채 명나라에 과도하게 의존해 지내다가 나중에는 청나라의 속국 처지로 몰락했다. 우리가 중고등 학교에서 유럽, 미국 역사 이외에도 동북아에 있던 여진, 금, 후금의 역사는 물론 서돌궐이 서진하여 그 후예들이 건국한 오스만제국이 유럽을 상대로 수백년 패권을 다툰 역사도 배운다면, 나라의 흥망에 스스로의 독립 의지와 강건함이 얼마나 중요한지를 깨닫게 될 것으로 본다.

전쟁과 평화, 민족의 시련과 발전의 기로

한 국가가 자의든 타의든 내전이 일어나거나 또는 분단되어 대립하는 사례들이 있다. 어느 일방의 승리로 정리되지 않고 주변 여러 나라가 개입하면 수년간, 수십 년간 미해결 상태에서 민족적 고통과 에너지 상실만 가져오게 된다. 1860년대 미국 남북전쟁과 멕시코 내전, 1970년대 베트남전쟁, 1990년 동·서독간 독일 통일은 불행 중 다행으로 내전 또는 분단 양상이 극복이 된 경우이고, 한국전쟁, 예멘 내전, 시리아 내전은 그렇지 못한 경우이다.

국력이 약하고 지도자들이 국제 흐름을 이해하지 못해 외교를 잘못하거나 혼선을 빚고 지도층이 사분오열되면 주변 강대국들은 틀림없이 이 기회를 악용한다. 약소국은 생존을 위해 주변 강대국의 힘을 빌리려 하지만 그들은 그들의 이익을 위하여 약소국을 이용하고 언제든 적당히 처분할 수 있다.

캘리포니아 Malibu 市 소재 미국 국립묘지

캘리포니아 Malibu 시 지역에는 미국 국립묘지들이 여러 개 있다. 여기에는 신미양요 사상자들과 한국전 참전 용사들이 함께 잠들어 있다. 이들 중 전자는 조선 왕국과 적으로 싸웠고, 후자들은 한국과 전우로서 싸웠다.

Chosin Few

최근 중국에서는 영화 '장진호'가 인기가 많다고 한다. 동일한 전투에 대한 해석이 한미와 중국이 전혀 다르다. 실제 이 전투에서 살아남은 미국의 생존자들은 장진호 전투를 Battle of Chosin이라 부르고 그 그룹을 Chosin Few라고 부른다. 장진호를 일본식 발음이 Chosen인데 이것이 오기되어 Chosin으로 불렸다.

중공군의 한국전 개입 가능성을 무시했던 유엔군 사령관 맥아더 Douglas MacArthur 원수는 북한과 중공의 국경선까지 북진을 명령했고, 이에 따라 국군과 미군은 북으로 진격했다. 그러나 중공군의 개입으로 미 해병 1사단은 중공군 9병단 12개 사단 병력에 의해 장진호 첩첩 계곡에서 완전히 포위됐다.

알몬드 10군단장은 해병 1사단장과 육군 7사단장에게 '하갈우리에 집결 후 사단 내 모든 편제화기와 장비를 파괴하고 수송기를 이용해 함흥으로 후퇴하라.'고 명령하였다. 그러나 스미스 장군은 이를 거부하였다. 수송기로 후퇴하면 활주로를 지키는 최후의 병력들을 포기할 수밖에 없었기 때문이다.

장진호 전투에서 미국 해병 1사단은 700여 명의 전사자와 200여 명의 실종자, 3,500여 명의 부상자를 냈다. 그 밖에 6,200여 명의 비전투 사상자가 발생했다. 이들은 대부분 동상(凍傷) 환자였다. 미 해병 1사단의 사투 덕분에 동부전선으로 진격했던 다른 미군과 국군 부대, 그리고 10여만 명의 피란민들이 흥남에서 철수할 수 있었다.
쑹스룬이 지휘하는 중공군 9병단은 국공내전에서 용명을 떨쳤던 군인들이었다. 원래 9병단은 개마고원에 매복하고 있다가 미 해병 1사단을 격파한 후 중·동부전선에서 밀고 내려올 계획이었다. 9병단은 미 해병 1사단과의 전투에서 2만 5,000명의 전사자와 1만 2,000명의 부상자를 냈다. 병단의 전투력이 사실상 소진된 것이다. (상기 3단락 월간조선 2021.11월호, 나무위키 참고)

전투의 결과에 관한 해석은 중국과 한미 양측간 너무나 다르다. 당시 미 해방사단의 역할이 없더라면 한국전의 양상과 대한민국의 운명이 어떻게 바뀌었을지도 모른다.

2005~2008년 로스앤젤레스 총영사관에 근무할 때 매년 한 번씩 한국전 참전 용사들을 위하여 오찬을 대접했다. 한국전 참전 용사 중에는 샌디에고 미 해병대 소속으로 참전한 군인들이 많아서 그 생존자들이 LA, 샌디에고, 오렌지카운티 등 캘리포니아주에 많이 거주하고 있었다. 이들 중 장진호 전투에서 포위망을 뚫고 살아남은 생존자들도 있었다.

요즘은 장진호 전투의 내막이 많이 알려져 있었지만, 당시는 그렇지 못했다. 나도 Chosin Few가 무슨 단체인지를 몰라 그 분들께 문의를 드린 적이 있었는데, 친절히 설명해 주셨다. 한국 외교관인 나를 얼마나 한심하게 여길까 생각하니 속으로 부끄럽기 짝이 없었다. 그래서 미국인이 저술한 장진호 전투에 관한 책뿐만 아니라 한국전 관련 책을 몇 권 사서 읽었다.

동경재판(Tokyo Trial)

TV 미니 시리즈로 제작되고 넷플릭스에서도 볼 수 있는 동경재판/

Tokyo Trial은 2차 세계대전 직후 실제로 있었던 사실에 바탕을 둔 non-fiction 필름이다. 이 영화는 일본 제국주의와 군국주의자들이 자행한 가장 혹독한 전쟁범죄를 단죄하는 과정을 그린 영화이다. 이 필름에는 여러 명의 판사와 증인들이 등장하지만, 한국인은 전혀 없다. 한국, 한국인은 이미 일본 제국의 일부로 병합되었기에 일본인이나 류큐인, 대마도인과 조금도 다를 것이 없었다.

이 영화가 2차 대전 전쟁범죄를 대상으로 하고 식민지인의 피해를 직접적인 단죄 대상으로 하지는 않는다는 점에서 어쩔 수 없는 측면도 있지만 영화에서도 한국인의 전선 참여, 위안부 문제도 전혀 거론조차 되지 않았다.

강제징용, 위안부 문제를 국내에서만 정치 쟁점화하여 갑론을박할 게 아니라 국제적으로 일본 제국주의와 군국주의 잔혹성과 야만성을 만천하에 알릴 계책과 노력이 너무나 미흡한 게 아닐까 생각한다. 독일 정부가 나찌스 만행에 관해 사죄한 것도 독일인이 천사라서 사죄한 것은 아니다. 인터넷, SNS가 없던 1940년대부터 할리우드사와 유대인들이 나찌스의 만행을 필름에 담아 보관했고 영화를 통해 국제사회에 대대적으로 알린 덕분이다. 국내에서 정쟁의 대상으로 삼을 일이 아니라 일제 만행의 확실한 증거를 이미 늦었지만 지금부터라도 최대한 확보해서 국제사회에 알리는 것이 양심없는 일본인들을 일깨우는 방안이 아닐까 싶다. 이런 문제는 중국, 북한, 동남아 등 국가들과도 공조, 협조를 할 수 있는 사안이라 생각한다.

우리 외교와 국익을 위해 되새겨봐야 할 역사적인 일들

중국은 1971년 10월 25일 유엔 총회 결의에 의하여 대만이 아닌 중국이 유엔에서 유일한 정당성을 갖는 (the only legitmate) 정부로서 '하나의 중국'으로 국제적으로 인정받았다. 한국전쟁이 발발했을 때 유엔 총회 결의에 의하여 유엔군이 참전했다. 이 유엔 총회 결의는 대한민국이 한국(남한)에서 유일한 합법 정부(lawful government)라고 기술했을 뿐인데, 우리는 이것을 오랫동안 유엔이 대한민국을 한반도에서 유일한 합법 정부(legitmate government in the Korean Peninsula)라고 해석해왔다. 이후 1991년 9월 남북한은 유엔에 동시 가입하였는데, 우리 국내적으로는 북한 지역이 대한민국 관할권이 미치지는 못하는 대한민국 영토로 인식되지만, 국제적으로는 전혀 그렇지 못하다.

남북한은 1992년 2월 19일 '한반도 비핵화 공동선언'을 했으나 북한은 1년 후 부인했다. 결국 우리 정부만 40여 년 이것을 지켜오고 있다. 동북아와 동아시아에서 한국처럼 지나칠 만큼 얌전하게 외교를 하는 나라는 없는 듯하다.

한·중국 FTA 협상을 앞두고 우리 기업들과 정부는 엄청난 규모의 중국 시장의 매력에 매몰되어 우리나라의 대중국 무역량이 20%를 넘어 30%에 육박할 때 나타날 수 있는 심각성에 관하여 별다른 염려가 없었다. 중국 시장을 활용하는 것은 당연히 중요하지만 시장 다변화를 위해 더 한층 노력을 했어야하지 않았나 하는 생각이 든다. 아마도 중국의 개방정책과 민주화로의 진전이 낙관적으로 갈 것으로 그저 낙관적으로 믿었던 것 같다. 그로부터 10년 후 우리는 호된 사드 보복과 한한령을 감수해야 했다. 이것은 닉슨 정부가 중국과의 외교를 통하여 중국을 자본주의 시장으로 끌어들이고 소련을 견제하는 데에는 도움이 되었지만, 중국이 이렇게 발전하여 국제통상 질서를 따르지 않는 무법자가 되고 나서야 대책이 필요하다는 것을 뒤늦게 깨달은 것과 유사하다.

외교정책은 그 결과를 당장 이익만 보고 시행할 것이 아니라 보다 중장기적인 구상과 예측에 기반을 둬야 한다. 2차 세계대전 직후 독일이 다시 부흥하여 국제질서를 파괴할 것을 우려한 스탈린은 독일을 목초지로 남아있도록 견제해야 한다고 생각했다고 한다. 현재 상황을 보면 헨리 키신저의 대중국 외교의 부작용이 심각하게 나타나고 있는지 모른다. 키신저의 외교가 괜찮았다고 할지라도 그 이후 미국과 국제사회는 중국의 WTO 가입 시기에 좀 더 신중을 기하고 중국이 국제통상 규범을 잘 준수하도록 초기부터 더 지속해서 요구했어야 하는데 그러하지 못했다는 의견도 있다.

지난 정부 시절 대중국 3불은 대한민국에 너무나 모욕적이고도 해괴망측한 약속으로 기억된다. 이런 식의 외교는 다른 대륙과 나라에서 한 번도 본 적이 없다.

핵무기, 첨단 과학기술 그리고 외교 통상능력

한국이 한반도와 한민족의 외교·안보와 통일 역량을 키우기 위해서 첨단 과학기술, 외교·통상능력, 핵무기가 필요하다. 우리나라는 경제의 대외의존도가 크기 때문에 외교와 통상을 함께 대외관계, 대외정책으로 다뤄야 한다고 본다.

한반도가 영토는 작아도 현재의 인구와 현재의 과학기술, 산업 능력을 바탕으로 첨단기술을 개발하여 국제적 우위를 갖고 외교·통상능력을 증진한다면 한국의 번영과 한반도의 장래는 매우 밝다. 핵무기 보유 문제에 찬반이 있을 수 있지만 핵무기를 보유하는 나라들은 최소한의 억지력은 가지게 된다. 이스라엘이 이란, 중동을 상대하는 것을 보면 자명해진다.

끼리끼리 정치문화와 정권 상실을 자초하는 행동들

다른 나라 정치판들도 이전투구, 내로남불, 끼리끼리 문화가 심하지만, 우리나라도 전혀 예외는 아닌 듯하다.

수년 전 젊은 학생들의 죽음을 몰고 온 세월호 사건에 대한 비난 여론을 도화선으로 최순실과 문고리 3인방의 국정농단 등으로 대통령이 탄핵되고 수감되는 일이 벌어졌다. 뒤이어 더민주당 정부는 고위공직자 자녀 표창장 위조 혐의사건, 박원순 사건에 대한 집권 여당의 입장, 법무부 장관의 검찰총장에 대한 과도한 것으로 보이는 조치들(사법방해?) 등으로 민심을 잃고 호언장담하던 20년 집권이 물거품이 되고 말았다. 검찰총장에 대한 조치는 결과적으로 그를 대통령으로 만드는데 1등 공신 역할을 한 것 같다.

정치를 모르는 일반인들도 그러한 행동은 유권자의 표심을 떠나게 하거나 그런 조치가 의도와는 전혀 다른 결과를 초래할 것임을 짐작할 만하다. 그러나 아무도 문제가 될 행동이나 조치를 제지하는 사람이 없었던 것 같다. 정부와 집권 여당에는 우리나라 최고의 정치 거물들과 똑똑한 인재들이 몰려있는데 왜 4년을 버티지 못하고 허망하게 스스로 정권을 내놓는 실책들을 거듭하게 되는 것일까?

다양한 설명들이 가능하겠지만 내로남불, 끼리끼리 문화가 이 현상을 설명하는 것 같다. 정부와 여당은 집단지성에 의해서가 아니라 내로남불과 자기네들만의 끼리끼리 문화로 자기반성과 절제를 하지 못하고 4년이 가면 스스로 붕괴하는 게 아닌가 싶다.

한국에만 있는 독특한 나이 문화

한국의 전통 사회에 서양 문화가 들어와 이제 한국은 오히려 세계화된 나라로 여겨지고 있다. 그러나 한국의 나이 문화를 보면 매우 이상한 형상을 하고 있다. 나이가 몇 살 적은 과장을 나이 많은 직원과 함께 일하는 것을 거북해한다. 마찬가지로 나이 몇 살 더 먹은 직원은 상사로 젊은 사람이 오는 것을 싫어한다. 민간기업에서는 40대부터 조기 퇴직한다. 이런 현상은 우리 기업의 직원뿐만 아니라 그 기업 자체의 업무역량을 저해한다. 일을 배워 할만하면 퇴직해서 나가는 꼴이 된다. 공공기관에서도 정년 나이 60세가 되기 전에 반강제적으로 명퇴해야 하는 경우들이 많다. 이런 현상에는 우리 사회의 나이 문화가 한 몫하고 있는 것으로 보인다.

외교관들도 장·차관을 제외하면 60세가 되면 떠나야 한다. 이것은 법규로 명문화되어 있고 사회적으로도 관행화되어 있다. 이런 현상에 관해 대화했을 때 나와 막역하게 지내던 영국대사는 그것은 "나이에 의한 차별 (discrimination by ages)"라고 언급했다. 그때까지 진지하게 생각해 보지 않은 채 받아들이는 입장이었지만, 그의 의견은 매우 충격적으로 들렸다. 한국 사회에는 오랜 사회적 분위기에 의해 고착된 우리 누구도 잘 모르는 나이에 의한 극심한 차별이 존재하는 걸 그제야 알게 되었다.

세대차이와 세상인식

우리 사회는 세대 차이가 매우 크다. 베이비붐 세대, 386세대, X세대, Z세대, MZ세대, 알파 세대, 엑스틴 세대, ... 등. 이런 말들은 우리 사회 세대 차이가 유별나게 독특하다는 의미로 이해된다. 각 세대에 따라 겪은 정치적, 경제적, 교육적, 물질적, 산업 기술적 제반 환경이 다르고 다른 환경에서 성장한 세대들은 다른 세상 인식과 시각을 갖게 된다. 이런 현상은 일반적으로 다른 나라에서도 보이지만, 특히 한국, 두바이와 같이 고속 경제성장으로 사회가 빠르게 진전된 나라들에서 더 명확하게 공통으로 나타나는 현상이다.

고속 성장이 가난을 빨리 퇴치하고 다른 나라 보다 국력을 빠르게 신장시키는 유리한 점은 있지만 사회 내부적으로는 세대 간 인식, 의견, 시각이 조화될 수 없을 만큼 분열되어 있다. 나이 차이가 몇 살만 나면 함께 대화하기가 어려워지고, 부자지간, 손자·손녀들 세대와는 화성에서 온 사람을 만나는 것 보다 대화가 더 어렵게 된 듯하다. 세대 차이는 디지털, 인터넷 기술 향상으로 극복될 문제는 아닌 듯하다.

반쪽짜리 국제화와 세계화

지금도 지자체 또는 대학에는 국제화 추진위원회를 두고 있는 곳이 있는데, 이런 이름의 조직이 처음 설치된 것으로는 1994년쯤으로 기억된다. 당시에는 1988년 올림픽을 치러보고는 우리가 국제사회에서 따라야 할 행동 규범, 에티켓, 관행, 인식, 시각 등을 배워야 할 필요를 느꼈던 때 같다. 이후 우리나라, 우리 사회는 많이 국제화되고, 세계화 대열에 진입했다. 그런데도 지금도 이곳저곳 폐습이 남아있는 곳이 많다. 물론 어느 나라나 폐습이 없는 나라는 없지만, 우리 사회가 성숙해 가는 만큼 나쁜 폐습들은 정리하고 개선해 나갈 필요가 있을 것이다.

우리 관행이나 습관이 문제가 있다는 것은 우리나라에만 있으면 잘 보이지 않는다. 이 대륙 저 대륙 다니면서 보고 듣고 체험하면서 문제를 인식하고 개선 필요성을 인식하게 된다. 우리나라 여행객 수는 사실 엄청나게 늘어났다. 그런데도 여행 목적지는 미국, 유럽, 중국, 동남아에 거의 대다수 집중되어 있다. 문제 인식이나 해소 방안은 중동, 중앙아, 아프리카, 라틴아메리카를 여행하면서 인식할 수도 있고 외국 사회를 거울삼아 우리 모습을 인식하고 좋지 않은 것들을 고치고 해결책을 발견할 수도 있다.

9. 여행과 문화

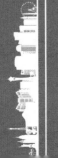

상투와 Aqal

상투는 옛날에 남성들이 결혼하게 되면 갖는 헤어 스타일의 하나이다. 우리 조상들은 신체의 어느 부위든 상하게 해서는 안 되는 것으로 생각했다. 그래서 이발은 하지 않고 댕기 머리를 땋거나 상투해야 했다. 아무튼 머리, 두부에 대한 존중은 매우 컸음이 틀림없다. 이와 마찬가지로 중동에서는 머리에 얹는 검은색 Aqal을 매우 중시했는데, 이 Aqal을 자신들의 체면으로 생각했다. 한국이나 중동에서 이런 생각은 서로 별다른 교류가 없었음에도 유사한 체면 의식이 있는 것을 보면 매우 흥미롭다.

젓가락과 포크·나이프

중국, 동북아에서 **젓가락**이 상나라 때인 3~4천 년 이전으로 알려졌다.

숟가락 사용의 가장 오랜 기록은 BC 1000년 고대 이집트로 알려져 있다. 한국에서 숟가락 사용은 청동기로 거슬러 올라가고 삼국시대에는 많이 사용되었으며, 중국인들도 오래전부터는 사용했던 것 같다. 이에 비해 일본은 도자기 보다는 주로 목그릇을 사용하여 열전도율이 낮아 국물을 숟가락으로 떠먹기보다는 마시는 것이 상대적으로 쉬워 숟가락 사용이 그렇게 오래 된 것은 아니라고 한다. 유럽 식탁에서 숟가락을 사용한 것은 1533년 Catherine de Médici of Italy이 프랑스에서 사용하여 유럽에 유행하게 되었다고 한다.

포크는 중국, 이집트, 그리스에서도 사용되었는데 처음에는 요리 기구로 사용되었다가 훨씬 이후 식탁용으로도 사용되었다. **식탁에서 포크** 사용에 관한 기록은 9세기 페르시아 귀족층과 10세기 동로마제국/비잔틴 제국에서 사용한 것으로 알려져 있다. 유럽에서는 포크가 11세기 이탈리아에서 시작되어 14세기까지 상인들도 사용했다. 영국 사람들의 포크 수용은 매우 느렸다. 그들은 이탈리아 사람들의 포크 사용을 보고 여성적인 행동으로 봤다. 카톨릭 교회에서도 하느님이 자연적인 포크(손가락)를 주셨는데 음식을 금속용구로 먹는 것을 꺼림직하게 여기기도 했다.

식탁 나이프가 유럽에서 식탁용으로 사용된 것은 다른 식탁 용구에 비해 역사가 길지 않다. 중세 시대 영국, 독일 지역에서는 seax라 불리는 30cm 정도 길이의 칼을 지참하고 다니면서 나뭇가지를 자르거나 유사시 호신용 또는 식탁에서 필요할 때 적절히 사용했다고 한다. 식사 초청을 받을 때도 사람들은 각자 스스로 식사 용구를 지참했다. 1536년 신성로마 황제 Charles V를 위한 연회에서 주최자가 식사 용구를 모두 준비했다고는 하나 이것은 이례적인 일이었다. 유럽 귀족층에서나마 식사 용구를 주최자가 준비하여 제공한 것은 17세기가 되어서라고 한다.

처음에는 식탁 나이프가 뾰족했으나 1637년 프랑스 재상 Richelieu가 식탁 손님들이 칼끝으로 치아 사이에 끼인 음식 찌꺼기를 빼내는 데 사용하지 못하게 하려고 의도적으로 칼끝을 뭉뚝하게 만들게 하라고 한 데서 비롯되었다고 한다. 1669년 프랑스 루이 14세는 폭력, 범죄를 예방코자 길거리든 식탁이든 칼끝을 뾰족한 상태로 두는 것을 금지하는 령을 내렸다.

영국에서 숟가락, 포크, 나이프가 함께 일반화되기 시작한 것은 하노
버 왕조의 George시대(George I, II, III, IV 시기 1714-1837)에 이르
러서라고 한다.
지금도 동남아, 인도 등에서는 손으로 음식을 먹는 경우가 있지만 유
럽에서도 일반 시민들은 1900년대 초까지도 손으로 식사하는 경우
가 많았다.

동서양의 식탁 용구 사용을 비교해본다면 중국, 한국이 서양보다는
훨씬 오래전부터 제대로 된 식사 용구를 사용한 문화인들이었음을
알 수 있다.

두바이의 통치 관용과 지혜

돼지고기와 술 판매 공식 허용, 목사에 대한 종교비자 인정은 아랍 국
가, 이슬람 국가에서 기대하기란 쉽지 않을 것 같다. 두바이에 가면 그
렇다. 두바이를 오가는 수많은 국적, 인종의 외국인들이 많으니 자국
사람들의 식습관, 종교, 풍속의 모든 것을 외국인들에게 따르라고 강
요하진 않는 것이다. 두바이 정부는 2020년에는 관용의 해를 지정했
는데, 교통법규 위반자에 대한 벌금을 그로부터 1년 이내 추가 위반
이 없으면 벌금의 80% 정도를 감면해 주는 시책도 펼쳤다. 이런 시책
이 항상 있는 것은 아니다.

그러나 두바이에서 형사 문제 또는 행정 법규 위반을 해결하지 않고

떠나거나 혹은 갚아야 할 부채를 갚지 않고 잊어버린 채 두바이를 떠났다가는 추후 언젠가 두바이 공항에서 체포되어 감방을 갈 수도 있다. 두바이 당국의 데이터에 입력되어 평생 꼬리표가 따라 다니기 때문이다.

동아시아(동북아)에는 왜 유럽연합 같은 공동체 정신이 없는 것일까?

- 로마의 영광과 보편적 기준에 의한 통치
로마시대에 거의 모든 유럽이 로마의 일부였고 이들 국가들은 법과 도로 등에 의해 보편적인 기준의 지배를 받았다.

- 덜 일원적이고 덜 수직적인 국가간 관계
유럽에서는 로마 제정시대를 제외하면 한 나라에 의한 일원적인 지배 전통이 별로 없다. 로마의 황제도 원로원의 견제를 받았다. 동서 로마로 분리되고 서로마가 이내 망하고 동로마가 쇠락하는 반면, 베니스, 스페인, 프랑스 등 유럽 각국의 힘이 강해졌다. 기독교와 대립하는 아랍의 이슬람 세력의 팽창도 유럽의 일원적인 지배 구조 형성에 도움이 되지 않았다. 그 이전에 그리스 도시국가, 로마의 공화정 시기도 일원적인 지배는 아니다. 국가들간의 관계는 공동의 이해관계에 따라 이합집산하는 것이다.

- 힘센 왕초국가와 일원적인 인치
동아시아에는 만리장성 이내 대륙을 차지하고 만리장성 밖의 오랑캐의 침략을 저지하는 나라가 왕초 국가가 되고 그 대표가 천자로 인식되는 구조이다. 그래서 각국은 공동체 정신이라기보다는 각자도생으로 각기 천자국의 눈에 나지 않게 행동할 뿐이고 합종연횡으로 대표 왕조에 대들기가 어려운 형국이다. 게다가 중국의 힘센 왕조들의 존속기간과 통치 공간이 제각각 다르다. 천자국의 직할 통치 대상이 아닌 속국, 준속국, 보다 자유로운 국가들 관계에 따라 처우 기준이 제각각 다르다.

– 기독교 정신과 바티칸

모든 유럽 국가들은 기독교를 공통분모로 한다. 게다가 바티칸과 교황청이 모든 유럽인에게 공동체 의식을 심화했다. 비잔틴 제국에서는 그리스 정교가 유사한 역할을 했다. 동양에서는 유교, 불교가 큰 영향을 미쳤지만 유럽에서 기독교만큼은 아니다.

– 공동의 적 아랍 이슬람

아랍 이슬람은 유럽과 기독교의 적이다. 그들로부터 유럽을 보호하고 문화를 지키는 것이 기독교인의 의무였다. 8세기 초 아랍의 이베리아반도 침략 이후 1492년 그라나다에서 마지막으로 축출될 때까지 700여 년, 이중 11~13세기 약 200여 년에 걸친 유럽과 이슬람 간 십자군 전쟁, 그리고 절대왕정 시대에도 개별국가, 특히 스페인 합스부르그 왕가, 비잔틴 제국, 베니스 공화국와 교황은 협조하에 이슬람 세력 저지에 공동 전선을 폈다.

– 동아시아에는 공동의 전선이나 적이 없었다.

동아시아는 불교, 유교 문화의 전통이 어느 왕조든 영향을 받았다. 그러나 유럽의 기독교 세계처럼 이슬람 세계를 공동의 적으로 두고 공동체 정신이 형성되기 어려웠다. 동북아와 아랍은 751년 탈라스 전투에서 큰 전투를 한 이후 이렇다 할 운명적 대결을 한 적이 없다. 아랍과 동북아 사이에는 히말라야산맥, 파미르고원, 타클라마칸 사막, 티벳 고원 등으로 자연적으로도 분리되어 있다. 그리고 상호 사생결단으로 싸워야 할 큰 이해관계가 별로 없었다. 이것이 동북아 대륙 내에 일원적인 지배 왕조가 계속 생겨나는 이유인 듯하다. 동북아를 석권한 왕조가 인도, 중앙아, 유럽으로 원정 간 것은 한 무제의 장건 서역 파견, 당 현종 때 고선지 장군이 지휘한 탈라스 전투, 몽골 제국의 유럽 원정 정도이다. 아랍 쪽에서도 동아시아, 동북아로 대대적인 침략을 해온 적이 없다. 동아시아, 동북아에서는 제국들의 힘에 눌려 어쩔 수 없어 참전하는 경우는 있었지만(몽골-고려 일본 정벌, 광해군의 강홍립 휘하 병력 명 지원, 청의 요청에 따른 나선정벌 등), 외부의 적을 공동으로 퇴치하기 위해 공동 전선을 펼친 적이 없다.

형제, 삼촌·아저씨, 박사(hermano, tío, doctor) 호칭

우리나라에서도 진짜 혈육이 아닌 사람에게도 친밀감을 반영하여 형, 동생, 언니라는 말이 사용된다. 이와 유사하게 볼리비아에서도 형제(hermano), 아저씨(tio)가 진짜 혈육이 아니라 친한 사람에게 친밀감을 보이면서 부르는 호칭으로 애용된다. 박사학위가 없는 Sr(Mr.) Kim을 Dr(Dr.) Kim으로 부르기도 한다. 이 호칭은 지식인이라는 것을 배려하거나 존중해서 혹은 친한 사이에 부르는 호칭이다. 영어의 Mr에 해당하는 말은 스페인어는 Señor이지만, Señor에는 Mr, Sir 두 의미가 있다. 그래서 Señor Kim이라고 불러 주는 것은 좀 격식을 갖춰서 호칭하거나 존칭의 의미가 되기도 한다.

춤과 노래를 좋아하는 민족

우리 민족은 옛날부터 춤과 노래를 좋아하는 것으로 알려져 있다. 요즘 K-pop 아이돌이 국제적으로 인기를 끌고 있는 것을 보면 이 말이 틀린 말은 아닌 것 같다. 라틴아메리카인들도 우리와 비슷하다. 라틴아메리카 거의 모든 나라 사람들과 유럽의 라틴 국가들은 대개 파티와 춤, 노래를 좋아한다. 유럽인들중에는 영국인, 독일인들은 일반적으로 노래와 가무를 별로 좋아하지 않는다. 라틴아메리카에는 춤의 종류도 살사, 탱고, 메렝게, 삼바, 꿈비아, 까뽈랄레스, 모레나다, … 등으로 다양한데, 그들의 발놀림도 매우 다양하고 민첩하다. 라틴아메리카인들이 축구를 잘 하는 것도 어릴 적부터 춤을 추면서 발놀림이 유연하기 때문이 아닌가 하는 생각도 든다.

콜롬비아에 파티에 초청받아 간 적이 있다. 밤 1시까지 함께 놀다 나는 피곤해서 그 집 응접실 소파에 기대어 자다가 졸다가를 반복했다. 그런데 이 사람들은 새벽 4시 반까지 계속 술 마시고 이야기하고 춤추고 놀고 있었다. 우리 민족이 노래와 춤을 좋아하는 것은 맞지만 라틴아메리카인들과 비교하면 순위가 어떻게 될지는 장담하기 어려울 것 같다.

베네수엘라 미녀와 콜롬비아 미녀

베네수엘라 미녀들이 세계 미인대회에서 순위를 차지한 적이 많았다. 그래서 베네수엘라에는 예쁜 아가씨가 많은 걸로 일반적으로 생각한다. 그러나 정작 베네수엘라 까라까스에 도착해보면 미녀는 잘 보이지 않는다. 베네수엘라 미녀는 미녀 사관학교에서 양성된다고 한다. 사실 미녀 양성 학교가 있었다. 지금도 있는지는 모르겠지만, 베네수엘라의 미(Bellza)에 관한 열정은 대단했다. 베네수엘라에 Reina Pepiada라는 샌드위치가 있다. 번역하면 curvy, attractive or beautiful queen라는 뜻이다. 사실 pepiada라는 단어는 비공식적으로 쓰는 말이라 중남미에서도 모르는 사람들이 많다. 아무튼 이 Reina Pepiada는 1955년 International Beauty Contest에서 우승한 Susana Duijim 이라는 미인을 위하여 나왔다. 그녀는 베네수엘라에서는 국제미인대회에 처음으로 뽑힌 미인이었다. 그 어머니에 그 딸이라고 그녀의 딸은 28년후 1983년 Miss World로 선정되었다.

이에 반해 콜롬비아는 베네수엘라만큼 미녀 공화국으로 소문나지 않았지만 콜롬비아에는 정말 미녀들이 많다. 특히 안데스산맥에 있는 메데진(Medellin)이라는 도시가 있는데 콜롬비아 미녀는 이 도시 출신이 압도적으로 많다. 베네수엘라 미녀 뺨칠 정도로 잘 생겼다. 할리우드 영화배우 같은 미인들을 여기저기에서 너무나 쉽게 볼 수 있다. 이 도시를 아는 사람들은 우리나라 젊은 미혼 남녀들은 가지 않는 것이 좋겠다고 할지도 모른다. 왜냐하면, 지금은 아무런 치안 문제가 없는지 모르겠지만, 이곳이 과거 잔인하기로 유명한 마약왕 Pablo Escobar의 본거지였고 무장 민병대도 많았다. 우리나라에서 스스로 웬만큼 잘 생겼다고 자신하는 아가씨들도 가보면 기죽기에 십상일 것이다. 미녀 축에 끼이지 못하는 여자들은 자존심 상해 올지 모른다. 남자들은 눈높이가 상향되어 아마도 평생 결혼을 못 하게 될지도 모른다.

그런데도, 메데진을 방문해 볼 만한 가치는 있다. 이곳이 중남미에서 가장 유명한 화가 Botero의 고향이고 미술관에는 그의 작품들을 많이 만날 수 있다. 마약왕으로 위세를 떨친 Pablo Escobar의 본거지인데 그가 사살된 곳을 찾아 저 세상에서는 착하게 지내라고 기도를 해 주고 마약의 심각성을 배울 수도 있을 것이다. 운이 좋아 우연히라도 메데진 시장, 주지사를 지낸 적이 있는 Uribe 전직 대통령을 만나 기념으로 사진이라도 함께 찍을 수 있다면 큰 행운이 될 것이다.

베네수엘라 커피와 콜롬비아 커피

오늘날 콜롬비아 커피는 모르는 사람이 없을 만큼 많이 알려졌지만, 베네수엘라 커피는 기억하는 사람이 거의 없다. 그러나 콜롬비아 커피가 유명해지기 이전에 베네수엘라의 안데스산맥에 커피를 많이 재배했었다. 1950년대 베네수엘라에서 석유가 발견되면서 커피 노동자들이 노임 일당을 더 주는 석유 산업 부문으로 옮겨 가면서 베네수엘라 커피는 잊혔다. 베네수엘라에서 커피를 재배하더라도 커피의 맛과 향은 콜롬비아에 뒤지지 않을 것이다. 그러나 베네수엘라는 커피에서 손을 놓은 지 오래되었다.

콜롬비아의 Juan Valdez 커피 상표는 국제적으로 많이 알려져 있다. 그러나 상대적으로 Juan Valdez는 비싼 편이고 콜롬비아 밖에서는 많이 알려지지 않은 Omega 커피도 매우 좋은 커피이다. 외국에는 알려지지 않은 콜롬비아 커피 상표가 2,000개나 된다고 한다. 이전에 쌀은 한국인의 영혼이라 불릴 만큼 중요했다. 콜롬비아에서는 커피가 그랬다. 지금도 콜롬비아의 커피 재배 인구는 상당히 높을 것이다. 콜롬비아 커피 농부들의 고단한 삶과 억센 손, 눈물이 눈에 선하다. 그래도 마약에 손을 대지 않는다면, 손은 거칠고 험하게 보여도 영혼은 매우 맑을 것이다.

코스 식사, Oud 음악, 위생, 패션을 유럽에 확산시킨 이슬람인

유럽인들은 코스 식사를 하고 일찍부터 Oud를 개량한 Lute 또는 기타를 연주하고 용모를 단정히 하기 위하여 이발하고 몸 냄새를 제거하기 위하여 자주 샤워를 향수를 바르는 깔끔한 사람들로 생각했다. 그런데 유럽인들의 이런 생활 태도로 변화시킨 주역이 유럽인이 아니다. 얼굴은 유난히 까맣고 국적은 페르시아인, 쿠르드인, 아프리카인 어느 것인지 확실히 밝혀지지 않은 이슬람교도였다. 그는 Ziryab/Zeryab or Zaryab (black birds라는 뜻)로 불렸는데, 본명은 Abul-Hasan Ali Ibn Nafi (c. 789 – c. 857)이다. Abbasid Caliph 때바그다드에서 태어난 것으로 추정되며 바그다드에서 음악을 공부한 가수, Oud 연주자, 시인, 작곡가로 이베리아반도의 이슬람 왕조 Umayaad Dynasty에서 음악인으로 일했다.

그는 지금의 스페인 안달루시아에 있었던 이슬람의 코르도바 궁전에서 음악을 연주하고 Oud 악기를 개량하고 스페인 음악의 기초를 닦고, 왕실 인사들에게 위생(샤워, 향수), 의상과 패션, 이발, 식탁 관행(천 식탁보, 금속 잔 대신 유리잔, 3코스 식사)을 계도하고 확산시켰으며 직접 치약을 제조하기도 했다고 한다. 이 당시만 해도 유럽인들의 문명이나 문화 수준이 아랍의 이슬람 수준보다 못했던 것 같다. 유럽은 중동으로부터 중세 때 기하학, 음악과 악기, 개인위생, 의상, 패

션 등 여러 분야에서 배워 와야 했다.

프랑스 루이 14세가 1661~1715년 기간 여러 차례에 걸쳐 확장하고 1682년 천도했던 베르사유 궁전에 화장실이 없고 파리 시내의 거리에도 오물이 많았다는 일화를 감안하면 8~9세기 사람인 Ziryab는 당시로서는 매우 세련되고 깔끔할 뿐 아니라 다방면에 재주가 많았던 사람으로 보인다. 그러나 이슬람인이었기 때문에 유럽인들은 그를 별로 평가하지 않았던 듯하다.

지구를 쓰레기통으로 만드는 플라스틱 중독 현대인

플라스틱(cellulosed-based plastic)이 이 지구상에 처음 나타난 것은 1862년 영국인 Alexander Parkes에 의해서이다. 1907년에는 synthetic plastic이 나오고, 1933년 PVC, 1935년 나일론이 발명되었다. 1979년부터는 슈퍼마켓에서 쇼핑 봉투로 비닐봉지를 사용하기 시작했고 오늘날 플라스틱은 다양한 형태로 제작되고 있다. 플라스틱 제품은 물병, 주스 병, 비닐봉지, 커피잔, 물휴지, 장난감, 파이프, 등 다양한 용도와 사용 그리고 가볍고 편리하고 가격경쟁력 면에서 그 어떤 다른 것보다도 탁월하다.

가격도 저렴하고 사용하기도 편리한데, 문제는 대지, 토양, 도시, 강, 바다, 해양 생태계에서 각종 다양한 형태의 환경 오염과 재앙의 주범이 되고 있다. 방송이나 신문에서 문제만 제기할 뿐 효과적인 대책이 나오지 않고 있다. 국내뿐만 아니라 국제적으로도 산업계와 소비자가 이심전심 이해관계가 일치하는데 다 선거에서 표를 의식하는 정부들은 국민이 원하는 바를 헤아려 단호한 실천 계획은 전혀 내놓지 않고 있다. 모두가 겉으로 하는 시늉은 하지만 플라스틱의 저렴한 가격과 편의성에 중독된 것이다. 훗날 인류 역사에서 우리 세대는 지구를 쓰레기통으로 만든 무책임한 세대로 비난받지 않을 수 없을 것 같다.

김치와 치즈

30여 년 전이라면 나에겐 선명히 기억되는 과거이지만 젊은 세대들 기준으로는 꽤 오래된 이야기라 할 것이다. 1989년 8월 스페인어를 배우기 위해 외교부 동료 선배들과 어민 백과 가방에 이거저거 담아 마드리드로 향했다. 대한항공으로 영국 히드루 공항까지 가서 거기서 British Air(BA)로 갈아타고 마드리드로 가기로 되어 있는데 BA가 파업이었다. Iberia 항공으로 주선해줘서 그 많은 수하물로 보낸 짐들을 찾아 낑낑거리며 다시 체크인할 때는 중량 땜에 추가 요금이 많이 부과될까 봐 노심초사했다.

마드리드 Barajas 공항에 내려 화물 벨트 앞에서 짐을 찾아 출입국 절차를 거쳐야 했다. 일행 중 한 사람은 가족은 몇 개월 후 오기로 하고 남편만 왔다. 그 부인이 남편을 위해 큰 네모 플라스틱 통에 김치를 정성스럽게 담아 줬기에 수하물로 부쳤다. 더운 날씨 때문인지 김치가 발효되어 김칫국물이 포장 비닐 사이로 약간 흘러 나와 냄새가 났다. 공항 수화물 검사관은 이상하게 여기고 그 김치통을 열어보라고 했다. 우리는 개봉하고 싶지 않았지만, 별 도리가 없었다. 뚜껑을 열고 비닐을 개봉하니 금방 김치 냄새가 내 코에도 와 닿았다. 검사관은 인상을 찡그렸다. 그는 다시 뚜껑을 얼른 닫으라고 했다. 이렇게 입국 심사부터 김치가 말썽거리가 되었다.

그로부터 약 1달 뒤 어느 토요일 그 댁에서 김치볶음밥과 김치찌개를 준비한다고 나를 초청해 왔다. 거의 매일 빵, 달걀, 쏘시지, 치킨, 샐러드 등으로 식사를 하다가 김치볶음밥, 김치찌개는 매우 감사할 일었다. 그 댁에 도착하니 김치볶음밥, 김치찌개 냄새가 식욕을 돋웠다. 막 식사가 시작되기 몇 분 전 누군가 똑똑 아파트 문을 노크했다. 문을 열어보니 구레나룻 수염이 무성하고 우락부락하게 해적 인상의 한 남자가 인상을 찡그리고는 이 아파트 동에서는 한 번도 맡아보지 못한 김치 냄새에 역정을 내며 항의했다. 우리는 매우 난감했다. 이사 들어온 지 초장부터 이웃 아니 아파트 동 주민들과 다툼을 벌일 수도 없었다. 우린 그게 그리 문제가 될 줄 몰랐다고 정중히 사과했다. 문은 닫고 창문을 활짝 열어 환기부터 시켰다. 김치찌개는 먹지도 못하고 개수대에 하수구로 흘려보냈다. 그날부터 집에서는 김치찌개는 해 먹기가 어려웠다. 그래서 주말에 마드리드 근교 나바세라다 산 근처 야외에서 김치찌개를 먹었던 기억이 있다.

마드리드 시내 최고의 도심 거리 Gran Via 의 아름다운 건물들을 오르내리는 승강기는 오래된 고전 영화에나 나오는 그런 유형이었다. 승강기를 타려면 먼저 쇠로 된 얼금얼금한 덧물을 열고 그 안에 또 하나의 유리가 붙어 있는 나무 문을 닫아야 했다. 승강기 유리창 아래로 내려다보면 승강기에 연결된 줄이 수직으로 늘어져 보였다. 내가 이야기하고 싶은 것은 이 승강기가 아니다. 승강기 안에 수십 년 묵은 고약한 치즈(류) 냄새가 나는 매우 싫었다. 그래서 때로는 5층으로 갈 때 승강기를 타지 않고 힘들어도 걸어서 올라가기도 했다. 이 스페인 사람들은 김치 냄새를 그렇게 싫어하더니 이 더럽게 고약한 치즈 냄새는 어떻게 참고 지내는지 이해가 되지 않았다.

그로부터 약 25년이 흐른 후 2013년 8월 휴가 때 마드리드에 갔다. ICADE 함께 다니던 스페인 동창 친구들을 만났더니 어딜 가고 싶으냐고 물었다. 나는 각종 치즈를 파는 치즈 마켓을 가자고 했다. 나는 이제 그 고약한 퀴퀴한 치즈 냄새가 그리웠다. 그러나 내가 이전에 스페인에서 기억하던 냄새만큼 강하지는 않았다. 나는 그 강렬하게 지독한 냄새가 그리워했다. Gran Via 거리의 건물 안에도 이젠 더 이상 그 퀴퀴하고 지독한 치즈 냄새가 나는 승강기를 다 떼어내고 현대식 승강기로 바뀌어 더 이상 그 이전의 향수의 냄새를 맡을 수 없을 것이다.
문화, 요리, 관습은 이방인에게 처음에는 매우 이상하게 비춰질 수 있지만 때로는 세월이 가면서 생각이 바뀌기도 한다. 아마도 30여 년 전 그 스페인 사람도 더 이상 김치찌개 냄새를 그렇게 싫어하지는 않을 것이다. 아니 이제 김치찌개 애호가로 변신해서 한국식당에서 비싼 값이라도 사서 먹을지도 모를 일이다.

마드리드에서 외국인들과의 스페인어 학습

1989년 9월부터 약 1년간 마드리드에서 외국인들과 스페인어를 배웠다. 수업에 참석한 수강생들은 프랑스, 독일, 벨기에, 화란 등 유럽인, 미국인들이 가장 많았고, 한국인, 일본인, 대만인이 한 반에 각 1명 정도씩 있었다. 그들은 자국 언어의 발성과 발음에 오랫동안 익숙해져 있었고 나도 한국어에만 오랫동안 특화되어 있었다. 그래서 각국에서 온 젊은이들의 발음을 들어보면 어느 나라에서 온 친구들인지 대략 식별할 수 있었다.

스페인어 발음은 문자 그대로 소리가 나므로 다른 언어에 비해서는 발음이 그저 먹기 정도로 쉬웠다. 그러나 이중 rr, Gracias의 c 발음, n 에 떨데가 붙어 ñ 이 되는 경우 등 연습이 좀 필요하다. 어느 날 수업 중에 스페인어 선생은 rr 발음을 집중 연습시켰다. Yo creo que ..., Pero no es el perro(나는 ... 라고 생각한다. 그러나 그것은 개가 아니다). 선생은 "요 끄레오 께... 뻬로 노 에스 엘 뻬르로오"라고 발음을 몇 번 해 보이고는 학생들에게 한 사람씩 호명하면서 발음해보라고 시켰다.

일본인 학생들은 "죠오 그레오오 게 뻬로 노 에스 엘 뻬로"라고 발음하고 독일인 학생들은 "요 크레호 케에 페로 노 에스 엘 페로"라고 발음했다. 일본인이나 독일인들의 발음에 모두 킥킥 웃었다. 일본 학생들은 '그러나(pero)'와 '개(perro)'발음을 구분해서 하지 못했다. 게다가 일본인들은 일본인 특유의 발음 끝에 ~오 발음을 추가하곤 했다. 독일인들은 질그릇 깨지는 듯한 투박한 "크레호 케에" 발음과 된소리 뻬(P) 발음이 잘되지 않는다. 선생은 나에게도 발음해보라 했다. 나는 perro에서 몇 개의 r 발음을 듣기를 원하느냐고 물었다. 선생은 당신 원하는 대로 하라고 답했다. 나는 pero, perro, perrro, perrrro, perrrrrro, perrrrrr... ooooo 우리 클래스 친구들은 다시 한번 모두들 킥킥대며 웃었다.

외국인의 외관 혹은 어투 보고 국적 알아 맞추기

스페인 친구들이나 같은 클래스 외국인 친구들과 마드리드 시내의 바르(Bar), 까페떼리아(Cafeteria)에서 맥주, 와인에 안주를 한 접시(tapa) 주문하거나 커피를 시켜놓고 종종 노닥거렸다. 때로는 행인들의 국적 알아맞히기를 했다.

유럽인들이나 미국인들은 동양인을 보면 얼굴만 봐서는 그 사람의 국적을 잘 알아맞히지 못한다. 옷차림을 보면 조금 더 판단에 도움이 되지만 여전히 어려울 것이다. 반대로 우리나라 사람들은 얼굴이나 행색만 봐서는 서양인들의 국적을 알아맞히기 어렵다. 유럽인들은 어느 정도 국별로 다소 전형적인 얼굴 형태가 있긴 하지만 다른 유럽 국가에서 오래 거주하거나 결혼과 혼혈을 통해 이런 특징을 점점 발견하기 어렵고 미국인들은 더더욱 그렇다. 미국인들은 인종이 다른 인종들과 혼혈이 많아 얼굴만 봐서는 어느 인종 혈통인지 알기 어렵고 그 사람의 사용하는 언어나 말투, 제스처 그리고 문화적인, 혹은 관습적인 무언의 태도를 보고 판단할 수밖에 없다.

그러나 어떤 사람이 말하는 것을 들어보면 영어, 스페인어, 혹은 모국어인 폴투갈어, 독일어, 프랑스어 등 어느 언어든 말을 들어보면 그 사람의 언어 구사 능력, 발음, 액센트, 리듬 등을 통해 그 국적을 어느 정도 알아맞힐 수가 있다. 입을 다물고 있으면 좀처럼 판단하기 어려운 경우가 많다.

라틴 아메리카에서 오래 살아도 칠레인, 베네수엘라의 해안가 사람들의 스페인어는 정말 알아듣기 어렵다. 그러나 콜롬비아인들의 스페인어는 상대적으로 훨씬 알아듣기 쉽다. 콜롬비아 보고타에는 16세기 마드리드 사람들이 쓰던 스페인어에 가장 가까운 스페인어를 구사하는 곳은 스페인의 마드리드가 아니라 콜롬비아의 보고타라고도 한다. 그만큼 보고타 스페인어는 제대로 된 발음과 리듬 악센트로 생각된다.

영어를 모국어로 하는 사람들의 경우 미국인과 영국인의 발음은 금방 구분된다. 호주인들의 발음도 많이 다름을 느낄 수 있다. 미국에서 오래 거주하신 분들은 동부의 발음과 서부의 발음, 남부와 북부의 리듬과 악센트를 금방 구분할 수 있으리라 판단된다.

두바이에서 근무 기간이 다 끝나도록 아랍 전통 복장을 한 아랍인들의 옷차림이나, 얼굴, 행색을 봐서는 어느 나라 사람인지 금방 알아보기 어려웠다. 아마도 중동, 아랍에 관한 나의 경험이 짧기 때문일 것이다. 그러나 두바이에서 오래 살아온 사람들은 얼굴 생김, 옷차림, 제스처만 보고도 금방 그 사람의 국적을 추정할 수 있다.

우리나라 사람들은 한국인, 중국인, 일본인을 금방 구별하고 인도인, 파키스탄인과 동남아시아인들을 보면 국적은 알기 어렵고 동남아 어딘가에서 왔다는 정도로만 알 수 있을 것이다. 그러나 세계 모든 인종이 다 거주해서 사는
두바이에 오래 살다 보면 더 쉽게 국적, 인종, 문화를 구별할 수 있을 것 같다.

스페인 학생들과 수업 듣던 날

마드리드에서 1년간 스페인어를 배우고 ICADE 대학원에 유럽공동체 석사 과정에 입학 허가를 받아 모든 수업을 스페인어로 수강했다. 수업 시간에는 대략 50여 명의 학생이 있었는데, 학생의 약 70%는 스페인인들이고 유럽인과 미국인, 중남미인 등 모두 합해서 약 30%, 동아시아, 중동, 아프리카 통틀어 나 혼자 밖에 없었다. 스페인어를 배울 때 웬만큼 익숙해졌다고 생각했지만, 여러 다른 과목의 전공 교수가 수업 시간에 강의하는 걸 들어보면 천차만별이었다. 강의 내용을 부분적으로만 이해하고 전체적으로 모호하게 이해하거나 혹은 전체적으로 대략 이해는 하지만 세세히 이해하지 못하는 것을 실감했다. 외국인으로서 외국어를 배울 때는 청취력이 얼마나 어려운지를 실감하는 기회가 되었다. ICADE 대학원 수업 시간에는 콜롬비아, 볼리비아에서 온 친구도 1명씩 있었는데, 이들은 스페인어가 모국어이면서도 거의 6개월간 마드리드의 발음, 리듬, 악센트에 익숙하지 않아 제대로 알아듣지 못하는 경우가 많다고 했다. 외국어 학습은 시련의 연속이었다.

서로 다른 스페인어

그렇게 어렵던 스페인어도 스페인어 사용국을 몇 번 근무하다 보니 우리말보다도 더 편해졌다. 스페인어 실력이 늘어서 그런 것도 있지만 그렇다고 본토인들만큼 잘하는 것은 전혀 아니다. 외국인으로서 스페인어를 말할 때에는 봐주는 기대치가 있기 때문이다. 그래서 외국어를 구사하는 외국인의 특권이란 느긋함과 여유 그 자체이다. 회의장에서도, 방송에서도, 강의실에서도. 오히려 우리말이 더 어렵다. 우리말은 '아' 다르고 '어' 다르다. 특히 특이한 존칭 조사, 동사의 어미에 붙는 존경을 나타내는 표현을 적재적소에 사용하는 것이 상당히 까다롭다. 자칫 순간적으로 혀가 실수라도 하게 되면 돌이킬 수가 없다.

외국인들이 많이 북적대는 라틴아메리카 공항의 바(Bar) 또는 까페, 식당에 앉아 있노라면 이곳저곳에서 서로 다른 리듬, 악센트, 템포의 스페인어, 폴투갈어, 영어가 들린다. 스페인어라고 해서 다 똑같은 스페인어가 아니다. 축구 선수가 볼을 드리블하듯이 말하는 마드리드 사람들의 발음은 경쾌하고 빠르다. Vale, Acuerdo 라는 표현을 자주 쓰고 Gracias의 c 발음을 우리하고 조금 다르게 사용할 줄 아는 사람들은 틀림없이 스페인 혹은 마드리드 사람들이다. 스페인어 중에는 새가 노래하는 듯한 이탈리아풍의 아르헨티나 스페인어, 베네수엘라 혹은 바닷가 사람들이 말하는 해괴망칙한 스페인어, 콜롬비아 보고타의 16세기 신사숙녀 리듬과 액센트를 물려 받은 우아한 스페인어, 마치 충청도 사람처럼 느릿느릿한 베네수엘라 메리다(Merida) 사람들의 말투, 독일 발음이 묻어나는 듯한 칠레 스타일 스페인어, 미국에 가까이에 있어 미국 영어처럼 발음이 허물 허물해지는 듯한 스페인어, 아메리카 인디언들의 구강 특성이 남아 있는 듯한 볼리비아, 페루의 인디언 스페인어, 미국 사람들이 발음하는 이상한 스팽글리쉬 (Spanglish) 발음, 폴투갈 발음이 뒤섞인 Portuñol, … 등등 엉터리 스페인어 발음이 생각보다 무수히 많다. 한국인들이 쓰는 김치 스페인어는 지금부터 800여 년 전 까스띠야, 레온, 갈리시아(Castilla, León y Galicia)를 통치했던 왕 Alfonso X 시대의 시작된 표준 스페인어에 거의 가까운 것이 아닐까 생각한다.

인간을 먹는 산 Cerro Rico

해발 4,090미터의 볼리비아 광산 도시 뽀또시(Potosi)는 16세기 후반
에는 전 세계 은(silver) 생산량의 60%, 1573년 인구는 12만 명으로
영국 런던과 비슷했으며 세비야, 마드리드, 로마, 파리보다 많았다. 뽀
또시(Potosi)의 Cerro Rico 광산은 스페인 제국에 엄청난 부를 선사
했다. 그래서 'valer un Potosi'라고 하면 '엄청난 부'를 의미한다. 그
래서 Don Quijote 등 스페인 유명 작가들도 이 표현을 문학 작품에
서 표현할 정도였다.

Potosi의 은 생산과 인구급증의 원인은 뽀또시(Potosi)의 Cerro Rico
은광 때문이다. 1545년부터 은광을 파고 있는데 오늘날도 파고 있다.
1545~1810년 기간 전 세계 은 생산량의 20%. Cerro Rico
Mountain은 4,782미터인데, 매년 몇 센티미터씩 내려앉고 있다. 상
단부에는 싱크홀들이 생기고 있어 경량 시멘트를 채우고 있다.

스페인에서는 Villa Imperial de Potosi의 명성에도 불구하고 이 은광
에 죽고 고통받은 인디언 노동자가 너무나 많았다. 은을 캐서 수은을
섞어 흙과 불순물을 걸러내는 정제과정에서 인디언들이 수은에 중독
되어 수많은 노동자가 죽고 고통을 받았다. 그래서 Cerro Rico
Mountain을 인간을 먹는 산이라고도 한다.

아메리카와 안데스산맥, 안데스의 노래들

안데스산맥은 라틴아메리카의 척추, 등줄기이다. 안데스산맥을 따라 해발 2,000~4,500미터 사이의 산맥에 도시들이 생겨났다. 물론 그보다 많은 산들도 꽤 있긴하다. 2,000미터 혹은 1,500미터 이하는 높다고 이야기하지 않는다. 어쩌면 산이라기 보다는 저지대로 여기는 듯하다. 안데스 산맥은 베네수엘라, 콜롬비아, 에콰도르, 페루, 볼리비아를 거쳐 칠레, 아르헨티나에도 이어진다. 보고타(Bogota)와 끼또(Quito)에서 바라뵈는 안데스 산은 대략 2,600-3,500미터로 비슷하다. 산이 높아 유깔립또스와 다른 나무들의 색깔들도 진한 초록색은 아니다.

베네수엘라 까라까스에서 보이는 Avila 산 정상은 해발이 보고타 평균 고도와 비슷한 2,765미터이어서 산은 푸르고 아름답다. 큰 계곡 사이로 날아가는 항공기를 보면 Avila 산은 더한층 어마어마하게 커 보인다. 이 산 너머에는 카리브해이다. 베네수엘라 메리다(Merida)의 Pico Bolivar는 4,978미터, 차량으로 올라갈 수 있는 최고봉은 Pico Aguila/Collado del Condor는 4,118미터이다. 시내에서 이곳으로 여행하는 동안 큰 나무는 별로 보이지 않는다. 높은 산과 가파른 경사의 깊은 계곡과 개울, 잡초와 야생화, 감자밭 등으로 아름답다. Clavelito, A pesar todo, Monte frio 등 노래의 바이올린 연주는 메리다의 안데스 산에 아주 잘 어울리는 음악이다. 4,000미터가 넘는 Pico Aguila에는 나무는 없고 잡초와 이끼만 조금 있다. 대략 3,200-4,500미터의 페루, 볼리비아의 더 높은 안데스산맥과 마을들은 황량하다 못해 건기에는 화성처럼 보인다.

안데스 산에는 인디언, 야마, 재큐어, 꼰도르, 독수리가 공존한다. 안데스 산맥맥은 라틴아메리카의 음악에도 독특한 기여를 하는 듯하다. 페루, 볼리비아의 안데스 산에서 탄생한 아름다운 노래가 Condor Pasa와 Lambada/Se fue llorando이다. Simon & Grafunkel의 Condor Pasa은 좀 쓸쓸한 느낌을 준다. 그러나 Daniel Alomía Robles의 원곡 Condor Pasa의 노래에는 쓸쓸한 부분도 있고 매우 즐거운 풍의 멜로디도 함께 들어 있다. Simon이 발표한 곡은 쓸쓸한 분위기만 들어 있다.

또 다른 안데스의 노래는 Lambada의 원곡인 Llorando se fue이다. Lamabda 보다는 노래 스피드가 더디고 설탕이 덜 발린, 그러나 떠나버린 사랑에 대한 쓸쓸한 기억을 표현한다. 원곡 Llorando se fue의 쓸쓸한 느낌은 Lambada에서 발빠르고 경쾌한 풍으로 바뀌고 아코디언의 달콤한 연주는 해변에서 달콤한 사랑으로 바뀐 느낌을 준다. 아리랑 원곡의 슬픈 느낌과는 완전히 다르게 '홀로 아리랑'은 감정의 균형감을 느낄 수 있으며 BTS 아리랑은 매우 즐거운 멜로디로 변하는 것과 유사하다. Condor Pasa와 Llorando se fue/Lamba는 원곡 작곡가들이 지재권 무단 사용으로 국제소송이 발생했으나 둘 다 적절히 잘 해결되었다.

바다를 가진 나라, 가지지 못한 나라, 빼앗긴 나라

신대륙 발견 후 얼마 동안 유럽인들은 이 대륙이 북극에서 남극까지 한 덩어리 땅이라는 걸 알지 못했다. 아메리카 대륙에서 태평양과 대서양을 육로로 이동할 경우 현재의 미국이나 멕시코 북부 혹은 브라질 아마존 지역에서는 두 대양간 지상 거리가 수백 킬로미터가 되지만, 중미의 파나마, 코스타리카, 니카라과에서는 그저 수십 킬로미터에 불과하다. 신대륙 발견 직후 오랫동안 유럽의 정복자들은 대서양 쪽에서 태평양으로 또는 태평양 쪽에서 대서양으로 이동하기 위해서는 안데스의 험한 고산과 계곡, 사막을 통과하거나 정글을 통과해야 했다. 지상 이동을 위한 도로가 제대로 건설되기 이전에 육상 운송의 이 험난한 여정을 피하기 위해서는 아르헨티나 마젤란 해협을 돌아오가야 하므로 거의 지구를 반 바퀴 가까이 돌아야 할 지경이었다.

이제 어느 나라든 고속도로가 건설되고 파나마 운하가 큰 도움이 되는 것은 사실이지만, 중남미 국가들에는 두 바다를 모두 갖는 것은 나라의 발전 전략상으로도 매우 중요하다. 중미의 작은 나라 중에도 태평양, 대서양 두 바다를 모두 가진 국가가 있는가 하면, 브라질 같은 큰 영토를 가진 나라도 대서양에만 접해있고 태평양 바다는 없다. 파라과이는 원래 바다가 없었고 볼리비아는 태평양을 가진 국가였으나 태평양전쟁(Guerra del Pacífico; 1879~ 1884)에서 칠레에게 모두 빼앗겨 내륙국 신세가 되었다. 150년이 지난 지금도 볼리비아는 칠레에 원한을 갖고 외교관계는 없고 영사 관계만 유지하고 있다.

- 태평양 국가 : 에콰도르, 페루, 칠레
- 대서양 국가 : 벨리즈, 베네수엘라, 가이아나, 수리남, 프랑스령 가
     이아나, 브라질, 우루과이, 아르헨티나
- 태평양 & 대서양 국가 : 멕시코, 엘살바도르, 온두라스, 니카라과,
     코스타리카, 파나마, 콜롬비아
- 바다없는 국가 또는 빼앗긴 국가 : 파라과이, 볼리비아

인디언 풍속

아메리카 인디언들이 동아시아에서 베링해를 거쳐 건너간 흔적은 그들의 여러 풍속에서 찾아볼 수 있다. 인디언 사회에도 제사 풍속이 있다. 우리처럼 명절 제사, 기제사가 따로 있는 것이 아니라 망자의 날을 정해 제례를 한다. 우리나라에서 제사를 밤 10시가 되어야 혼이 오는 것으로 보고 밤 10시에 제사를 지내듯이 볼리비아 망자의 영혼들은 11월 1일 정오에 와서 11월 2일 정오에 떠난다. 볼리비아 망자들은 한국 망자보다 더 시간적인 여유가 있는 듯하다.

가족들은 각종 음식(특히 망자들이 평소 좋아하던 음식), 양파 줄기, 양초, 망자들의 사진 등을 준비하여 식탁 위에 놓고 제사장이 향불을 켜서 돌며 뭐라고 주문을 외고 기도한다. 그다음에는 참석자들에게 나와 기도하라고 권유한다. 기도가 끝나면 술과 음식을 나눠 먹는다. 술잔을 받으면 그냥 마시는 게 아니라 대지의 신(Pachamama)에게 먼저 드리기 위해 바닥에 한 방울 떨어뜨린다(고시레 비슷하다). 라틴아메리카 인디언들의 '망자의 날' 풍속은 볼리비아 뿐만이 아니라 멕시코, 과테말라, 엘살바도르, 벨리즈, 에콰도르, 페루 등에서 행해지고 있다 라틴아메리카 이외에도 인도, 에이레, 스페인, 일본, 중국 등에서 유사한 풍속이 있다고 한다.

아메리카 인디언들은 그들대로의 우주관, 영생관 (죽음도 여행의 연속이고 나중에 다시 생명으로 태어난다)을 가지고 있다. 마을 성황당 나무로부터 악귀를 쫓기 위해 나무줄기에 끈을 두르고 형형색색의 종이, 리본, 나뭇가지나 나뭇잎을 매달기도 한다. 마을을 지키는 수호신도 있다. 오루로 수호신은 소까봉(Socavon)인데 기독교가 들어오면서 소까봉과 성모 마리아를 동일시했다.

보고타와 리마의 금 박물관에는 컬럼버스 이전에 인디언들이 만든 각종 금, 은 세공품들이 많은데 샤마니즘, 주술, 무당을 표현하는 것들이 많다. 신기하게도 유럽인이나 미국인들은 설명을 잘 이해하지 못하지만, 우리에게는 전통사회에 있던 내용들이라 비교적 알아듣기 쉽다. 볼리비아 시골에서는 신랑이 장가들면 그 친구들이 신랑 집에서 몇 날 며칠씩 모여 술과 음식을 먹고 마시며 장난질을 치기도 했다고 한다.

숨쉬기도 힘든데, 인디언들은 왜 고산에 사는 걸까?

라틴아메리카에는 땅 단위 면적당 인구수는 동아시아와 유럽에 비하면 매우 적다. 넓은 땅을 두고도 중남미의 인디언들은 왜 숨도 쉬기 어려운 고산에 사는 것일까? 외적의 침입으로부터 안전하기 위해서 혹은 덥고 습한 저지대를 피해 좀 더 쾌적한 삶을 위해서? 고산 3,000 미터 이상에서는 생존하는 생물의 개체수도 확연히 줄어든다. 농사도 몇몇 가지 종류만 재배할 수 있다. 신대륙 발견 이후 백인들이 들어오자 이들을 피해 고산으로 밀림으로 갔다는 추측도 있지만 아즈텍인, 잉카인들은 유럽인들이 도래하기 이전에 이미 고산에 거주하고 있었으니 반드시 그런 것 같지는 않다. 여러 추측은 있으나, 사실은 아무도 모른다. 지금 안데스산맥에 거주하는 현지인들에게 물어보았다. 나의 할아버지, 할머니, 아버지, 어머니가 살고 계셨기 때문에 우리도 그냥 살고 있다고 했다.

지역개발을 위한 고속도로 건설을 원치 않는 인디언

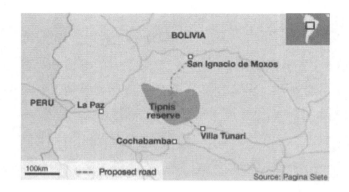

볼리비아에서는 Beni 주의 San Ignacio de Moxos와 Cochabamba
주의 Villa Tunari를 연결하는 고속도로 건설을 1990년대부터 구상해
왔다. 이 두 주를 연결하는 고속도로 노선의 중간에 TIPNIS(Territorio
Indígena y Parque Nacional Isiboro Sécure) 라는 인디언 구역를 통
과해야만 하는 것이 문제였다.

TIPNIS 지역의 지역개발과 주민들을 위한 보건, 교육을 위해서는 이
고속도로 건설이 큰 도움이 될 것으로 기대되었다. 아메리카 대륙에
서 인디언 출신으로는 최초로 대통령에 당선된 Evo Morales 대통령
정부가 이 계획을 추진하려 했음에도 정작 주민들은 이 계획에 강하
게 반발했다. 여기에 환경론자들까지 가세하면서 이 고속도로 건설
계획은 아직도 제대로 진전을 보지 못하고 있다.
이상하게 들리겠지만 이에 관해 현지에서 파악한 인디언들의 반대 이
유는 아래와 같다.

인디언들은 자기들의 영역으로 현대 문명과 백인들이 들어오는 것을 심리적으로 거부한다. 현대 문명의 이기, 편리함, 부와 과시, ... 인디언들은 어쩔수 없이 이미 들어온 모든 외국인을 내쫓을 수는 없지만 그들의 공간, 안마당이 줄어드는 것을 매우 우려하는 것이다.

조선 왕국은 개항, 개방을 싫어하는데 양이들이 들어오면 내쫓고 척화비 세우는 것을 대책으로 생각했던 우리 역사 속의 필름과 유사한 듯했다. 당시에는 이발하면 큰일 나는 것으로 알았다. 양변기가 시골에 처음 들어왔을 때 나이 드신 분들은 처음에는 양변기에 앉기를 거부했다. 아마존 밀림에는 현대 문명사회와 접촉을 기피하고 원시생활을 하는 인디언 그룹이 아직도 존재한다. 심리적인 이유에 의한 선호·기피의 문제이기 때문에 이를 단시일 내에 이해시키고 공감을 얻어내는 것은 쉽지 않다.

웃돈을 더 줘도 한 고객에게만 모두 팔지 않는 인디언 상인

볼리비아 라빠스 재래시장에는 볼리비아 전통음식을 파는 곳이 이곳저곳 있다. 굳이 우리나라 음식으로 비유하자면 만두 비슷한 것을 중남미에서는 엠빠나다(Empanada)라 부른다. 볼리비아에는 그 일종의 '살떼냐 볼리비아나'(Sallteñas Bolivianas)라는 것을 파는 가게들이 많다.

어느 가게에서 이 음식을 맛있게 파는 것을 알게 된 사람이 그 주인에게 한 개당 가격이 얼마냐 물으니 2.5 Bs라고 했다. 그래서 그 집 가게에 있는 살떼냐스를 모두 살테니 개당 2.0 Bs에 모두 달라고 했다. 그

랬더니 주인은 그렇게 팔 수 없다고 했다. 그러면 개당 2.5 Bs에 모두 달라고 했더니 그리할 수 없다고 했다.

이 고객은 웃돈을 더 주고라도 다 사서 가지고 갈 생각으로 개당 3.0 BS 줄테니 모두 다 달라고 했더니 가게 주인은 웃돈을 더 줘도 그렇게 팔 수 없다는 것이다. 이 가게 주인은 개당 2.5 Bs에 1인당 적당량만 팔겠다는 것이다. 우리 생각으로는 인디언 아줌마들의 사고를 이해하기 매우 어려운 일이다. 그러ㅏㄴ 아마도 이 가게에서는 오랜 고객들을 잃지 않아야 한다고 생각하고 있을 수 있고 본인과 절친한 고객들에게 자기가 만든 Salltenas가 품절 되었다고 말하고 싶지 않았을 수도 있다. 우리의 사고와는 다른 것은 사실이지만, 이들이 우리 보다 비이성적이거나 어리석다고 단정할 수는 없을 것이다. 결국 이 고객은 그 날은 원래 가격 2.5 Bs에 30개밖에 사지 못했다.

보행인의 날

1897.8.17. Bridget Driscoll라는 영국 여자가 런던에서 차량 교통사고로 사망했다. 이것이 영국 최초의 차량 교통사고 사망자이다. 이를 계기로 8.17을 국제 보행인의 날(Dia de Peatones)이 제정되어 각국이 재량으로 기념하고 있다.
* 차량 사고로 사망한 세계 최초는 에이레의 1869.8.31. Mary Ward이다.

일반적으로 8.17을 기념하는데, 볼리비아에서는 9.4에 기념했다. 많은 나라들이 차량 운행을 금지한다. 볼리비아에서는 9.4 라빠스 오전 9시부터 오후 5시까지 예외적인 사용 허가를 받은 경우이거나 경찰 차량과 비상상황이 생겨 부득이한 경우를 제외한 모든 차량의 운행이 금지된다. 라빠스와 같이 고산에다 언덕, 비탈이 많은 도시의 경우 차량 사용이 금지되면 온종일 매우 불편하다. 그래도 이런 날을 통해 보행인의 안전, 차량 매연으로 인한 환경악화, 교통안전 법규준수 등 많은 것을 생각하게 한다.

우리나라도 보행인의 날에 전주시처럼 차량 통행을 금지하는 도시가 있긴 있다. 유럽이나 미국의 횡단보도에서는 파란 신호등이 켜지면 보행인들이 좌우를 돌아보지 않고 옆에 차가 있든 말든 전혀 게의치 않고 유유자적 걷는다. 건널목 파란색 신호등이 들어와도 횡단보도에서 교통사고가 날까 염려되어 좌우를 살피는 우리나라와는 사뭇 다르다. 1년에 하루 정도 몇몇 예외적인 경우 이외에는 차량 사용을 전면 금지하고 차도를 보행인에게 돌려주는 것이 의미있는 일이 될 것 같다.

언어의 천재, 신부 대학총장

볼리비아 Universidad Catolica 대학 총장을 뵙고 대화한 적이 있다. 그는 80세 가까운 나이에도 총장으로 일하고 계셨다. 화란 출신으로 볼리비아에 오신지 40년이 넘었다고 했다. 인디언들의 풍습, 언어에 관심이 있어 연구하면서 더 잘 이해하기 위해서 아이마라, 께초아, 과라니도 배웠다고 한다. 그는 영어, 독어, 불어, 화란어, 스페인어, 이탈리아어, 폴투갈어, 플랑드르어 등 까지 포함해서 10개 이상의 언어를 구사하는 분이었다. 만난 사람이나 지인들중 4~5개 하는 사람은 종종 봤지만 10개씩 구사하는 분은 처음이었다. 나는 그를 현자(Sabio)

라고 불렀다.

코스타리카 小農과 민주주의

되는 집은 이래도 되고 저래도 된다. 라틴아메리카 민주주의의 나라 코스타리카는 민주주의를 누리는 여러 이유들이 있지만 코스타리카에는 다른 라틴 아메리카 나라들에 비해 상대적으로 대농장 지주가 별로 없다. 다들 고만고만한 소농이다 보니 제반 제도나 행정도 비교적 수월하게 해결책을 모색한다. 다른 나라에서 보는 지주와 소작농간 심각한 갈등이나 대립 그런 게 보이질 않는다. 코스타리카는 나라 이름이 '부유한 해안'이란 뜻이지만 이 나라에서 금, 은 혹은 이렇다할 수익이 생길 게 없어 유럽 혹은 다른 대륙으로부터 코스타리카로 이민도 뒤늦게 시작되었다. 작은 면적의 토지라도 갖고 작물을 재배하니, 먹고 사는 곳은 그리 어렵지 않아 남에게 굽실거릴 이유도 없는 것이다. 어떻게 보면 발전의 큰 자극 요인이 없지만, 코스타리카의 이런 사회 환경은 코스타리카에 민주주의 제도를 큰 무리 없이 확립하는 데에 좋은 터전이 된 듯하다.

라틴 아메리카에서 가장 먼저 독립했으나 가장 가난한 아이티

아이티는 라틴아메리카에서 가장 먼저 독립했으나 아직도 가장 가난한 나라중 하나이다. 그 원인이 아이러니하게도 자유, 평등, 박애를 세상에 확산시킨 프랑스 때문이라 한다. 프랑스는 아이티 독립 승인을 대가로 1825년에 현재 금액으로 210억 달러 (21 billion USD)를 강요했고 그 결과 아이티는 이 부채를 갚는데 1947년까지 122년 걸렸다는 것이다. 과거 프랑스, 영국 등이 노예 노동을 이용하여 사탕수수, 커피 재배와 설탕 생산 등을 통해 막대한 경제 이익을 얻어놓고도 독립할 때 이와 같은 막대한 금액을 징구한 것은 비도덕적이라는 국제 여론이 제기되었다. 특히 2010년 1월 아이티가 지진으로 막대한 피해를 입었을 때 그리고 2020년 5월 미국에서 백인 경관에게 위조지폐 혐의로 체포되는 과정에서 목졸림 당해 죽은 George Floyd사건 등을 계기로 제기되었다.

우리나라의 위안부, 징용 문제 등도 유사 맥락에서 연구해서 해결방안을 찾는 노력이 필요하다고 본다. 그러나 식민지 시대의 착취와 비인도적인 만행들은 모두 힘 있는 강대국 혹은 제국들에 의해 자행된 것이고 사건이 오래 전에 일어난 것일 뿐만 아니라 판단기준의 시기와 준거 법규, 증거와 증언 확보 등으로 인해 국제적으로 법에 의한 해결을 기대하는 것은 그리 간단치는 않다.

아랍인들의 문화, 시각과 일상

- 음식 사진 촬영

우리나라 혹은 다른 나라의 젊은 여성들도 맛있는 혹은 우아해 뵈는 음식을 보면 사진부터 찍는 것을 좋아하는 경향이 있다. 아랍 귀족층이나 부유층들은 이를 매우 못마땅하게 생각하는 사람들이 있다. 성스러운 음식에 사진을 찍는 것을 음식을 준비한 사람과 음식에 대한 모욕으로 여긴다.

- 한류

우리나라 한류는 외국인, 특히 젊은층에서 엄청난 환영을 받고 있다. 그러나 아랍, 이슬람교도들중 다소 보수적인 층에서는 매우 염려스런 시선이 있다. 우리 나라 영화 혹은 드라마에서도 전통사회의 가부장적 스토리는 괜찮지만 지나친 노출 의상이나 상스러운 말투 혹은 민주주의를 부추키는 내용 등은 요주의 대상이다.

- 시

UAE 왕족들 혹은 지식인들인들 중에는 직접 시를 쓰는 분들이 있다. 두바이 왕은 곧잘 시를 쓰시는 것으로 유명하다. 그는 "Poems from the desert" 등 시집을 4번이나 출간했다.

- 책 저술과 책 선물

두바이 왕에 대한 그의 면전에서의 호칭은 Highness 이다. 그의 공식 직함은 ruler라고 하지만, 실제 왕이나 다름없어 나는 왕이라 부른다. 그는 두바이 에미레이트를 통치해야 할 뿐만 아니라 UAE 연방 정부의 총리이니 바쁠 수 밖에 없는 분이다. 그는 UAE의 총리로서 신임 대사의 신임장을 받기는 하지만 개별적인 면담 대화는 하지 않는 것으로 알려져 있다. 그렇게 바쁜 그가 My Vision, Flashes of thought, Reflections on Happiness and Positivity, Flashes of verse, Flashes of widsom, 등 10여 권 이상의 책을 저술했다는 것은 놀라운 일이다.

에미레이트 왕실 방문 때에는 에미레이트 왕이나 왕실에 관한 책을 종종 선물 받곤 했다. 샤르자 에미레이트의 왕 Sultan bin Mohammad Al Qasimi는 지적 연구가 깊은 분이다. 그는 The Myth of arab piracy in the Gulf, The fragmentation of the Omani Empire, The British Occupation of Aden, Taking the reins the critical years 1971~1977, Under the flag of occupation 등 여러 권의 책을 저술했는데, 샤르자 왕족과 여러 차례 만나면서 그로부터 책들을 선물받았다.

어느 날 나는 OO 에미레이트 왕으로부터 2권의 책을 전해 받았다. 아랍어나 영어본이 아닌 한국어본이었고, 책 표지를 넘기니 아래와 같은 그의 친필 글귀와 서명이 되어 있었다.

"Dear your Excellency, The future starts today, not tomorrow. I offer in this book my personal insights that I hope you find informative to your personal leadership journey. /Signed/ "

한 번도 뵌 적이 없는 분으로부터 한국어로 된 그의 책을 선물 받는 것은 전혀 뜻밖의 고마운 일이었다. UAE 에미레이트에서는 왕이나 지식인들이 책을 저술해서 읽을 만한 각계각층의 사람들에게 선물하여 생각을 공유하기를 희망하는 것 같았다. 그들은 마치 플라톤의 철인왕 같은 느낌을 주기도 한다. 이들이 생각을 공유하는 방식이 매우 다른 것 같았다.

민주주의 사회에서 자주 만나 말로는 대화를 한다지만 자기 주장만 되풀이 하거나 상대방을 헐뜯고 싸우기가 일쑤다. 민주주의 국가로 많이 알려진 코스타리카에서는 전직 대통령이 신문 칼럼을 통해 찬반이 갈리는 이슈에 관해 자기 의견을 밝히는 것을 여러 차례 본 적이 있는데, 웬만큼 현명하고 혜안을 가진 분이 아니면 이렇게 하긴 쉽지 않을 것 같다. UAE, 코스타리카에서 본 사례들은 우리나라에서 보기 드문 매우 흥미로운 생각 공유 방식이라 느껴졌다.

- 서예

아랍 사람들은 아랍 알파벳을 미적인 감을 살려 예술 작품을 만든다. 마치 우리나라나 중국에서 붓으로 서예(Caligraphy)를 쓰는 것과 비슷한 느낌을 준다. 그러나 이들의 서예는 색상도 다양하고 표현 방식이 마치 아트 디자인 같기도 하다.

- 문화와 교양

샤르자 왕은 지식인 학자이다. 그는 매우 박식하고 문화에 관심이 많은 걸로 알려져 있다. 샤르자 왕국은 아랍의 문화 수도로 두 번이나 지정된 바 있다. 지체 높은 여성들 가운데 사회 활동을 묵묵히 하시면서도 사진 찍혀 언론에 보도되는 것은 절대 피하는 분들도 있다. 샤르자 공주 한 분도 그런 분이다. 그녀는 언론 매체에 나서지 않는다. 자기의 공적을 일체 드러내지 않는다. 그녀는 매우 예의있고 교양있는 분이었다.

- 두바이 대학들에는 정치학과가 없다.

두바이 왕국, 샤르자 왕국에는 정치학과가 없다. 국제관계학과는 있지만 정치학은 권장하지 않는 듯하다. 정치체제가 왕정이니 UAE에서 거주하는 자국 시민들이나 외국인 거주자들이 정치학을 배울 필요는 없는 것이기 때문이다. 유럽, 미국 혹은 우리나라에서는 흔한 볼 수 있는 자유 언론은 아니다. 그러면 이 왕국들이 이상한 국가라고 생각할 수도 있겠지만 나라마다 상황과 발전 과정과이 다르므로 그렇게 단순히 답할 일은 아니다.

에미레이트 왕국에서는 외국인 거주자들은 물론이고 자국인들에게도 선거와 투표가 없다. 자국인 인구가 전체 거주 인구의 10%에 불과하므로 통치 형태로서 거주자 모두에게 또는 자국인에게만 우리식의 민주주의를 허용하는 것은 매우 어려울 것이다. 서방에서는 에미레이트 정치치제를 권위주의 정치체제로 비난하기도 한다. 자국 인구가 턱없이 부족한 상황에서 국가의 발전과 주권을 유지하기 위해서는 불가피한 선택이 아닌가 여겨진다.
UAE에는 인도 출신 거주자들이 UAE 전체인구의 1/3에 이르지만 인도인들 사이에서는 인도에서 가장 살기 좋은 곳이라고 한다. 인도인들조차도 두바이에서 살기를 좋아한다는 것이다. 인도가 민주주의라고는 하지만 부패하고 카스트제도가 남아있고 비효율적인 정부 하에서 가난이 영속되는 상황과 비교하면 두바이는 인도인들에게 '아메리칸 드림'과 같은 천국이 아닌가 싶다.

- 에미레이트 정부 고위직과 외국인 피고용인

에미레이트 정부의 기관장들은 권한과 힘이 매우 세다. 기관장을 왕족이 역임하는 경우는 더더욱 그렇다. 이 기관장과 그 밑에서 일하는 외국인 (영국인, 유럽인, 인도인, 국적.직급 불문)과의 관계를 보면 고용 계약상 연봉이 많은 외국인일수록 쩔쩔맨다. UAE 왕족, 기관장들은 이전에 영국 등 보호국, 식민지국들로부터 사람 다루는 방법을 이미 잘 터득한 듯하다.

- 에미라티의 스포츠와 취미

두바이, 샤르자 본토인들은 낙타 경주, 경마, 매사냥 등에 관심을 가지는 이들이 많다. 매사냥은 몽골의 풍습이 몽골의 중동, 유럽 원정 때 전해진 게 아닌가 하는 생각도 든다. 매사냥을 중앙아시아 또는 몽골로 가기도 한다는데 매도 여권이 있다한다. Falcon Clinic도 있다. 애완동물로 저택에서 호랑이, 사자를 키우는 분들도 있다. 이들은 아프리카 출신 수의사를 채용해서 관리한다.

- OOO 에미레이트 왕의 국제감각

일전에 OOO 에미레이트 왕을 예방한 적이 있는데, 그는 이란문제, 북핵 문제와 북한 정치체제, 우즈벡 고려인, 베네수엘라 정치 등에 관심을 보이면서 내 의견을 물은 적이 있다. 이란의 대외정책, 북한의 핵과 대외관계, 베네수엘라의 세상에 대한 시각 등을 관찰해보면 세 나라가 서로 다른 대륙에 소재하지만 유사한 속성은 지닌 듯했다. 우즈벡 고려인에 관해서는 오래전에 우즈벡을 여행하면서 알게 되었다고 하셨다. 크지 않은 에미레이트의 통치자(Ruler)이지만 국제관계, 세계정세에 상당히 해박하고 시각이 뚜렷해서 매우 인상적이었다.

– 아즈만 왕자의 인삼 사랑

두바이 이웃으로 아즈만(Ajman) 에미레이트라는 곳이 있다. 아즈만 에미레이트 사람들은 예의 바르다. UAE 사람을 에미라티(emirati)라고 하는데, 두바이 에미라티들은 비즈니스에 능해서 매우 계산적인 것처럼 여겨지기도 하지만 아즈만 에미라티는 세상때가 덜 묻은 혹은 상업화되지 않은 에미라티라는 느낌이 들었다. 우리나라로 비교하자면 마음 좋은 사람들 혹은 본대 있는 양반 느낌을 주는 사람들이다. 아즈만 에미레이트에서 대원군 같은 높은 지위에 있는 왕자 한 분을 알게 되었다. 그는 인삼 애호가였다. 그는 한국이 눈부신 경제성장을 이룬 국가라는 것뿐만 아니라 한국 인삼의 품질과 종류, 특징에 관해서도 매우 잘 알고 있었다.

– 두바이, 샤르자 에미레이트의 전통적인 볼거리

두바이의 부르즈칼리파 등 고층 빌딩, 현대적인 볼거리, 각종 첨단 시설과는 대조적으로 전통적인 유적지를 돌아보면 두바이와 샤르자의 역사와 문화, 특히 그들의 상인정신, 국제적인 비즈니스 네트워킹, 시대흐름을 읽으려는 노력 등을 이해하는데 도움이 될 것이다.

(두바이 에미레이트)

- Al Fahidi Fort
- Bur Dubai Souk
- Al Shindagha
- Alserkal Avenue 두바이의 국제 문화 거리라 불릴 만하다. 여러 나라에서 온 사람들이 운영하는 갤러리, 뮤직 클럽, 아트 샵 등이 즐비하다. 내가 3년 동안 두바이에 상주하는 동안 이곳에서 한국인이 운영하거나 한국의 문화.뮤직.영화 등을 매개로 비즈니스하는 곳은 없었다.

(샤르자 에미레이트)
- Bait Al Naboodah, built in 1845,
- Midfa 사랑방(Majlis Al Midfa), renowned for its distinctive round barjeel (wind tower) Now part of the Chedi Al Bait,
- Souk Al Shanasiyah(까페, 식당)
- Souk Saqr(spices and perfumes to traditional Arabic clothing)
- 1823년 건축된 Sharjah Fort Museum
- Souk Al Arsa, Al Arsah Coffee Shop,
- Sharjah Heritage Museum,
- Al Majaz Waterfront,
- Sharjah Fountain, great restaurants including authentic Emirati fare at Al Fanar, perfect pizzas at Pizzaro and Lebanese street food at Zaroob.

샤르자의 전통시장, 전통 마즐리스 등을 돌아보면서 그들이 어떻게 오늘날과 같은 세계적인 각종 인프라를 구축하게 되었는지 의아한 생각이 든다. 사람들의 생각은 정말 무에서 유를 창조할 만큼 지혜와 천재성이 있는 듯하다.

– 아랍인들의 인사법

아랍의 무슬림들의 인사법은 동북아의 전통적인 인사와도 다르고 서양의 인사와도 다르다. 남자들간에는 껴안고 서로 좌우로 몸을 갖다대거나 코를 마주치기도 한다. 남녀간에는 신체 접촉은 일체 피하고 인사말만 교환한다.

라틴아메리카에서 남자들끼리는 악수를 교환하거나 포옹을 하기도 하고, 남녀간에도 악수하고 가볍게 양볼 키스하는 것이 공적인 만남 혹은 리셉션장에서는 일상화되어 있다. 라틴아메리카에서 살던 사람이 아랍 지역으로 가거나 아랍지역에서 살던 사람이 라틴아메리카로 가면 인사법이 몹시 신경 쓰이는 일이다. 자칫 실수하거나 소원한 느낌을 줄 수 있어 유의해야 한다.

– 아랍인과 무슬림들의 공통분모와 보수적인 전통

아랍인과 무슬림의 공통분모는 아랍어가 아니다. 그들의 공통분모는 코란과 라마단 같다. 무슬림들은 어딜 가든 코란을 읽고 기도하고 라마단 관행을 따른다. UAE에서는 모스크에서 기도 소리가 울려 퍼지면 이슬람인들은 운전하다가도 잠시 정차하고 무릎 꿇고 기도한다. 골프 라운딩을 하다가도 마찬가지이다. 아랍인들의 전통 의상을 모든 무슬림 나라에서 똑같이 따르는 것은 아니다. 사우디 여성들은 얼굴을 검은 천으로 완전히 덮거나 눈만 내놓는 경우가 있지만, 어느 무슬림 나라든 여성들이 수건으로 머리카락과 뺨을 가리도록 싸는 것은 어느 정도 비슷한 것 같다.

무슬림 나라들은 대개 남성 위주의 사회이다. UAE 경우는 전통 관행이 많이 남아 있지만 장관이나 기관장으로 여성이 등용되는 경우가 있다. UAE에는 한류를 매우 좋아하는 젊은 여성들이 꽤 있다. 그러나 보수적인 부모들이나 교수들은 약간 우려 섞인 염려를 갖기도 한다. 몇 년 전에 두바이 스포츠 경기장에서 '대한민국 짝짝짝짝 짝' 하는 한국 응원가를 크게 외치며 한국팀을 응원하는 아가씨(술 마신 것은 아님)가 쿠웨이트에서 자비로 한국팀 응원하러 왔다는 걸 듣고 아랍에도 이런 열정을 지닌 아가씨가 있나 의아한 적이 있다. 수년전 코스타리카 있을 때 어느 만찬에서 만난 프랑스인의 애인 이란인 여성은 매우 서구적이어서 꽤 놀란 적이 있다. 사우디에서는 불과 몇 년 전 여성 운전자가 처음 탄생했다고 크게 알려질 정도로 보수적이다.

위기, 돈, 인플레이션, 전쟁

코로나19와 같은 팬데믹 상황과 우크라-러시아 전쟁은 많은 나라와 시민들에게 직, 간접 영향을 미치고 있다. 그들의 정부는 바닥이 난 재정 상황에도 무리해서라도 돈을 풀어 시민들을 지원한다. 돈을 많이 풀면 물가가 오르고 인플레이션 현상이 발생한다. 정부는 고갈되어가는 재정과 전쟁을 해야 하고 시민들은 오르는 물가와 인플레이션과 전쟁을 해야 한다. 이런 상황이 오면 일자리도 줄어들어 실업자가 되기에 십상이다. 이런 어려운 상황에 대해 시민들은 코로나바이러스에게 보상을 청구할 수도 없고 전쟁을 일으킨 푸틴에게 배상이나 보상을 청구할 길도 사실상 불가능하다.

바이러스와 같은 자연재해와 전쟁 상황에서는 보험 커버 대상도 아니다. 미국 같은 기축 통화국이야 달러라도 찍어내서 인플레이션 수출할 수 있으니 그나마 다행이다. 미국 내에서는 물가가 올라 달러 가치가 별로 없지만 미국인들은 달러 가치가 크게 오른 외국으로 여행을 가면 톡톡히 혜택을 받게 된다. 미국인들을 제외한 모든 나라 사람들은 국제적으로 오른 달러값 때문에 오히려 사정이 더 어려워진다. 그래서 국제적으로 전쟁이 지속되면 믿거나 말거나 미국 음모론을 거론하는 이유이다.

반부패 지수

공직자들을 대상으로 하는 김영란법이 처음 시작될 때는 우여곡절이 많았다 재외공관에서도 현지 물가가 비싼 곳에서는 본국에서 높은 분들이 오시면 햄버그 이외에는 단가 범위 이내에 들어오는 메뉴가 거의 없어 – 이전의 접대 관행과 비교할 때 – 정말 난감했다. 아무튼 김영란법 시행으로 우리 사회에도 깨끗해질 것이라는 기대는 크다. 그런데 최근에도 귀를 의심할 만한 국내 부패 혐의 뉴스들이 종종 보도된다.

오래전 스웨덴에서 있었던 기억이지만 집권 사민당 잉그바르 칼손 수상이 사임 의사를 표명하면서 후임 수상을 물색하게 되었다. 다들 수상 입후보를 마다하는 와중에 고졸 출신의 모나 살린(Mona Sahlin)이 매우 유망한 차기 수상 후보로 떠올랐다. 그런데 모나 살린이 이전에 공무용 카드로 옷과 구두를 샀었다는 것이 보도되었다. 그녀는 그 카드 사용 후 수일 내에 그 해당 금액을 입금했다고 해명했다. 그러나 스웨덴 언론과 국민은 공사 구별이 안 되는 모나 살린을 용서하지 않았다. 모나 살린은 결국 도중하차하고 평당원으로 백의종군해야 했다. 요란 페르손이 수상이 되었다.

스웨덴 수도 스톡홀름에서 돈이 든 지갑을 분실하면 그 돈과 함께 지갑이 주인에게 돌아갈 확률이 88%라는 기사를 읽은 적이 있다. 서울에서 돈 든 지갑을 분실하면 그대로 주인에게 돌아갈 확률이 얼마나 될까? 어떤 이들은 우리 사회가 스웨덴같이 되려면 200년은 족히 걸릴 거라는 이야기도 한다.

스페인 합스부르그 왕가의 근친결혼과 제국의 종말

교황으로부터 신성로마 황제 칭호를 받고 프랑스 욕심을 제어한 Carlos V 그리고 그로부터 스페인 제국과 신대륙을 물려받고 레판토 해전에서 오스만제국을 퇴치하여 지중해 제해권을 장악하고 유럽 문명을 보호한 Felipe II는 스페인, 이탈리아, 네덜란드는 물론 아메리카 대륙, 필리핀을 보유하여 그 영토에서는 해가 지지 않는 제국을 이뤘다.

그러나 이들 부자도 인간으로서의 불편과 사주팔자는 어쩔 수 없었다. Carlos V가 근친혼으로 생겨난 것으로 보는 주걱턱 때문에 제대로 웃지도 못하는 불편을 겪었다. 그의 적자 자녀 일곱 중에서 성인으로 성장한 것은 셋뿐이고 넷은 유아 때 죽었다. 큰 제국을 건설했으면서도 60세를 넘기지 못하고 모기에 물려 말라리아로 사망했다고 한다. Felipe II는 폴투갈 왕과 아버지 Carlos V의 여동생(즉 Felipe II의 고모)사이에서 태어난 딸(고종사촌)과 결혼했으나 2년 만에 부인이 죽고 둘 사이에서 태어난 Don Carlos는 사람이 모자라고 정신착란을 일으키는 등 문제를 겪다가 23살에 요절했다. Felipe II는 이후 3번이나 더 결혼했다. 마지막으로 4번째 결혼은 그의 사촌인 신성로마 황제 막스밀리안 2세와 Felipe II 자신의 친여동생의 딸 Ana와 이뤄졌다. Felipe II와 Ana 사이에 5명의 자녀 중 넷이 죽고 Felipe III만 살아남았는데, Ana도 Felipe III 출산 후 2년 만에 사망하고 말았다. Felipe II도 그의 아버지 Carlos V와 마찬가지로 근친결혼 저주의 운명을 벗어나지 못했다. 제국은 위대했지만, 근친혼으로 나타나는 외모 이상, 정신착란, 자녀들의 조기 사망, 부인들의 사망 등으로 가정사와 개인적인 삶은 평탄치 못했다.

Carlos V와 Felipe II는 제국을 유지하고, 카톨릭 보호와 확장(신교도 반란 진압), 오스만제국과의 대치(유럽과 기독교 보호), 프랑스와의 대립에 매달렸다. 아메리카로부터 들어오는 그 어마어마한 량의 금은을 팔아 유럽 각지의 신교도 반란을 진압하고 제국을 통치하느라 제국의 재정은 파탄지경이 되었다. Carlos V는 지략으로 유럽을 통치했으나 Felipe II는 관료들을 활용하여 제국을 통치하면서 너무나 많은 시간을 국사에 골몰했다. 남들이 보기에는 화려하고 어마어마한 제국의 황제 또는 왕이었지만 그들은 제국을 아메리카로부터 들어오는 금은보화를 팔아 제국을 유지하는 데 급급했다.

스페인 합스부르그 왕가의 근친결혼은 대를 이어 문제를 야기하다가 극심한 주걱턱에 왜소하고 지적장애를 앓은 Carlos II 가 1700년 후사 없이 세상을 떠나자 14년간의 스페인 왕위계승 전쟁이 벌어졌다. 그 결과 스페인에는 200년 내려온 합스부르크 왕가 시대는 끝나고 제국의 영토는 오스트리아 합스부르크 왕가, 사보이 공국, 영국에 나눠지고 스페인 부르봉 왕가의 초대 국왕으로 부르봉 왕가의 필립 5세가 즉위하였다 (태양왕 루이 14세의 손자).

언론의 역할과 책임

언론의 생명은 신속성이다. 누구보다도 신속하게 뉴스를 타전하는 것이 중요하다. 그리고 독점적으로 취재, 보도한다면 더더욱 언론사의 신뢰가 좋아질 것이다. 그런데 신속성과 독점성보다도 더 중요한 것은 보도 내용이 정확하고 균형감이 있어야 한다. 신속과 독점에 도취하여 사실을 제대로 파악하지 못한 채 보도하거나 관련되는 사람들의 개인 정보를 무분별하게 노출한다면 언론사의 책무를 다한다고 보기 어렵다.

최근에는 인터넷, SNS 등으로 언론 환경이 급속도로 달라져 주류 언론마저 인기가 시들해가고 있다. BBC, New York Times 등 세계 유수 언론을 보면서 우리 주류 언론이 사회에서 평판이 회복되었으면 한다.

칼의 문화, 체면과 염치의 문화

한 나라, 한 사회의 정체성이나 문화가 반드시 정형화되어 있지도 않다. 어떤 나라, 그 사회 구성원들의 생각도 각양각색이어서 그 사회의 문화를 일률적으로 말하기는 어렵다.

일본의 문화를 칼의 문화라고 한다, 야쿠자들의 할복자살, 오다 노부나가와 아베 신조의 피살 등을 보면 일본 문화가 칼의 문화라는 생각이 든다.

우리 사회는 어떤 문화가 있을까? 우리는 체면과 염치의 문화가 있는 것 같다. 우리는 체면을 중시한다. 얼굴 깎이는 행동하기를 싫어한다. 부끄러운 일을 하면 염치없는 사람이라 일컬어진다. 그런 소리를 듣기 싫으면 체면, 체통을 지키는 언행을 해야 한다. 그런데도, 최근 몇 년간 우리 사회에서는 뭔가 바람직스럽지 못한 일들이 있어 스스로 생을 마감한 분들이 있어 썰렁한 생각이 든다. 그들은 모두 자신의 체면, 마음속 저 안쪽에 남은 염치를 이기지 못한 듯하다.

쇼군이 실권을 내려놓은 이유

어느 사회나 지배적인 정치 세력들이 있다. 그들이 정치를 잘하든 못하든, 부국강병을 하든 못하든 그들은 권력을 손에서 놓으려 하지 않는다. 덕천막부 훨씬 이전인 1192년부터 내려오는 일본의 쇼군 정치체제가 1868년 명치유신때 쇼군과 모든 다이묘, 사무라이들이 그들의 기득권을 내려놓은 이유는 무엇이며, 어떻게 그것이 가능했을까? 쇼군 체제가 시대를 이끌 지식과 지혜가 미흡하고 국정을 이끌 능력이 부족했던 점, 사무라이들에게 적절한 공직 제공을 통해 엘리트 심리를 보상한 점 등이 그 이유겠지만 그들의 기득권을 내려놓는 배경에는 사무라이식의 과단성 있는 결정이 아니었나 생각된다.

그리고 명치유신의 새로운 정치권력자들은 어떻게 그렇게 단기간에 일본의 근대화를 단행했을까? 사무라이 기득권 폐지, 신분제 폐지, 국민교육, 과학기술 도입, 공업생산력 제고…. 동아시아 전체에서 이런 나라는 오직 일본밖에 없다. 2차 세계대전 이후 10여 년이 지나서야 한국, 대만, 싱가폴 등이 새로운 리더쉽하에서 발전 전략을 추진했다.

국가를 제대로 이끌 리더쉽, 혜안, 지식, 경험이 없는 자들이 너나 할 거 없이 권력과 감투 경쟁을 하는 나라치고 나라 꼴이 제대로 되는 나라를 보기 어렵다.

위기 상황에서 일본인의 침착함과 자제심

동북아시아 한·중·일 3국은 지리적으로도 가깝고 문화, 관습도 유사한 점이 많다. 그러나 위기 상황이 발생했을 때 시민들의 침착함, 정부에 대한 책임을 따지고 분노와 항의를 표명하는 방식이나 정도는 매우 다르다. 특히 수년 전 쓰나미로 인한 피해와 핵발전소 사고 그리고 코로나바이러스 상황 등에서 나타나는 일본 시민들의 반응은 매우 놀랄만한 하다. 일본인들의 자제심과 정부 지침에 따르는 태도 등은 우리와는 너무나 달라 섬뜩할 정도이다. 일본 정부가 그만큼 유능하고 잘해서일까? 아니면 우리 사회가 사건, 사고만 터지는 국민 갑질 양상을 보이는 것일까? 대단한 분노와 항의가 필요할 것 같은데도 일본인들은 너무나 침착하다. 이 사람들은 아직도 중세 봉건시대 사는 사람들이라 그런 걸까?

지진 대비에 대한 일본 정부의 지속적인 교육이 일본인 일반에 영향을 줬을 것이다. 그러나 이것으로 모든 게 설명되는 것은 아니다. 오랜 기간 쇼군과 사무라이 체제로부터 내려오는 관행을 답습한 것이 그런 행동 유형을 형성했을 것이라는 설명이 있지만 충분한 설명은 되지 못한다. 혹자는 일본에 지진이 많은 것이 일본인의 심리에 큰 영향을 주고 있으며, 자연재해, 위기 상황에서 정부 지침을 따르지 않고 고함치고 항의해야 아무 소용이 없다는 것을 이미 터득해봐서 그런 것 같다고 한다. 아무튼 일본인들의 이런 모습은 나에게 수수께끼이다. 일본은 가까이 있는 나라이지만 우리와 다르고 이해하기 어려운 점들을 가지고 있다.

젊은이들의 꿈과 야망

젊은 청소년들은 원대한 꿈을 갖고 공부하고 노력해서 그 꿈을 실현하는 것이 매우 바람직하다. 이런 점에서 국민 의무교육과 교육 기회 균등은 국가 발전과 개인 자아 발전에 매우 중요하다. 오늘날 우리 사회는 젊은이들에게 어떤 꿈을 가르치고 있는가?

명치유신 때 1872년 일본은 쇼군, 사무라이의 특권과 신분제를 타파하고 국민교육을 통한 국가 근대화에 나섰다. 학교 교육도 생산성과 효율성의 향상에 힘을 쏟았는데, 이때 일본 정부로부터 초청받은 외국인 교육 전문가 중의 한 사람이 '젊은이들이여 야망을 가져라.'(Boys be ambitious)라고 외친 이가 있다. 그가 William Smith Clack이다. 그는 Sapporo Agricultural College, 현재의 Hokkaido University를 설립해서 일본 대학 교육 발전에 이바지했다. 그는 젊은

이들에게 야망을 가지되, 돈, 지위 등 일시적인 것을 추구하지 말고 도덕적이고 신앙적인 야망을 품도록 권유했다.

그의 희망에도 불구하고, 명치 유신 이후 일본은 공업 생산성 확대하고 이를 바탕으로 대외적으로 제국주의와 군국주의적 팽창을 추구했다.

국가가 조선왕조처럼 국민의 공교육을 위해 아무것도 하지 않는 것도 큰 문제이지만(조선 왕국은 망할 때까지 공교육과 한글 보급에 의한 문맹 퇴치를 위해 사실상 아무것도 한 것이 없다), 일본처럼 공교육에 의해 확대된 국가적 능력을 군국주의와 제국주의적 팽창과 전쟁에 몰아넣는 것도 큰 문제였다.
현재 우리 사회는 젊은이들에게 어떤 꿈을 가지고 어떻게 이루라고 가르치고 있는가?

한 많은 삶, 화병과 억하심정

우리 한민족은 한 많은 민족이라 한다. 그래서인지, 우리 주변에는 한 많은 삶은 사는 분들이 많았다. 그들은 이런저런 이유로 그다지 행복한 삶을 살지 못한 분들이라 많은 동정이 간다. 이분들 중 화병을 지닌 분들도 있다. 어느 나라 어느 사회이든 비합리적이고 억한 심정에 감정이 앞서 반사회적 분풀이를 하는 경우가 없진 않다.

그러나 대구 지하철 방화, 남대문 방화 등을 보면 정말 어처구니가 없는 일이다. 이런 사람들이 있을 수 있다고 생각하면 그런 사건을 예방하고 방지하기 위한 대책, 사전 감지 모니터링 등의 조치 때문에 모든 시민이 불편을 겪는 것은 물론이고 국가 사회적인 비용이 매년 지속적으로 지출되어야 하는 문제가 생긴다.

이와는 경우가 다소 다르지만 911테러 이후 세계 각국 공항, 특히 미국을 방문하거나 경유할 때 감내해야 할 비용과 시간은 이런 시스템을 운용하는 국가, 업체뿐만 아니라 여행객 모두에게 불편과 비용을 감당토록 하고 있다. 시리아 내전, 우크라이나-러시아 간의 전쟁도 양국뿐만 아니라 그로 인해 수많은 나라와 시민들이 직, 간접적으로 영향을 받고 있다. 이런 일들을 벌이는 사람들의 공통점은 다른 사람들이 어떻게 되든 별로 개의치 않는다는 점이다.

Solis 코스타리카 대통령 쿠바, 한국 방문단 규모

2016년 초 코스타리카 Guillermo Solis 대통령은 쿠바를 방문했다. 대통령 수행원이 18명이었는데 El Diario Extra 신문은 대통령 방문단이 너무 많다고 혹독히 비난했다. 나는 이 신문사 Iary Gómez 회장, Paola Hernandez 사장과는 막역한 사이였다. 그들에게 우리 대통령이 외국 순방하실 때는 최소한 수행원 내지는 함께 여행하시는 기업인 등을 포함하면 최소한 200~300명이 된다고 이야기했더니 입을 다물지 못했다.

2016년 10월 Solis 대통령 내외가 방한할 때는 정부 측 인사로는 외교장관, 대외무역장관, 과기정보통신 장관, 외교부 대외총국장밖에 없었고, 국회 측에서 국회 측 비용으로 국회의원 3명이 왔다. 이외 여타 수행원은 전혀 없었다. 모든 장관과 국회의원들이 이코노미석 항공권으로 왔는데, 키가 185cm로 휜칠하게 크고 미남인 마누엘 곤살레스 외교장관은 그 장거리 노선에 이코노미석에서 곤욕을 치렀다. 코스타리카의 국력과 산업, 대외무역 관계 등을 감안하더라도 방한 수행원이 너무 적다는 느낌이 든다. 그러나 그들은 통역 없이 영어로 대화를 잘하고 Solis 대통령은 영어로 청중 강의가 가능할 만큼 영어가 자유로웠다.

Diario Extra 신문이 Solis 대통령의 방한단 규모를 어쩌고 저쩌고 딴지를 걸었더라면 코스타리카 장관들, 국회의원들이 그 장거리 노선을 일반석으로 여행하면서 생고생해서 국가 임무를 수행한 후일담이 그 신문에 게재되었을지도 모른다. 다행히도 그런 일은 없었다.

부자의 불행과 빈자의 행복

사람들은 돈이 많으면 행복할 걸로 생각하고 부자가 되기를 갈망한다. 돈을 많이 가지고도 여전히 돈이 더 필요하다고 생각하고 행복을 느끼지 못하는 사람들도 있다. 어떤 사람들은 돈을 더 벌기 위해 건강을 잃고 다른 귀중한 가치 있는 것들을 거의 해보지 못한 채 나이가 노년이 된다. 돈을 가치 있는데 사용해 보지 못하고 나이가 들면 나중에는 돈만 관리하다 세상을 떠나게 될 것이다.

재산이 많은 사람은 일평생 재산을 관리하고 유지·증식해야 한다는 걱정이 늘 앞서 그 일로 인생을 소진하는 경향들이 있다. 빈자는 그런 일로 시간을 낭비할 일은 없다. 이것이 빈자들을 행복의 근원인지 모르겠다. 사람들은 제각기 다른 인생을 살아간다. 부자는 돈이 있어도 쓸 시간이 없고, 빈자는 돈을 쓰고 싶은 곳은 수없이 많아도 쓸 돈이 없다.

볼리비아 사람들의 행복

라틴아메리카에서 가장 가난한 나라 중 하나로 알려진 볼리비아 국민들의 행복지수는 1인당 GDP가 3만불이 되는 우리나라 사람들의 행복지수와 크게 차이가 나지 않는다. 한국인의 행복지수는 40~60위 수준인 반면 볼리비아인들의 행복지수는 50~70위 수준이다. 소득과 행복이 상당한 상관관계가 있는 것은 사실이지만 이것이 모두는 아닌 듯하다.

볼리비아인들은 경제적으로는 어렵고 문화 수준이 낮지만 늘 쫓기듯이 바쁘고 스트레스에 시달리는 우리 직장인들과는 달리 그들의 사회는 우리나라처럼 복잡하지 않다. 그들이야 우리처럼 매일 톱니바퀴처럼 바쁘게 돌아가야 할 이유가 없다.

오래전부터 내려오는 전통문화도 고스란히 살아있다. 소득이 적어도 물가가 비싸지 않기 때문에 GDP 차이만큼 식생활 수준이 그렇게 차이가 나는 것은 아니다. 아마도 GDP가 낮은 나라 사람일수록 해외여행은 어렵다. 그러나 해외여행을 못 가는 것이 아쉽기는 하겠지만 그들의 행복을 그렇게 많이 깎아내리지는 않는다.

그리고 볼리비아인들은 우리처럼 좁은 공간에서 살지 않는다. 볼리비아 독립 이래 영토의 절반을 이미 이웃 나라들에 빼앗기고도 현재 1백만 제곱킬로미터의 영토를 보유하고 있다. 그 땅 밑에는 천연가스와 각종 지하자원이 가득하다. 그래서 볼리비아를 '황금방석에 앉은 거지'로 표현하기도 한다. 볼리비아인들은 여유는 이런 이유가 아닌가 생각된다. 볼리비아가 지하자원을 잘 개발하고 활용해서 부자 나라가 되기를 기대한다.

북구의 우울한 날씨

북구는 여름에는 낮이 너무나 길다. 그러나 겨울철에는 밤이 너무나 길다. 게다가 겨울철에는 낮에도 햇볕이 나지 않고 구름이 온종일 끼어 있다. 그래서 스톡홀름 일간지들은 최근 일조시간을 보도하기도 한다. 사람이 햇볕을 일정 시간 쪼지 못하면 건강에도 여러 문제가 생기기 때문에 비타민D 알약을 먹어야 한다.

북구의 긴 겨울을 외국인들은 살기 매우 어려운 환경이지만 스웨덴 국민은 나름대로 잘 지낸다. 밤에도 스키를 타거나 시, 구에서 운영하는 실내 수영장, 싸우나 등을 이용하기도 하고 겨우내 집수리하는 집들도 있다. 그리고 우울한 날씨치고는 정신병 환자나 자살 비율은 높지 않다고 한다. 환경에 적응하는 인간의 능력은 탁월한 듯하다.

고산에서 나타나는 이상 현상들

볼리비아 수도 La Paz는 해발 3,800미터에 있다, La Paz 국제공항은 4,061미터의 고원평야에 위치한다. 이 도시는 보통 사람들이 사는 도시와는 달리 상당히 과학이 적용되는 곳이다.

La Paz에 항공기가 착륙하면 승객들은 기내에 가져온 짐들을 내린다. 우리나라 사람 중에는 큼직한 손가방에 라면을 잔뜩 사서 기내 좌석 위의 선반 안에 넣어뒀었는데 이 가방이 잘 빠져나올질 않는다. 이 가방에 귀신이 붙었나 왜 이리 가방이 선반에서 나오지를 않을까? 이유는 가방 안에 든 라면 봉지가 기압 차이 때문에 부풀어 올라 가방 전체가 올챙이 배처럼 부풀어 가방의 부피가 엄청나게 커졌기 때문이다. 그뿐이 아니다. 선크림을 바르려고 플라스틱 뚜껑을 여는 순간 하얀 선크림이 주르륵 1/3은 나와 버린다. 이 역시 기압 차이 때문이다.

일반 솥이나 냄비에 밥을 하면 밥이 제대로 익지 않는다. 라면을 삶아도 달걀을 삶아도 냉면을 삶아도 제대로 잘 삶기지 않고 덜 익은 상태다. 물 끓는 온도가 100도가 아니라 92도 정도이다.

생명체들의 맥박은 빨라진다. 사람에 따라 많은 차이가 있지만 1분당 72회 정도 뛰는 맥박이 90회, 100회 이상 뛰는 사람도 있다. 이런 분들은 현지인들이 주는 코카 차(tea de coca)를 많이 마시는 게 좋다. 소로치(Sorochi)라는 고산 약을 먹어도 좋다. 비아그라를 복용해도 좋은 효과가 있다고 한다. 박근혜 대통령이 탄핵당했을 때 정부에서 사용한 예산 중에 콜롬비아 방문 준비용으로 많은 량의 비아그라를 구입한 영수증 때문에 세간에서는 의아하게 생각하고 언론에서도 많이 보도된 바 있다. 콜롬비아도 해발 2,500~2,700미터의 고산이기 때문에 한국에서 살던 분들이 여행하면 다수는 상당히 어지럽고 몸이 힘들 것이다. 국내에서는 소로치 약을 구입하기 어려워 유사한 효과가 있는 비아그라를 대량 구입했다가 해명에 곤혹스러움을 느꼈을 것이다. 고산에서의 비아그라 복용은 당초 약 목적의 효과는 거의 나타나지 아니하고 고산증만 없어진다고 한다.

고산에서는 바퀴벌레도 모기도 없다. 파리는 사람처럼 날씨, 기압에 따라 기동하는 능력이 차이가 난다. 식물 재배도 매우 제한적인 종류만 가능하다. 3,000미터 이상의 고산 평야에서는 끼누아, 감자, 유까, 옥수수, 아바 정도만 재배할 수 있고 상치, 시금치 배추 이런 종류는 제대로 자라지 않는다.

리튬 자원 외교를 위한 La Paz 고산 방문

이상득 의원은 리튬 확보에 큰 관심을 가지고 팔순이 가까운 연세에도 라빠스(La Laz)를 6번 방문했다. 우리나라 고위인사들은 볼리비아 라빠스 방문을 그리 달가워하지 않는다. 양국 외교관계 수립 이래 볼리비아를 방문한 고위인사 수는 손가락으로 셀 만큼 적다. 이상득 의원의 자원 외교가 정계와 언론으로부터 심한 비난을 받았다. 그러나 리튬 자원 외교를 향한 그의 열정만큼은 높이 평가해야 할 것 같다. 일신상의 영화나 편함을 생각했더라면 자칫 노령에 고산에서 죽을지도 모를 위험한 여행을 그렇게 여러 번 할 리가 만무하기 때문이다. 자원 외교라는 것이 투자 대비 성공률이 매우 희박할 수밖에 없다. 그렇다 하더라도 자원이 전무한 한국으로서는 어떤 형태로든 자원 외교를 하지 않은 채 계속 손 놓고 있어서는 안 될 일이다. 볼리비아에서는 사무실 비용과 탐사 비용 등 이외에 쓴 게 없어 큰 비난을 받지는 않았다. 정계로부터 올 후폭풍을 감안하여 자원 외교에 발을 들여놓지 않는 것이 현명했을 것 같다.

화란 제국

독자들 중 일부는 '화란 제국'(Dutch Empire)란 말에 의아함을 느낄지 모르겠다. 그도 그럴 것이 화란에는 황제도 없었고 엄청난 영토를 보유했던 적도 없었다. 더구나 1582-1795 기간에는 Dutch Republic으로 존재했으니 말이다. 그러나 Dutch Empire라는 말은 내가 창작해서 만들어 낸 말이 아니라 공공연히 인정되어 온 말이다. 이 말은 화란이 가진 해외무역 비중, 해운 능력, 해운 수송기지와 보유 선박, 인적 네트웍 등을 감안하여 국제적으로 인정된 위상을 나타낸다. 화란은 16세기 이래 북미, 남미, 동남아와 중국 등을 오가며 부를 축적했다. 소규모 해운으로는 이미 경쟁력이 없음을 간파하고 주식회사를 처음으로 만들어 자본을 조달하여 화란 동인도회사와 화란 서인도회사를 경영했다. 화란이 보유한 선박과 고용인력, 용병을 감안하면 해양·무역 제국이라는 평가받기에 전혀 손색이 없다. 아래는 화란의 무역 거점과 루트를 나타낸 지도이다. 1627년 벨트브레, 1653년 하멜이 조선 왕국에도 표류해왔던 것도 우연이 아니다.

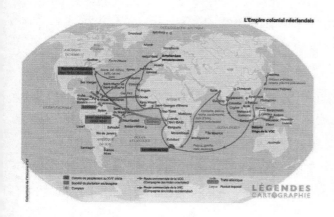

국제정세 흐름을 모르는 국가 지도자들의 책임

견문이 없으면 우리가 어디로 표류하는지도 모른다. 임진왜란과 병자호란을 당하고도 이후 250년간 조선 왕국은 세상이 어떻게 변하고 있는지 전혀 인식하지 못했다. 이에 비해 우리 옆 나라 일본은 16세기 이래 폴투갈, 스페인, 화란 등과 접촉하면서 세계 흐름과 변화에 대처할 역량을 쌓아왔다. 그 결과 일본은 1868년 일본 내에서 기득권 세력이던 쇼군과 사무라이가 권력을 내려놓고 명치유신을 통해 정치쇄신과 교육개혁, 농업 생산성 향상, 공업화를 추진할 수 있었다.

일본이 이 흐름에 적응할 수 있게 된 것이 하루아침에 이뤄진 것은 아니다. 일본이 조선, 청과 다르게 이런 변화에 능동적으로 나설 수 있었던 근저에는 16세기 이래 폴투갈, 화란 등과 끊임없이 접촉하고 마카오 등으로 항해하면서 세상 변화를 정확히 알고 있었기 때문이다. 일본은 1592년 천황 명의로 필리핀 주재 스페인 총독 앞으로 그리고 1610년 쇼군 명의로 스페인 왕 Felipe III에게 서한을 보내면서 세계 흐름에 적응하고 있었다. 1653년 하멜이 조선에 표류했다가 일본으로 도주했을 때 양국 정부가 이들을 취조해서 각종 정보를 취득하고 활용하는 것도 너무나 달랐다.

약 250년간 국제정세와 세상 흐름을 제대로 인식 못하고 고정된 세계관에 갇혀 있는 사이에 조선 왕국은 스스로 쇄신해서 나아갈 역량을 갖추기에는 너무 늦었다. 일본과 양이들의 강압, 청의 권유로 개국했지만 거센 세계의 조류를 버틸 재간이 없었다. 1880년 이후 국제정세를 보면 조선 왕국이 어떻게 하든 망국과 그에 따른 결과, 즉 식민지

당하고 분단되는 민족적 시련을 피하기는 쉽지 않았을 것으로 짐작된다. 국가의 주권과 독립의 유지는 세상 흐름을 읽고 대응 방안을 짜내고 대처 능력을 기르며 지속적으로 준비하고 능동적으로 대처할 때만이 가능하다. 망국의 원인을 자기반성 없이 매국노에만 뒤집어씌우거나 제국주의자들의 이기심과 잔혹함만을 비난하는 것은 자국민에 대해 교육적이지도 않고 후세에 대안을 제시하는 것도 아니다.

무보수 공직자

미국 시장이나 시의원 중에는 보수를 전혀 받지 않고 또는 교통비 정도만 받고 일하는 무보수 공직자가 있다고 한다. 코스타리카에서도 장관으로 일하지만, 보수는 받지 않고 일하는 분이 있었다. 대다수 공직자는 본인과 가족의 생계 때문에 무보수로 일할 형편이 아니지만, 무보수 공직자들을 보면 존경심이 간다. 그가 공직을 얼마나 잘 수행하는가는 별개의 문제이긴 하지만.

예술인과 생계곤란

일전에 춤추고 연극하는 분으로부터 자기가 좋아하는 것이긴 하지만 생계가 매우 힘들다는 이야기를 들은 적이 있다. 코로나바이러스가 도래하면서 사람들과 대면 접촉이 어려워지게 되었다. 코로나바이러스로 인해 삶의 형태가 달라지는 가운데 나는 60살이 지나서야 유튜브를 통해 기타를 통해 독학하게 되었다. 새로이 유튜브 기타 강좌를 하는 이들이 늘었고 유튜브 속에서 기타리스트들의 경쟁은 더더욱 힘들어졌다. 과거에는 호텔, 까페에서 생음악 연주를 하거나 개인지도를 해주고 생활비를 벌어 쓸 수 있었는데, 코로나바이러스로 대면 접촉을 피하게 됨에 따라 유튜브와 같은 화상 채널을 통해 생계를 꾸려 나가는 것은 더 어려워진 거 같다. 가난한 예술인의 삶은 코로나와 전쟁으로 침체된 사회 여건 속에서 한층 어려워지는 듯하다.

무질서 속의 질서

마드리드 관공서에 가면 줄 서서 기다리지 않고 방문객들이 제멋대로 앉아서 혹은 서서 기다린다. 이런 곳에 가면 누가 마지막 사람인지를 확인해야 한다. 관공서에 가서 줄이 보이지 않으면 "누가 마지막입니까? (Quién es el último? 또는 마지막 사람(último?)"라고 물어야 한다. 그러나 대개 도착하면 곧 어떤 사람이 내 어깨를 톡톡 두드린다. 고개를 돌려 보면 그 사람이 엄지손가락으로 자기를 가리키면서 '내가 마지막입니다(Soy el último)'라고 한다. 그러면 나는 다음 사람이 오면 똑같이 알려줘야 한다. 그래서 보이지 않는 대기줄이 형성되는 것이다. 스페인 사람들답게 편리 속의 질서가 존재하는 것이다.

이상한 복지가 현실의 복지로

1995년 봄 스웨덴으로 발령이 났다. 스웨덴에서는 그 당시 한국에서는 보지 못했던 이상한 현상과 제도들이 눈에 띄었다. 남자가 육아 휴가를 가고 활동이 약간 불편한 노인들을 위한 주간 보호 센타가 운영되는 것이었다 이 제도들이 이제 우리나라에도 도입되어 시행되고 있지만 그 당시 내 눈에는 매우 이상한 것으로 보였다. 이외에도 유아 자녀를 둔 부부는 출퇴근 시간을 다르게 하거나 입양아를 많이 기르는 가정에는 부부가 함께 누구든 사용할 수 있는 휴가 일수가 추가로 있었다. 그래서 어떤 스웨덴 가정은 본인 자녀는 2명인데 외국으로부터 3~4명의 어린이를 입양해서 함께 기르고 있었다. 이렇게 하면 각종 지원과 휴가가 많고 어린이들의 성격 형성에도 매우 좋다고 했다.

한 나라의 제도, 체제, 정책은 그 나라의 능력, 상황 등에 따라 달리 채택되고 운영된다. 여행객들이 다른 나라를 가면 특이하거나 이상한 것이 관찰되는 것은 그런 이유 때문일 것이다.

애들 말대꾸한다고 권총 뽑아 드는 라틴아메리카 사람

2001년 어느 날 라틴아메리카 어느 나라에서 한인 어린이들이 어울려 아파트 단지 수영장에서 떠들며 놀고 있었다. 이 아파트에 사는 이 나라 사람이 "Hey, Chinito(*)"하면서 떠들지 말라고 꾸짖었다. 한인 어린이들은 우리가 중국인도 아닌데 Chinito라고 부르고 다른 나라 사람들은 이 보다 더 떠들어댔적이 많다면서 대들었다.

옥신각신 말다툼이 오간 후 이 나라 사람은 권총을 들고 나와 금방이라도 말대꾸하면 방아쇠를 당길 지경이었다. 한국에서도 층간 소음으로 갈등이 많지만 다른 인종이 모여 사는 라틴아메리카에도 자칫 이런 종류의 싸움이 벌어질 수 있다. 다혈질의 라틴아메리카 사람의 성질을 돋우는 것은 현명치 않았다. 나는 그를 불렀다. 내가 해결할 테니 당신은 권총 내리고 집으로 돌아가라고 했다. 애들이 잘못했어도 당신이 권총을 들고 내려온 것은 교육적이지 않다. 그는 씩씩거리며 돌아갔다.

* Chinito는 원래 중국인을 비하해서 부르는 말인데, 황인종에 대한 비칭으로 사용하기도 했다. 중국인이 1800년대 중반 이후 미국의 서부 철도 건설 사업과 1890년대 말, 1900년대 초 파나마 운하 건설 사업에 참여했었는데, 이때부터 중국인을 멸시해서 부르던 말이 계속 전해져 온 게 그 기원이라고 들은 바 있다.

백인들이 아시아인이나 흑인들에 대한 인종차별 의식이 있듯이 라틴아메리카 사람들도 중국인 동양인에 대한 인종차별 의식이 있었다. 일본, 한국의 경제 발전으로 많이 개선 되었다. 중국인에 대해 라틴아메리카 사람들이 아직도 인종차별적 시각을 지니고 있는지 모르겠다.

노래에는 이념과 국경이 없다.

쿠바 노래 '구안따나메라'(Guantanamera)는 전 세계 수많은 사람과 유명 가수들이 좋아했다. 미국 정부와 쿠바 정부는 철천지원수로 싸워도 미국인들은 이 노래를 너무나 좋아했다. 어찌 보면 이 노래의 흥행에 미국인들의 사랑이 원동력이 되었다 할 것이다. 이 노래는 모든 라틴아메리카인들과 스페인 사람들이 좋아한다. Peter Seeger가 기타 연주하면서 부르는 모습과 스페인 까나리아(Cananaria) Los Sabandeños 그룹의 기타 합주, Manuel Mena, Jose Manuel Ramos가 부르는 구안따나메라는 더 없이 멋있다. Los Sabandeños 그룹은 1962년 결성되어 현재까지 내려오고 있다. 1990년 연주 때 노래를 부른 Manuel Mena는 안타깝게도 10년 전 이미 고인이 되었고, Jose Manuel Ramos는 백발의 노년이 되었다. 구안따나메라는 쿠바의 노래이지만 Los Sabandeños 그룹의 기타 합주 공연은 마치 합스부르그 스페인 제국의 영광을 연상시키는 듯한 풍이다.

골프 코스들에 관한 기억

Glyfada, Osterake, Maracay, Junko, HansonDam, Wilson, Harding, Woodly Lake, Los Lagartos, Tocancipa, La Paz, Valle de Sol, Sharjah

이 골프장들은 내가 해외에 거주하는 동안 자주 이용했던 골프장이다. 한국 코스(Cancha Corea)로 불리는 골프 코스를 지닌 보고타 시내에 있는 Los Lagartos 클럽 말고는 모두 일반 대중에게 개방되는 곳들이다. La Paz, Junko는 이중에서는 난이도가 좀 있고 경치가 매우 좋은 편이다. 타이거 우즈도 와 보지 못한 La Paz 클럽은 3,200-3,400미터의 고산에 소재한다. 세계에서 가장 높은 곳에 있는 18홀 골프장이다. 최소한 한 클럽 이상 덜 잡아도 될 만큼 비거리가 많이 나가지만 보기 게임 혹은 싱글 핸디캡 플레이어도 100개를 치는 경우가 허다하다. 고산 영향으로 정신 집중이 안 되거나 신체가 제대로 기능하지 않기 때문이다.

Parque 93

보고타의 한 주택가에는 93 공원 (Parque 93)이 있다. 이곳은 사방으로 네모난 공원인데, 여러 종류의 가게들과 식당 까페들이 있다. 아침 혹은 저녁 시간에 시간이 여유가 있으면 간단한 아침 식사를 하거나 저녁 식사를 하기도 하고 친구들과 노닥거리기도 한다. 이곳이 마음에 드는 것은 중앙에 넓은 공간과 나무들이 있고 다양한 종류의 음식과 맛있는 커피를 마실 수 있기 때문이다. 딱히 특별한 곳이라 할 것은 없지만, Parque 93는 이 인근에 사는 어린이, 노인, 젊은이, 장년 등 남녀노소 누구나 즐겁게 찾는 곳이다. 우리나라에서는 이런 곳이 잘 보이지 않아서 오래 기억에 남는지 모르겠다.

개인 승용차 없던 날의 해프닝

산소가 희박한 고산 도시에서 3년 임기를 꽉 채우고도 2달 이상이 지났을 때였다. 갑작스럽게 본부 또는 다른 나라의 임지로 발령이 날 것 같아 2014년 10월 하순 내 개인 승용차를 매각했다. 차량을 별로 쓸 일이 없어 차량을 임차하기도 어정쩡해서 필요할 때는 택시를 불러 쓸 생각을 했다. 그러던 어느 날 미국 대사대리 Peter, 몰타 주교단 대사 Mauro Bertero, 볼리비아 전 외교차관 Gonzalo Montenegro 넷이서 골프 회동 약속이 잡혔다. 오전 9시 티샷이라 8시에 택시를 불렀는데 시간이 임박하자 관저 저 아래로부터 뭔 구닥다리 차량이 올라오는 낡은 엔진 소리가 들렸다. 설마 저 차가 내가 타고 갈 택시는 아니겠지. 그런데 불과 몇 분 후 그 택시가 관저 앞에 덜렁 섰다. 택시라기보다는 폐차가 되어도 10여 년 전에 폐차되어야 할 형편없는 쓰레기 차량이었다. 택시를 보내고 다시 부르자니 약속 시간이 마음에 걸렸다. 마음에 영 내키지 않는 불량 택시였지만 어쩔 수 없이 골프채를 싣고 탔다. 뒷좌석에 앉으니 기사가 주행중에 문이 열리지 않도록 택시 뒷문에 매여져 있는 끈을 당겨 달라고 부탁ㄱ했다. 허어 … 문도 제대로 닫기지 않는 최고 고물 폐차급 차를 택시로 운영하다니.

타이거 우즈도 와보지 못한 세계 최고 높은 곳에 소재하는 라빠스 골프장까지는 관저에서 4킬로 거리인데, 아래로 꼬불꼬불 내려가서는 다시 저쪽 산등성이를 올라가 다시 꼬불꼬불 내려가 이리 돌고 저리 돌고 해야 골프장에 다다를 수 있다. 이 차가 과연 골프장까지 제대로 갈 수 있을까? 이러다 내일 아침 국내 신문에 사고사 기사가 나는 거 아닐까 하는 걱정스런 마음이 앞섰다.

드디어 LPGC 클럽에 무사히 도착했다. 다시는 타고 싶지 않은 페차급 택시에서 골프 백을 내리고 까페에 커피를 마시러 들어가니 동료 대사들이 이미 모두 와 있었다. 이런저런 대화에 사진도 찍고 웃어가며 18홀 라운딩을 마쳤다.

저 주차장 바로 앞에는 미국 대사대리 픽업 차량 엑스플로러 2대가 이미 도착하여 기다리고 있었다. 자네는 개인적으로 골프 치는데 미국 정부(공관)에서 차량을 제공하냐고 물었다. 피터는 대사대리의 안전을 위해 무장 경호 차량까지 제공된다고 했다. 피터는 곧 떠났다. 난 타고 갈 차가 없어 택시를 불러야 형편이었다. 남은 두 친구에게 내가 택시로 왔다는 것을 이야기하고 싶지 않았다. 그래서 두 친구에게 난 다른 할 일이 있어 좀 있다 갈 테니 자네들 먼저 가라고 하고 난 까페에 앉아 택시를 불렀다.

맥주를 한 잔 시켜 갈증을 해소하고 한참 있다 택시가 곧 올 시간을 예상하고 주차장으로 나왔다. 이때 곤살로가 갑자기 나타나 왜 내가 안가고 있냐고 물었다. 나는 할 수 없어 내 상황을 설명하고 택시를 불렀다고 했다. 그는 내 관용차는 뒀다 어디 쓸 거냐고 되물었다. "공무를 위해서만"라고 하면서 우리나라에서는 차량 사용 규정도 있고 우리 정서법상 공관 차량을 개인 사적으로 쓸 수 없다고 설명했다. 걸걸한 이 친구는 그런 법도 있나 하면서 자기가 태워다 주겠다고 고집을 피웠다. 택시가 곧 올테니 그냥 가라고 겨우 달래 보냈다. 후유 한숨을 돌리고 있었다. 허~얼, 그런데 마우로가 내 앞에 나타났다. 그는 곤살로와 똑같은 질문을 나에게 했고 나는 곤살로에게 답했던 버전을 되풀이했다. 그랬더니 그는 "대사가 택시는 안되지" 하면서 막 도착한 택시 기사를 불러 택시비를 2배로 줘서 보내고 나를 관저까지 태워다 줬다. 마음씨 좋은 볼리비아 두 친구의 인간미에 더욱 감동했다.

고색창연 낡은 호텔 방

빈자의 여행객이 묵는 방은 늘 낡은 호텔 방이다. 그러나 Antique 수준의 고색창연한 방이라고 자족한다.

알함브라의 추억 v. Lamma Bada Yathatanna

알함브라는 스페인 남부 안달루시아 지방의 그라나다에 있는 무어인들이 건축한 궁전이자 요새이다. La Alhambra에 궁전이라는 수식어를 반드시 추가할 필요는 없다. 무어인들은 지금부터 1,300여 년 전인 711년 지브롤타 해협을 건너와 그라나다, 안달루시아는 물론 이베리아반도 거의 전역을 지배하였다. 알함브라가 건설된 것은 1238~1358년이라 한다. 무어인들이 700여년 이상 지배한 후 마지막으로 쫓겨난 것은 컬럼버스가 신대륙을 발견한 1492년과 같은 해이다. 700년 이상이 지나서야 스페인 사람들은 이슬람교도들이 내쫓았으니 무어인들이 남긴 모든 것을 불태워 분풀이를 할 만도 했을 텐데, 알함브라 뿐만 아니라, 꼬르도바, 세비야에 무어인들이 남긴 건축들도 그대로 보존해오고 있다. 문화적인 포용성 때문인지, 알함브라가 너무나 아름다워서 였는지 혹은 당시 스페인 절대왕정의 힘을 믿는데서 나오는 자신감의 결과인지는 모르겠다.

* 무어인은 이슬람교도로 이베리아반도와 북아프리카에 살았던 아랍계와 베르베르족을 의미한다.

더욱 궁금한 것은 알함브라가 왜 세계적으로 가장 낭만적인 곳으로 이미지를 갖게 되었는가 하는 점이다. 국내에서도 4년전 '알함브라 궁전의 추억'이라는 드라마가 방영되기까지 했다. 알함브라는 베르사이유에 비해 화려하지도 않고 규모가 큰 것도 아니다. 매년 세계 각지에서 1천만 명이 알함브라를 방문한다. 스페인의 유명한 작곡가 Francisco Trrega가 1896년 알함브라의 추억(Recuerdo de la Alhambra)이라는 아름다운 tremolo 연주를 위한 곡을 작곡한 것이 유일한 이유는 아닌 거 같다. 아마도 유럽에서 볼 수 없는 미지의 매혹, 이슬람 양식의 독특한 아름다움과 섬세함, 건물과 정원의 조화, 주변 분위기, 오랜 역사 등이 낭만적인 이미지의 배경이 되고 있는 듯하다.

711년 무어인들이 이베리아를 점령했을 때 Oud라는 중동 악기가 유입되었는데, 이를 바탕으로 유럽에서 Lute, Guitar로 발전된 것으로 보는 견해들이 많다. 지금도 스페인은 유럽에서 어느 나라 보다 유명한 기타리스트들이 많다. 많은 사람들이 '알함브라'하면 Recuerdo de la Alhambra를 머리 속에 떠올리지만 나는 동시에 1,000년 이상 묵은 무어인들의 노래 한곡을 함께 떠오른다. 지금부터 1,000여년 전부터 내려오는 안달루시아 지방의 유명한 Lamma Bada Yathanatanna라는 노래가 그것이다. 이 노래는 1,000여 년 전에 안달루시아에서 유래한 노래이니 오랫동안 알함브라에서 Oud, Lute, Guitar로 수없이 연주되었을 것이다. 중세 시대의 노래이니 만큼 영국의 중세 노래 Scarborough Fair에서 느낄 수 있는 - 동일하지는 않지만 - 유사한 뭔가를 느낄 수 있을 것이다. Lamma Bada Yathatanna 이야말로 오랫동안 알함브라의 노래가 아니었을까 생각한다.

끝나지 않은 여행

비엔나, 잘스부르그, 바젤, 마드리드, 똘레도, 세고비아, 살라만까, 아란후에스, 부르고스, 사라고사, 빰쁠로나, 산딴데르, 바르셀로나, 발렌시아, 산띠아고 데 꼼뽀스뗄라, 바야돌리, 세비야, 꼬르도바, 그라나다. 리스본, 오뽀르또, 파리, 마르세이, 피사, 베니스, 밀라노, 피렌체, 로마, 폼페이, 아테네, 올림피아, 이스탄불, 소피아, 베오그라드, 부다페스트, 프라하, 인스부르그, 바르샤바, 브뤼셀, 아테네, 델피, 고린도, 올림피아, 스파르타, 코르푸, 미코노스, 크레타, 티라나, 스톡홀름, 리가, 오슬로, 베르겐, 뉴욕, 울란바토르, 북경, 션양, 방콕, 모스크바, 베를린, 런던, 프랑크푸르트, 까라까스, 마라까이, 발렌시아, 치치리비치, 메리다, 포트 오브 스페인, 바베이도스, 그레나다. 쿠라사오, 가이아나, 수리남, 로스앤젤레스, 샌디에고, 라스베가스, 앨버커키, 리노, 샌프란시스코, 시애틀, 워싱턴D.C., 보고타, 메데진, 까르따헤나, 파나마, 아순시온, 몬떼비데오, 상파울, 리마, 꾸스꼬, 끼또, 라빠스, 산타크루스, 산 훌리안, 꼰셉시온, 산 이그나시오, 코차밤바, 오루로, 베니 트리니다드, 빤도 꼬비하, 루레나바르께, 산타로사 데 야쿠마, 수크레, 뽀또시, 따리하, 우유니, 띠띠까까, 멕시코시티, 아카풀코, 부에노스아이레스, 산띠아고 데 칠레, 발파라이소, 이끼께, 아리까, 산호세, 아테네, 나랑호, 라 포르투나, 뿐따 아레나스, 께뽀스, 리몬, 까르따고, 두바이, 라쌀카이마, 샤르자, 아부다비, 시애틀, … 끝나지 않은 여행.

10. 여행과 예술

예술과 자본주의 세상

오늘날 민주주의 사회는 왕정 체제와 귀족주의를 거부한다. 그러나 아이러니하게도 우리가 애호하는 예술은 왕실과 제국, 귀족사회의 혜택을 많이 받은 것이 사실이다. 음악가든, 화가든 먹고살기가 너무 어려우면 예술을 업으로 유지하기가 어렵게 된다. 음악과 미술, 무용을 소비하던 제국과 왕실과 귀족들이 모두 사라지고 배금사상과 메마른 자본주의의 탐욕이 사회를 쥐어짜는 오늘날 가난한 예술인들은 더욱 힘들게 살아가는 듯하다. 우리 사회가 경제, 자연과학, 공학만 남은 메마른 사회보다는 이들과 함께 인문, 음악, 미술, 무용 등 예술이 함께 공존하는 사회가 바람직한 게 아닐까?

유럽과 아메리카의 현악기

여행을 하다 보면 외국의 전통 음악을 듣거나 악기에 눈이 쏠리는 경우가 있다. 지금까지 내가 가장 인상깊게 본 악기를 모아 놓은 박물관은 루브르 박물관이나 대영박물관이 아니라, 볼리비아 차랑기스타(Charangist) Ernesto Cavour가 개인적으로 설립한 볼리비아 악기박물관(Museo de Instrumentos Musicales de Bolivia)이다. 여기에는 그가 평생 모은 2,500여 점의 악기가 전시되어 있다. 내가 오래 거주하거나 여행하던 유럽, 미국, 중남미에서 흔히 볼 수 있었던 악기는 기타(guitar) 또는 그 유사한 현악기이다. 그래서 여기서는 현악기에 관해 기초적인 몇 가지를 소개할까 한다.

우리나라에서는 타악기, 취악기에 비해 현악기는 상대적으로 종류도 많지 않고 직접 연주를 듣는 것은 드문 편이다. 우리나라 현악기는 가야금(12줄), 거문고(6줄), 아쟁(7줄)이 대표적이다. 가야금은 양손으로, 거문고, 아쟁은 막대기 또는 활로 연주한다. 가야금은 비단 명주실로 된 줄, 오동나무 판의 뒷면에 소리 구멍이 3개 있으며, 옥타브를 조절하는 안족(雁足)이라는 이동식 fret 등 3가지가 그 특징이다. 거문고는 위는 오동나무, 아래는 밤나무이고, 3개의 소리 구멍이 있다. 16개의 괘와 3개의 안족(기러기발)이 있다. 괘와 안족은 기타의 fret의 역할을 한다. 소리 구멍은 기타는 전면에 동그랗게 큰 소리 구멍이 있는 대신 우리 가야금과 거문고는 후면에 서로 다른 크기의 3개씩 있다.

우리 가야금과 유사한 악기로 중국에는 구정, 일본에는 고토라는 악기가 있다. 상호 유사한 점이 많지만 각국의 특성에 맞게 발전되어 온 것으로 보인다.

중동에서 유래된 Oud를 바탕으로 Lute, Guitar, Mandolin은 유럽에서 만들어진 악기이다. 기타는 전, 후면 모두 평평한 반면, Oud, Lute, Mandolin은 달걀을 세로로 절반 쪼개어 붙인 형상을 하고 있어 소리통이 훨씬 커서 크기에 비해 더 큰 소리를 낸다. Oud는 중동에서 12세기에 스페인으로 건너와 유럽으로 확산되었다. Oud는 Lute, Guitar, Mandolin보다 역사가 길다. 외관상 Oud는 Lute와 매우 유사하다. 그러나 일반적으로 Oud보다는 Lute가 크다. Oud는 fret이 없고 Lute는 fret이 있으며, 줄도 Lute가 개수가 더 많다. Oud는 sound hole이 3개 있으나 Lute는 1개 있다.

Oud : Oud는 대개 6코스 11줄(5 pairs and the lowest string single)
이나 10~13줄도 있다. 아랍, 터키, 이란, 중앙아시아 등에서 널리 사
용되었다. 일반적으로 Frets은 없다. sound hole은 반지름 5.7cm 1개,
반지름 2.35cm 2개가 있다. Oud의 총길이는 58~68cm인데, 이라크
것은 크기가 좀 작아 날카로운 소리(sharper sound)를 내고 이집트와
터키의 Oud는 크기가 더 커서 깊고 따뜻한 음(deeper, warmer
sound)을 낸다.

Lute : 15-24줄로 8-13코스, 일반적으로는 8코스짜리 15줄이다. 한
줄만 제외하고 모두 2줄씩 쌍으로 되어 있다. 12 frets, sound hole은
하나이다. Lute는 총길이가 48~71cm로 다양하나, 보통 74cm이다.

Guitar : 가타의 기원은 명확치는 않다. 8세기 무어인들이 이베리아 반도를 점령하면서 유입된 Oud가 Lute, Guitar로 발전한 것으로 추정한다. 일부에서는 페르시아의 Sihtar, 그리스의 Kithar로부터 유래된 Latin Cithara에서 발전한 것으로 보기도 한다. 6줄, 1개 소리통, 19-24개의 Frets이 특징이다.

Mandolin : 4줄, 17 frets

Vihuela : 15세기 스페인에서 유래된 5~6개의 이중 줄로 조그만 기타처럼 보이는 Vihuela은 오늘날 멕시코 마리아치 연주자들이 널리 사용하고 있다.

Charango : 볼리비아에서는 이와 유사한, 그러나 후면이 달걀을 세로로 절반을 쪼개 붙인 모습을 한 차랑고(Charango)라는 악기가 있다. 2줄씩 5쌍으로 10줄이다. 악기의 소리를 따뜻하게(warm sound)하려고 '아르마디요'라는 동물의 딱딱한 등 껍데기(armadillo shell)를 소리통(sound box)으로 활용하기도 한다.

동양에서는 현악기의 줄을 비단을 만드는 명주실을 쓴 반면, 서양에서는 양의 내장을 이용했다가 요즘은 쇠줄, 나일론 줄로 바뀌었다.

르네상스 이후 천재 화가와 명화

여행, 특히 유럽 여행을 하다 보면 미술관, 왕궁, 교회, 성당을 방문하지 않을 수 없고, 그림을 보는 것은 여행의 필수적인 일부분이 되고 있다. 미술사를 전공하지 않았다고 할지라도 미술을 좀 아시는 분들은 너무나 많다. 이 소챕터는 그림에 문외한인 관광객들이 서양화를 접하게 될 때 아마추어 수준이나마 이해를 돕는 차원에서 적어 보기로 한다.

중세 시대의 그림들은 우리 국내 그림에 비유하자면 민화 같은 느낌을 주고 딱히 전문적인 화가가 아니라 할지라도 그릴 수 있을 것 같기도 하다. 그러나 이 단계에서 벗어나 좀 더 인간적인 그림의 필치를 느낄 수 있는 그림들이 나타나는 것이 르네상스 시기이다. 르네상스 이전 중세에는 신에 너무 매몰되어 인간적인 탐욕을 멀리하고 금욕을 중시하다 보니 인간미와 감정, 감성 등에 무감각하게 표현되었다. 르네상스 시대에 이르면 1,000여 년 잊혀졌던 그리스 아테네 시대의 아름다운 대리석 조각에서 보듯 아름다운 인체와 아크로폴리스의 파르테논 신전 등에서 보이는 이오니아, 도리아, 코린트 양식과 같이 멋을 내는 그런 건축물, 로마 시대의 로마인들의 단련된 근육질 몸매의 조각상 등을 연상케 하는 특징들이 새로이 나타나게 된다.

기독교와 이슬람은 같은 뿌리라고 하는데 이 두 종교를 믿는 나라들을 가보면 현재 이슬람 나라들은 마치 기독교 국가들의 중세에 있는 듯하다. 이슬람 모스크에서 나오는 기도 소리와 사람들이 입은 의상은 현대가 아니라 중세 유럽이 이와 같지 않았을까 생각하게 한다. 유럽 중세 그림 속의 사람들은 어찌 보면 오늘날 아랍 이슬람 사람들의 의상, 인상과 유사해 보인다. 아래 작품은 얼른 보아도 중세 그림 같다는 느낌을 준다. 그림의 주제가 종교적이고, 의상이나 얼굴 표정은 늘 진지하고 그림 표현 방식은 단순한 편이다.

중세에서 르네상스 시대로 전환되는 시기에 그림에서 확연히 인간적인 무언가를 느끼게 한 그림, 해부학적인 분석을 활용한 그림, 동적인 움직임을 나타내는 그림, 빛을 활용하여 선명성을 나타난 그림, 시선 혹은 얼굴 표정을 통해 그림 속에 등장하는 사람들의 심리를 무언중에 나타내는 그림, 당대의 사실이나 사건을 그림으로 전달하는 작품들이 1400년대 말부터 나타난다.

그림의 종류도 아기 예수와 성모 마리아 등 종교화 일색에서 1400년대 후반부터는 왕족, 귀족과 귀부인 초상화와 승마 초상, 누드화, 풍경화, 정물화, genre art 등이 나타난다. 승마 초상의 경우는 르네상스 이전에도 있었지만 르네상스 이후 그림의 크기와 표현방식이 크게 달라지는 느낌이다. 르네상스 그리고 절대왕정 시대가 오면서 교황의 권력이 점차 쇠퇴하는 반면 메디치가 혹은 절대왕정의 정치경제 권력 확장되면서 그림에서도 그들의 선호와 기호가 반영된 것으로 보인다.

르네상스 미술에서 가장 천재로 손꼽히는 보티첼리, 레오나르도 다빈치, 미켈란젤로 세 사람에게 흥미로운 점은 그들이 모두 평생 결혼하지 않았고 자녀가 없다는 점이다. 자유로운 삶, 예술에 대한 열정이 이유라는 의견도 있고 그들이 게이였을 것이라는 추측도 있다.

채색 방법과 화폭 재료의 변화

서양화에서 르네상스 시대 전후에 채색 방법이나 화폭의 재료가 크게 변하면서 이전과는 완전히 다른 그림들이 나타났다. 르네상스 이전의 화가들이 이후에 비해 그림을 잘 그리지 못해서라기 보다는 기독교에 지나치게 매몰되어 경직적인 혹은 무표정한 그림을 그리거나 채색 방법이나 화폭의 재료 등 때문에 한계가 있었을 것으로 보인다. 그림 감상 때 채색 방법이나, 화폭의 재질에 따라 다른 느낌을 가질 수 있는데 아래 내용이 이해에 다소 도움이 될 것 같다.

- 템페라 그림(tempera painting)

안료(pigments)와 달걀 노란자를 섞어 그린 그림. AD 1세기부터 1500년대까지 서양화의 대다수 그림이 이 방식으로 그렸다. 보티첼리의 '비너스의 탄생'도 템페라 그림이다. 다빈치의 '최후의 만찬'은 벽화이지만 프레스코화가 아니라 마른 벽에 템페라로 그린 그림이다.

- 프레스코화(fresco)

벽화를 그릴 때 많이 사용하는데, 역사적으로 이집트, 폼페이, 크레타 등 에게해, 인도, 시리아 등 고대 유적에서도 발견되고 있다. 벽에 석회, 석고 벽면이 마르기 전에 수용성 그림 재료로 그리는 방식이다. 미켈란젤로가 바티칸 성당의 제단 벽화로 그린 '최후의 심판', '아담의 창조'가 이 종류 그림이다. 19-20세기 멕시코의 Diego Rivera도 프레스코화로 벽화를 많이 그렸다.

- 유화(oil painting)

안료(pigments)와 건조중인 기름(linseed, walnut, poppy seed, safflower 기름 등)을 섞어 그리는 그림. 이 그림의 시초는 7세기 중엽 아프가니스탄에서 그린 불교 그림이다. 르네상스 시대에는 여전히 템프라 그림을 많이 그렸다. 유럽에는 16-17세기 이후 유화가 채색방식에서 대세가 되었다. 다빈치의 '모나리자'는 유화 그림이다.

- 벽, 나무판, Vellum(동물가죽으로 만듬), 캔버스

고대에는 그림 그릴 재료가 없어 주로 벽에 그리는 벽화가 많이 남아
있다. 유럽 중세에는 나무 널빤지, 벽면, 동물가죽으로 만든 Vellum에
그림을 그렸는데, 나무 널판지가 가장 많이 사용되었다. 14세기에
linen 등으로 만든 강한 천으로 된 캔버스(canvas)가 나왔으나 15세기
에도 캔버스에 그린 그림은 드물었다. 나무판에 그리는 그림이 이탈
리아, 북유럽에서는 각각 16세기, 17세기까지 대세였다가 점차 캔버
스 그림으로 바뀌었다. '모나리자'는 나무판에 그린 그림이고, '비너스
의 탄생'은 캔버스 그림이다.

캔버스 그림들은 르네상스 시대부터 시작되어 절대왕정 시기 황제와
왕들의 권위를 나타내는 기마 초상과 각종 전시용 그림들을 위하여
규격이 가로, 세로가 각 3-3.5미터까지 큰 그림들이 나타난다. 그러
나 절대왕정 무너지고 그림을 사는 고객이 달라지는 한편 인상파 화
가들이 그림을 정밀하게 그리기 보다는 스케치하듯이 그리는 새로운
경향으로 바뀌면서 그림 규격이 줄어드는 경향을 보이는 같다.

아래에서는 15세기 후반 이후 르네상스 화가부터 인상파 그림에 이르
기까지 대표적인 화가들을 간략히 짚어 보면서 서양화의 대체적인 흐
름을 이해하는 데 도움이 되었으면 한다.

보티첼리
(Sandro Botticelli, 1445~1510)

Primavera (ca. 1480) and the Birth of Venus (ca. 1485)

보티첼리의 이 두 그림이 1400 후반에 나타난 것은 믿기지 않을 정도이다. 보티첼리는 이 르네상스를 알리는 그림을 그린 이후 이와 유사한 그림을 더 많이 그리기보다는 종교화 등 이전의 전통적인 주제로 그림을 많이 그렸다. 사회적 비판을 의식한 것이 아닐까 하는 생각이 든다. 보티첼리 그림에 자주 등장하는 여인의 실제 모델은 당시 "미녀 시모네타"(Bella Simonetta)라고 불린 Simonetta Vespucci(1453-1476)라고 보는 견해가 많다. 그녀는 1469년 Marco Vespucci와 결혼했으나 23살 때 사망했다. Marco Vespucci의 사촌은 유명한 아메리카 탐험가 Americo Vespucci이다. 보티첼리가 평생 결혼을 하지 않고 살았기 때문에 그가 그녀에 대해 플라토닉한 사랑에 빠져 있었던 게 아닌가 추측하는 의견도 있다. 보티첼리는 죽을 때 훨씬 먼저 세상을 떠난 Simoneta 무덤의 발치에 묻어 달라고 해서 그곳에 묻혔다. 그러나 그 곳이 보티첼리의 교회이기도 했기 때문에 보티첼리와

Simonetta의 관계를 확인할 수 있는 증거라기보다는 후세 사람들이 그럴지도 모른다고 추측하는 데 도움이 된 거 같다.

레오나르도 다빈치
(Leonardo di ser Piero da Vinci, 1452~1519)

Last Supper and Mona Lisa

레오나르도 다빈치는 도안사(draughtsman), 엔지니어, 과학자, 조각가, 건축가 등 다방면에 박식한 천재이자 천재 화가로 유명하다. 과학적이고 해부학적 분석을 그림에 활용했다. 그는 플로렌시아/피렌체 근처에서 태어나 피렌체, 밀란, 로마에서 활동했다. 말년에 화가, 건축가 등 예술인에 대한 후원자이자 인문학자였던 프랑스 왕 Francis I 초청으로 1516년 프랑스로 가서 지내다 3년 후 사망했다. 프랑스로 갈 때 모나리자 등 그림을 가져갔기 때문에 이 그림이 이탈리아가 아니라 프랑스(루브르 박물관)에 남게 되었다.

미켈란젤로
(Michelangelo di Lodovico Buonarroti Simoni (1475~1564)

미켈란젤로 역시 르네상스가 낳은 천재 조각가이자 화가이다. 30세
이전에 피에타와 다비드(Pietà and David) 와 같은 유명한 조각 작품
을 남겼다. 그는 바티칸 성당 천정에 최후의 심판, 천지창조 등 유명한
프레스코화를 남겼다.

바티칸 시스티나 성당의 창세기(the scenes from Genesis on the
ceiling of the Sistine Chapel) 프레스코화도 탁월하다. 최후의 심판
(The Last Judgment)에서 그리스도는 수염도 없고 근육질에 누드 상
태이다. 이 그림을 두고 바티칸 내부에서는 이 그림을 없애 버리자는
의견이 대두되었는데 교황이 반대하여 유지될 수 있게 되었다고 한
다. 그러나 미켈란젤로 사후 그리스도의 음부는 가리는 작업을 했다

고 한다. 이 당시에 바티칸의 성스러운 공간에 근육질에 벌거벗은 그리스도를 그려두는 게 보수적인 견해에서는 매우 탐탁지 않았을 것이다.

티치아노 & 승마 초상, 누드 명화
(Tiziano Vecellio, 1488/90~1576)

르네상스 이래 정물, 풍경, 일상생활, 신화, 초상화, 종교화 등 그림의 종류는 다양하다. 기마상, 승마 초상은 르네상스 이전에도 있었지만 르네상스 이후 그림의 규격이 커지고 그림을 그리는 기법도 훨씬 발전된 듯하다. 누드화는 사실상 르네상스 이후에야 나타난 그림의 종류이다. 티치아노는 다양한 주제와 터치, 색상의 선택과 조합 등이 탁월한 화가이다. 티치아노와 몇몇 화가들은 유명한 대형 승마 초상과 누드화를 남겼다.

아래는 찰스 5세(신성로마 황제 Charles V/Carlos V, 스페인 왕 Carlos I)의 승마 초상이다. 1547년 Muhlberg 전투에서 신교도 반란군에 승전한 후 티치아노가 1548년 아우구스부르그 왕궁에서 그린 작품이다. 황제의 시신은 El Escorial에 안치되어 있고, 갑옷과 무기 및 장구는 현재 마드리드 왕립 무기고에 보관되어 있으며, 그림은 마드리드 쁘라도 미술관에 전시되어 있다. 황제, 왕들의 늠름한 모습의 승마 초상을 큰 규격으로 그려서 절대 왕정의 권위를 과시하려는 듯하다. 이 그림은 후대 몇몇 다른 화가에게도 영향을 줬을 것으로 보인다.

아래 왼쪽 그림은 Rubens가 Felipe II (1527-98) 사후 30년 지난 1628
년에 그린 작품이다. 프랑스와 싸운 San Quentin 전투 승리를 기념하
여 그린 것이다. 오른쪽 그림은 궁정화가 Velazquez가 1635년 그린
Felipe IV의 승마 초상이다. Felipe IV 재임시기는 네들란드에 대한 통
제권을 상실하고 프랑스와의 전쟁에서도 패전하면서 제국의 힘이 크
게 위축되는 시기이나 예술의 후원자로큰 역할을 했다. 승마 초상들
은 가로, 세로가 2.5~3.3미터 크기로 앞에 가서 보면 말발굽에 밟힐
것 같은 생동감을 준다.

아래는 영국의 Charles I의 승마 초상인데, Anthony van Dyck가 그린 작품이다. 왕의 근엄한 모습에도 불구하고, 불행하게도 그는 1649년 유럽 왕으로서는 처음으로 공개 처형되었다. 1789년 프랑스 대혁명 때 루이 16세와 왕비 앙뜨와네트 처형으로 절대 왕정들은 힘을 잃고 왕들의 승마 초상은 사라지는 대신 19세기 Edgar Degas, Theodore Gericault 등 화가들은 사람(황제, 왕)보다는 말의 동적인 움직임에 초점을 두고 경마 그림에 관심을 두게 된다.

르네상스 시대 이래 누드화는 그림의 한 영역으로 자리 잡았다. 르네상스 시대에 여성 누드를 가장 먼저 그린 화가는 보티첼리였다. 누드화에서는 지오르지오네(1476-1510)와 티치아노의 작품이 이후 세대 다른 화가들에게 영향을 줬을 것으로 보인다. 누드화는 그리스 신화를 소재로 그리는 경우가 많았다.

아래 처음 작품은 지오르지오네가 그린 것을 티치아노가 마지막 작업하였으며, 다른 3개는 티치아노가 그린 것들이다.

비너스와 거울을 잡은 천사는 17세기 스페인 궁정화가 벨라스께스(Velazquez)가 남긴 유일한 누드화이다. 옷 입은 마하, 누드 마하는 18~19세기 스페인 궁정화가 고야(Francisco Goya)가 그린 그림으

로 후자는 고야가 남긴 유일한 누드화이다. 벨라스께스는 거울 속에 여인의 얼굴을 흐려서 그려 모델이 누군인지 짐작하기 어렵게 했다. 고야 그림의 모델에 대해서는 고야의 플라토닉한 사랑 가능성에 비중을 두고 13대 Alba 공작 Maria Teresa de Silva으로 추측하기도 하고 당시 젊은 Godoy 수상의 애인이었던 Josefa de Tudó (Pepita Tudó)라는 의견이 있으나 확인된 것은 없다. 이 그림은 Manuel de Godoy 공작/수상이 보유로 있다가 몰수되어 1815년 종교 재판(Inquicision) 대상이 된 작품이다. 고야의 그림은 이전의 누드에서 보지 못한 음모까지 드러낸 채 정면으로 응시하는 모습으로 고전적인 미의 여신과는 거리가 먼 듯하다.

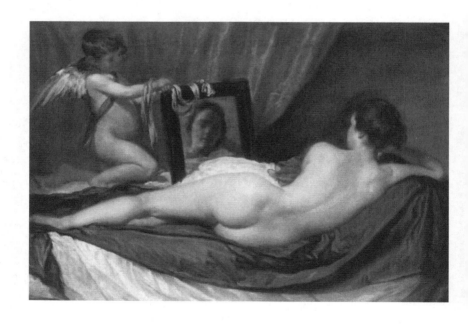

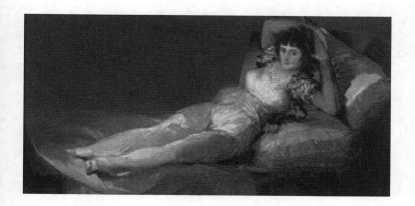

아래 그림은 마네(Manet)가 그린 올림피아이다. 올림피아와 하녀가
바뀌어 있는 것과 병든 올림피아는 인터넷에 게재된 것인데, 뭔가 의
미 있는 내용을 전달하는 듯하다. 마네의 이 그림은 Gustave Courbet
의 The Origin of the World와 더불어 19세기 그림 중 가장 논쟁을
많이 불러온 그림 중 하나이다. 비평가들은 임산부들은 이 그림을 보
지 말도록 권고했다. 이전 화가들은 그리스의 여신을 우아하게 그렸

지만, 마네는 그런 우아함을 떨쳐내고 파리의 창녀를 그린 것이다. 누군가가 꽃을 한 송이 보냈고 창녀는 정면으로 손님을 응시하는 듯하다.

몇 년 전 박근혜 대통령 탄핵 때 이 그림을 패러디한 그림이 국내에 보도되어 큰 논란이 된 적이 있다. 이 그림의 모델은 그 당시 모델이자 화가로 활동하던 Victorine-Louise Meurent이다. 주인공의 처지를 바꿔놓은 두 모방작품도 흥미롭다.

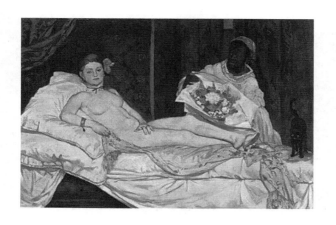

피터 브뤼겔
(Pieter Bruegel, the Elder, c. 1525~1569)

화란, 플레미시 화가로서 풍경화, 농민 생활 등을 매우 사실적으로 그
렸다. 그 당시의 생활상을 엿볼 좋은 기회를 제공한다.

엘 그레꼬
(Doménikos Theotokópoulos, 1541~1614)

El Greco는 그리스 크레타 왕국 출신이다. 당시는 베니스 공화국의
일부였다. 그는 스페인 Toledo에 정착한 화가이다. 그가 그의 그림에
사인할 때는 그리스어로 이름을 적고, '크레타'라고 덧붙이기도 했다.
그의 그림은 형상이 굴곡이 있는 특징이 있다. 그는 스페인 제국의 궁
정화가가 되기를 희망했으나 소원을 이루지는 못했다. 그의 그림이
독특하기는 하나 아름다운 것은 아니다. 작품은 종교화가 많다.

까라밧지오
(Michelangelo Merisi da Caravaggio, 1571~1610)

성격이 괴팍하고 다툼이 많아 살인을 저지르고 도망 다녔다. 말년에 4
년 동안 Naples, Sicily, Malta 등으로 전전하다 40세에 사망했다. 사
인이 열병, 납중독, 피살 등으로 엇갈리는 파란 많은 삶을 살았던 화가
이다. 그의 그림은 인간 심리의 현실감 있는 관찰, 빛을 극적으로 이용
하는 tenebrism (dramatic use of lighting, transfixing subjects in
bright shafts of light and darkening shadows)을 통해 바로크 미술
에 큰 영향을 미쳤다.

루벤스 & 한복 입은 남자
(Peter Paul Rubens, 1577~1640)

지금의 독일 베스트팔렌에서 태어난 벨기에 화가이다. 20세 이전에
이탈리아를 여행하며 유명한 화가들의 영향을 받았고, 인문학, 라틴
어, 고전문학을 공부하여 그림의 주제도 다양하다. 동적이고 색감 좋
고 육감적인 그림에 능하며, 그리스 신화를 소재로 많은 그림을 그렸
다. 화가, 외교관, 사업가 등으로 다재다능한 활동을 했다.

두 번째 한복 입은 남자로 알려진 그림은 루벤스가 1617년 그린 것이
다. 당시 마카오를 내왕하는 유럽인들이 많았다. 그리고 멕시코 아카
풀코에서 마닐라를 오고 가는 Galleon 무역선이 연 1~2회 있었다.

이들 중에는 돌아갈 때 노예를 사서 데리고 가기도 했는데 당시 아메리카 대륙에서는 고된 노동 일을 위해 노예들이 필요했다. 임진왜란 때 일본에 포로로 끌려간 조선 백성이 일부는 마닐라, 마카오로 데려가 노예로 팔려 갔을 가능성이 있다.

작품 속 남자가 정말 한국인인지 혹은 동양의 다른 나라 사람인지는 명확하지 않다. 다만 루벤스는 벨기에 화가이자 사업가인데다 당대 유럽의 최대 무역항 이자 화란 동인도회사가 많이 이용했던 안터워프 (Antwerp)에 살았기 때문에 동양에서 팔려온 사람을 만날 수 있는 개연성은 있다. 루벤스는 안터워프에 1589~1600년, 1609~1621년 안터워프에서 살았다. 당시에는 이곳이 합스부르그 스페인 제국의 영토였다. 1648년 베스트팔렌 조약에 따라 네들란드가 독립하면서 그 영토가 되었다가 1830년 벨기에 독립으로 벨기에 영토가 되었다.

벨라스께스
(Diego Velázquez, 1599~1660)

벨라스께스는 17세기 스페인에서 가장 중요한 화가이자 서양화의 거목이며, 세계에서 가장 뛰어난 화가 중의 한 사람으로 보편적으로 인정받고 있다.
궁정화가로서 왕실 초상화, 기마상은 물론 종교적이거나 일상생활 주변 등을 그렸다. 빛을 이용하는 tenerbrism 스타일도 가지고 있으며 인상파 그림에 영향을 준 것으로 평가된다.

렘브란트
(Rembrandt Harmenszoon van Rijn, 1606~1669)

네들란드의 화가, 프린트 제작자. 외국에 나가 그림을 배운 적이 없이
암스테르담에서 그림을 공부하여 화란 예술사에서 가장 뛰어난 대가
가 되었다. 빛과 그림자를 그림에 어떻게 반영할 것인지는 르네상스,
바로크 시대 이래 화가들의 큰 관심이었는데, 렘브란트는 빛과 그림
자의 화가로 알려져 있다. 이외에도 Caravaggio, Vermeer, Watteau
등이 유명하다.

고야

(Francisco José de Goya y Lucientes, 1746~1828)

고야는 그가 생존했던 당대뿐만 아니라 20세기 이전까지 스페인 화
가 중 벨라스께스와 더불어 가장 인정을 많이 받는 화가이다. 그는 전
통 그림의 마지막 화가이자 현대 그림의 최초 화가로 인식되고 있다.
고야는 사회 풍자, 심리 묘사에 능한 화가이다. Carlos IV 재임 기간
은 국왕, 왕비, 수상이 3위 일체 최악의 조합으로 국정이 문란했던 시
기이다. Carlos IV 가족의 그림은 가족들의 시선, 왕과 왕비의 위치
와 표정 등이 일반적이지 않은 느낌이다. 고야가 이 묘한 분위기의 그
림을 어떻게 왕실에 제출할 수 있었는지도 의아하다.

마네
(Edouard Manet, 1832~1883)

French modernist painter. 사실주의에서 인상파로 전환하는 시기에
가장 중요한 화가중의 한 사람이다. 마네는 스페인의 Francisco Goya
의 영향을 많이 받은 화가이다. 아래 '막스밀리안 황제의 처형' 그림

은 마네가 젊어서 마드리드를 방문해서 프란시스코 고야의 '1808년 5월3일'(나폴레옹 군에 총살당하는 마드리드인들) 작품을 봤기 때문에 영향을 받았을 것으로 추정되고 있다.

모네
(Oscar-Claude Monet, 1840~1926)

인상파 그림의 창시자이다. 인상파 그림은 이전의 그림과 확연히 여러 면에서 대조를 이룬다. 시시각각 변화는 빛과 색채, 사람들의 느낌과 경험, 일상적인 테마, 독특한 시각, 거친 붓질 등이 특징이다. 그림을 사진처럼 그리기 보다는 한 순간 본 기억과 느낌을 연상시키는 듯하다.

르느아르
(Pierre-Auguste Renoir, 1841~1919)

인상파 그림 발전에 주도적 역할을 한 화가이다. 인상파 화가이지만, Rubens이래 Watteau에 이르는 전통적인 그림 화풍의 흔적을 느낄 수 있는 화가이다. 그는 풍경, 잔치, 누드, 초상화 등 다양한 주제를 화려하고 자유분방하게 그려냈다.

반 고흐
(Vincent Willem van Gogh, 1853~1890)

화란 화가로서 후기 인상파 화가이다. 우울과 가난으로 37살에 자살로 생을 마감한 이후에 서양화 역사에서 가장 유명해지고 인기를 얻은 화가이다. 860점의 유화 등 총 2100 점의 작품을 남겼다. 약40점의 자화상을 남겼는데, 귀를 자르고 붕대를 맨 자화상이 특히 유명하다. 그의 작품은 강렬한 색감, 드라마틱하고 충동적이고 표현적인 붓질이 특색이다.

폴 고갱
(Paul Gauguin, 1848~1903)

프랑스 출신으로 후기 인상파 화가이다. 1882년 파리 증권거래 폭락 때 무일푼이 되었다. 1891년 타이티로 가서 작품을 그렸다. synthetism 스타일을 추구하여 피카소, 마티스 등에 영향을 미쳤다.

폴 세잔느
(Paul Cézanne, 1839~1906)

프랑스 출신의 후기 인상파 화가. 19세기 인상파에서 20세기 큐비즘
간의 다리 역할을 한 것으로 알려진다.

호아낀 소로야
(Joaquin Sorrolla, 1863~1923)

스페인의 지중해 동부 발렌시아 출신으로 인물화, 풍경화, 사회적, 역
사적 주제의 그림에 능하다. 밝은 햇볕과 햇볕이 어린 바닷물을 배경
으로 해변의 사람들과 풍경을 잘 표현한다. Master of light로 불린다.

파블로 피카소
(Pablo Picasso, 1881~1973) & 게르니카(Guernica)

피카소는 스페인이 낳은 현대 미술의 최고 거장이다. 그는 고전적인 그림도 잘 그렸지만, 이후 큐비즘이라는 새로운 영역의 그림 세계를 창작했다. 그의 많은 작품 중 게르니카를 빼놓을 수 없다. 위키피디아에 소개된 게르니카에 얽힌 아래 일화는 작품을 이해하는데 도움이

될 것 같다. 게르니카는 스페인 내전으로 공화파와 국민파 (프랑코 총통)이 대립했을 때 국민파가 나찌스와 협력으로 독일 전폭기로 1937.4.26. 스페인 북부 빌바오의 게르니카를 무차별 공격하도록 했다. 이로 인해 내전에 나간 남자들은 별 피해가 없었지만 수많은 어린이와 노인, 여성 사상자가 발생했다.

이때 피카소는 파리에서 머물고 있었는데, 공화파 정부로부터 1937년 파리 국제 박람회 스페인관(Spanish Pavillon)을 장식할 그림을 그려달라는 부탁을 받고 있었다. 이때까지 딱히 그림 테마를 잡지 못해 망설이던 중 게르니카 폭격 소식을 듣고 이를 주제로 35일간의 작업 끝에 1937.6.4. 작품을 완성했다. 유화로 크기는 349.3 cm × 776.6 cm (137.4 in × 305.5 in) 큰 작품이다.

이 작품은 파리 국제 박람회에 전시되고 이후 미국, 유럽을 순회하며 계속 전시되었다. 프랑코 독재 정부가 이를 매입하기를 희망했으나 피카소는 거절했다. 피카소는 스페인에 공화파 민주주의 정부가 복귀하는 날 스페인으로 돌아가는 조건으로 그때까지는 New York's Museum of Modern Art (MoMA)이 가지고 있도록 했다. 1973년 피카소가 죽고 2년 후 1975년 프랑코가 죽었다. 1978년 스페인에는 민주적인 입헌 왕정 (democratic constitutional monarchy)이 수립되었다. 스페인은 MoMA에게 이 그림을 돌려달라고 했다. MoMA는 처음에는 피카소의 유언대로 스페인에 공화국이 수립된 것은 아니므로 반환을 거부했으나, 양측간 협상 끝에 1981년 9월 반환했다. 이 그림이 스페인에 돌아온 후 처음에는 Prado 미술관에 방탄유리를 부착하여 전시했으나 이후 방탄유리는 제거하였으며 1992년 Prado 미술관에서 Museo de Reina Sofia에 이전하여 전시되고 있다.

유명한 일화로 프랑스 파리가 나찌스에 점령당했을 때 독일 군인이 와서 "이 그림을 당신이 그렸느냐"고 물었을 때 피카소는 "아니, 당신들이 했지" 라고 답했다고 한다.("Did you do that?", and Picasso responded, "No, you did.")

록펠러가 이 그림을 매입하려 했으나 피카소가 거절하자 록펠러는 게르니카와 실물 크기의 카펫 게르니카를 프랑스의 유명한 카펫 제작업자 Jacqueline de la Baume Dürrbach에게 부탁해서 만들었다. 이 카펫 게르니카를 뉴욕 유엔본부 안보리 입구에 1985년부터 2009년까지 전시했다가 이후 유엔 본부 보수 작업 등으로 다른 곳으로 옮겼다가 2015년부터 다시 전시하고 있다. 2003년 미국의 이라크 침공 즈음 Colin Powell, John Negroponte가 언론 기자회견때 배경에 나오지 않도록 푸른 커튼으로 덮었다가 언론으로부터 심한 비난을 받았다.

디에고 리베라 & 프리다 칼로
(Diego Rivera, 1886~1957) & (Frida Khalo, 1907~1954)

매우 독특한 풍의 대형 프레스코 벽화 걸작 작품을 미국, 멕시코에 남긴 화가이다. 부인 Frida Khalo와 함께 공산주의를 신봉하였으며 트로츠키의 멕시코 망명을 지원했다.

Frida Khalo는 Diego Rivera의 부인이자 화가, 공산주의 신봉자로서 독특한 삶을 살았던 여자이다. 트로츠키와의 염문, 공산주의에 대한 호감 등으로 아직도 세간의 호기심의 대상이 되고 있다.

보떼로
(Fernando Botero, 1932~ 현재, 콜롬비아 메데진)

콜롬비아 메데진 출신의 화가, 조각가이다. 그의 작품에는 매우 독특
하고도 풍만한 볼륨감과 유머가 늘 담겨 있다. 첫째 그림은 모나리자,
마지막 두 그림은 피살된 마약왕 Pablo Escobar이다.

그림의 지체와 지위

인간사회에 양반과 상놈, 부르조아와 프롤레타리아, 카스트제도 등
이 있었듯이 그림에도 그림의 주제에 따라 어느 정도 지체가 있다. 서
양화에서 그 순위는 아래와 같다.

1. 역사 그림(history painting)
 – 역사적인, 우화적인, 신화적인, 종교적인 것으로서 인간과 관련 있
   는 그림으로 흔히 공공 전시용으로 사용
2. 인물화, 초상화(portraits)
 – 역사적인 인물, 왕, 귀족 혹은 개인들의 초상
3. 풍속화(Genre painting)
 – 일상생활, 안방, 부엌의 삶 등을 다루는데 반드시 사람은 포함된다.
4. 풍경화(landscapes)
 – 사람이 없어 상기 3개 종류보다 그리는 skill이 덜 필요
5. 동물 그림(Animal painting)
 – 모든 종류의 동물, 고양이, 개, 말 등
6. 정물화(Still life)
 – 생명이 없는 물건이 대상

이 기준을 놓고 보면 서양화에서 가장 유명한 화가들은 대다수가 1, 2
의 카테고리의 그림을 잘 그리는 사람들이다. 3-6의 카테고리 그림
을 그리더라도 1-2 카테고리 그림을 그리면서 보조적으로 혹은 덤을
그려 넣었다.

제국과 왕정이 무너지고 귀족사회가 없어지고 민주주의 사회가 되면
서 대형 그림을 보유하고 걸어둘 공간이나 벽면도 없어지게 되었다.
일반 시민들의 조그만 개인 주택이나 아파트에 큰 그림을 그냥 줘도
갖다 걸어둘 공간이 없어진 것이다. 소시민들은 대개 상기 4-6 카테
고리 그림의 고객들이다.

현대사회에는 과학기술과 산업 기술이 발전하면서 사진 찍어 놓은 것처럼 잘 그리는 것이 의미가 줄어든 시대가 되었다. 인상파, 후기인상파, 큐비즘 등 새로운 기법, 새로운 차원의 그림, 아니 그림인지 디자인인지, 혹은 광인의 낙서인지도 모를 선과 곡선, 이상한 형상에 페인트를 칠한 듯한 것들까지 모두 미술에 포함하는 시대에 왔다. 오늘날 가장 비싼 가격으로 팔리는 유명한 그림들도 과거와는 기준이 완전히 달라진 것이다. 말하자면 그림에서 신분 철폐가 이뤄진 셈이다.

오늘날 최고가의 그림들은 돈 많은 사업가들, 중동의 왕정이나 석유재벌들의 독차지가 되고 일반 시민들은 그저 풍경화 또는 정물화를 싼값에 사다 걸어두는 시대가 되었다. 화가들도 부득이 이런 환경에서 생존의 길을 모색하는 듯하다.

유명한 박물관, 미술관

어느 나라든 그 나라의 문화 예술 수준은 박물관, 미술관을 가보면 알 수 있다. 특히 과거 역사와 전통이 있는 큰 나라 혹은 제국에는 거의 틀림 없이 세계적 수준의 박물관 미술관이 있다. 그런 나라들을 방문할 때에는 해당 박물관에서 꼭 봐야 할 그림들을 미리 염두에 두는 게 좋다. 한 인터넷 사이트가 게재한 유명 박물관, 미술관 Top 60개이다. 동아시아, 중동, 아프리카 등 나라의 것이 거의 전무하다는 점에서 대륙별 형평성 문제는 있으나 유럽, 아메리카 대륙 유명한 박물관, 미술관들은 대다수 포함되어 있다.
https://worldcitiesranking.com/best-museums-in-the-world/

1. Louvre Museum, Paris (France)
2. Metropolitan Museum of Art (MET), New York (USA)
3. Hermitage Museum, Saint Petersburg (Russia)
4. Musei Vaticani, Rome (Italy)
5. Galleria Degli Uffizi, Florence (Italy)
6. Musée d'Orsay, Paris (France)
7. British Museum, London (United Kingdom)
8. Museo del Prado, Madrid (Spain)
9. National Gallery, London (United Kingdom)
10. Egyptian Museum, Cairo (Egypt)
11. Guggenheim Museum Bilbao, Bilbao (Spain)
12. Museum of Modern Art, New York (USA)
13. Van Gogh Museum, Amsterdam (Netherland)
14. Art Institute of Chicago, Chicago (USA)
15. Kunsthistorisches Museum, Vienna (Austria)
16. Rijksmuseum, Amsterdam (Netherlands)
17. Pergamonmuseum, Berlin (Germany)
18. Gemäldegalerie (Kulturforum), Berlin (Germany)
19. National Archaeological Museum, Athens (Greece)
20. National Archaeological Museum, Naples (Italy)
21. Galleria Borghese, Rome (Italy)
22. Palazzo Pitti, Florence (Italy)
23. Museum of Qin Terracotta Warriors and Horses, Xi'An (China)
24. Galleria dell'Academia, Florence (Italy)

25. Victoria and Albert Museum, London (United Kingdom)

26. Tate Britain, London (United Kingdom)

27. Bargello National Museum, Florence (Italy)

28. Acropolis Museum, Athens (Greece)

29. Vasa Museum, Stockholm (Sweden)

30. Gallerie dell' Accademia, Venice (Italy)

31. National Museum of Anthropology, Mexico City (Mexico)

32. Tate Modern, London (United Kingdom)

33. Museo Thyssen-Bornemisza, Madrid (Spain)

34. Alte Pinakothek, Munich (Germany)

35. State Russian Museum , Saint Petersburg (Russia)

36. Guggenheim Museum, New York (USA)

37. Frick Collection, New York (USA)

38. Museo Nacional Centro de Arte Reina Sofía, Madrid (Spain)

39. Centre Georges-Pompidou, Paris (France)

40. Pinacoteca Brera, Milan (Italy)

41. State Tretyakov Gallery, Moscow (Russia)

42. Museo Egizio (Egyptian Museum), Turin (Italy)

43. National Palace Museum, Taipei (Taiwan)

44. National Museum of China, Beijing (China)

45. Neues Museum, Berlin (Germany)

46. National Gallery of Art, Washington (USA)

47. Pushkin Museum of Fine Arts, Moscow (Russia)

48. Philadelphia Museum of Art, Philadelphia (USA)

49. J. Paul Getty Museum, Los Angeles (USA)

50. Österreichische Galerie Belvedere, Vienna (Austria)

51. Kunstmuseum, Basel (Switzerland)

52. Wallace Collection, London (United Kingdom)

53. Oldmasters Museum, Brussels (Belgium)

54. Hamburger Kunsthalle, Hamburg (Germany)

55. Städelsches Kunstinstitut und Städtische Galerie, Frankfurt (Germany)

56. Gemäldegalerie Alte Meister, Dresden (Germany)

57. Museum of Fine Arts, Boston (USA)

58. Mauritshuis, The Hague (Netherlands)

59. Museo di Capodimonte, Naples (Italy)

60. Museu Calouste-Gulbenkian, Lisbon (Portugal)

세계에서 가장 비싸게 팔린 그림들

Discover the 10 Most Expensive Paintings Ever Sold in the World
By Margherita Cole and Jessica Stewart on August 25, 2022
https://mymodernmet.com/most-expensive-paintings/

1. ATTRIBUTED TO LEONARDO DA VINCI, SALVATOR MUNDI, C. 1500S — $507.4 MILLION (ADJUSTED PRICE AFTER INFLATION) ; 25.8 in × 19.2 in (45.4 cm × 65.6 cm)

2. WILLEM DE KOONING, INTERCHANGE — $350.4 MILLION (ADJUSTED PRICE AFTER INFLATION) ;79.0 in × 69.0 in (200.7 cm × 175.3 cm)

3. PAUL CEZANNE, THE CARD PLAYERS (5TH VERSION), C. 1894 – 1895 — $307.8 (ADJUSTED PRICE AFTER INFLATION); 18.7 in × 22 in (47.5 cm × 57 cm)

4. PAUL GAUGUIN, NAFEA FAA IPOIPO (WHEN WILL YOU MARRY), 1892 — $247.2 MILLION (ADJUSTED PRICE AFTER INFLATION);40 in × 30 in (101 cm x 77 cm)

5. JACKSON POLLOCK, NUMBER 17A, 1948 — ABOUT $233.3 MILLION
(ADJUSTED PRICE AFTER INFLATION);44.1 in x 34.1 in (112 cm x 86.5 cm)

6. GUSTAV KLIMT, WASSERSCHLANGEN II, 1907 — $222.6
MILLION
(ADJUSTED PRICE AFTER INFLATION);31 in × 57 in (80 cm
× 145 cm)

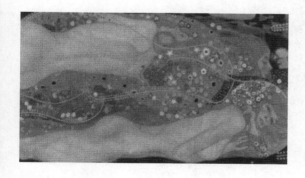

7. MARK ROTHKO, NO. 6 (VIOLET, GREEN AND RED),
1951 — $217 MILLION (ADJUSTED PRICE AFTER
INFLATION); The painting is framed as 84 cm or 33 inches by 54
cm or 21 inches. In practical terms, a square inch of that painting

(including the frame) is valued at over 265,000 USD.

Here is what makes Mark Rothko's paintings so valuable(Written by Anita Louise Hummel):

Supernatural Elements – Mark Rothko's art of rectangular floating forms and thin washes of color are said by some critics and historians to have a metaphysical element.

Art Works About Human Feelings – Rothko said his work was about human feelings such as tragedy, ecstasy, and even doom.

Disdain For Art Establment – During his lifetime, Mark Rothko was known for his disdain for the elite and art establishment, an interesting fact because now his paintings are being sold for record amounts.

Mark Rothkos Life Is In Many Of The Paintings – Like many great artists, Mark Rothko's life was marked with controversy, but many of his paintings show his emotions and life. He produced the "Black paintings" before his suicide in 1970 at age 66.

Original Paintings Come To Life – When you view an original Mark Rothko painting up close and personal, you can see the drip marks, brush strokes, and the color and painting come to life. The human touch can be seen in the paintings, making them so real and personal.

Paintings Transform You – When viewing the paintings up close and in person, they are not just colors on a canvas, but the washes or color, brush strokes, and even drips transform you to another realm.

Paintings People Want To Own – The supply and demand principle is like anything in art. People want to own Mark Rothko paintings and have them in their collections. Mark Rothko is an essential artist as he is one of the founders of the Abstract Expressionism art movement.

Like many other Abstract Expressionism artists, the paintings are valuable as they are paintings that collectors, museums, and others want to own.

* 안타깝게도, 저 그림이 왜 그렇게 비싼지 이 설명을 읽어도 이해할 독자는 별로 많지 않을 것 같다.

8. REMBRANDT, PENDANT PORTRAITS OF MAERTEN SOOLMANS AND OOPJEN COPPIT, 1634 — $206 MILLION (ADJUSTED PRICE AFTER INFLATION); 83 in × 53.0 in (210 cm × 134.5 cm) each

9. PABLO PICASSO, LES FEMMES D'ALGER ("VERSION O"), 1955 — $205 MILLION (ADJUSTED PRICE AFTER

INFLATION); 45 in × 57.6 in (114 cm × 146.4 cm)

11. 아메리카의 수익 작물
– 포도주, 사탕수수, 커피, 향료, 고무, 면화

신항로를 개척하고 신대륙 발견에 이르게 된 근원적인 목적은 향신료, 중국의 도자기, 비단 등 무역 이익을 얻기 위한 것이었다. 그러나 신대륙 발견 이후 컬럼버스가 스페인 제국이 필요로 하는 금은보화는 별로 가져오지 못하고 인디언, 앵무새, 토마토와 감자 등 돈 안 되는 것만 가져왔으니, 스페인 왕실이 좋아할 리 없었다. 유럽인들은 신대륙 발견 이후 그리 오래 지나지 않아 아메리카 대륙에 금은의 매장량이 그렇게 많은 것도 아니고 채굴이 쉽지 않은 것을 알게 되었다. 그래서 그들은 아메리카 대륙에서 모피 수렵, 농작물 재배, 혹은 인디언과 아프리카 흑인들을 데려와 경제적인 이익을 주는 수익 작물의 재배와 판매에 관심을 갖게 되었다.

이렇게 해서 자메이카, 아이티, 쿠바, 브라질 등에는 **사탕수수 재배와 설탕 생산**에, 브라질, 콜롬비아, 코스타리카 등에는 **커피** 재배, 미국, 브라질에서는 면화 생산, 미국, 아르헨티나, 칠레 등에서는 **포도** 재배와 **포도주** 생산, 볼리비아 고무 생산 등에 큰 붐이 일게 되었다. 이 작물들이 아메리카에 유입되고 재배되는 시기는 각기 다르다.

포도 재배와 포도주 생산의 기록상 기원은 BC 6,000년 전 코카서스 지역, 오늘날 조지아, 그 이후 페르시아, 이태리 등의 순으로 오래되었으며, 이후 프랑스, 스페인 등 유럽 나라로 전해졌다. 아메리카 대륙에는 포도가 없었다. 포도는 컬럼버스 항해 때 신대륙으로 건너갔다. 스페인의 카톨릭 수도사들과 정착민들은 1500년대까지 태평양 해안 지역과 아르헨티나 안데스에도 포도밭을 만들었다. 라틴아메리카에 포도를 처음 재배한 것은 1540년 페루이다. 이 포도는 Muscat family of grapes(200종 이상)으로 이집트, 페르시아, 그리스, 로마 시대의 포도, 포도주가 이 종류에 해당된다.

신대륙으로 건너온 이 포도 종류는 나라별로 제각기 Listán Prieto, Mission(미국), País(칠레), Criolla Chica(아르헨)으로 다양하게 불렸고, 주로 스페인 수도승들이 제단용으로 많이 사용했다. 이 포도, 포도주는 값비싼 종류는 아니나 생명력이 강해서 재배하기에 좋다. 오늘날 미국 캘리포니아, 일본, 한국에서 재배되는 Shine Muscat도 거슬러 올라가면 고향이 이집트의 알렉산드리아이다. 아르헨티나의 Torrontés, Pedro Gimenez, Criolla Grande 등은 모두 Muscatel de Alexandria 포도와 Listán Prieto의 교배종에 해당한다. 1800년대 중반 유럽 포도나무는 Phylloxera aphid라는 포도 질병으로 반 토막이 났다. 중남미의 포도주 생산업자들이 더 좋은 품종의 포도를 재배하기 위하여 프랑스, 이탈리아 포도에 눈을 돌리게 된 것이 1800년대 이후이다.

오늘날 포도주 생산과 수출에서는 프랑스, 스페인, 이탈리아가 Big 3이다. 포도주 생산량은 이탈리아, 프랑스, 스페인, 미국, 호주, 아르헨티나, 칠레, 남아공 순이다. 포도주 수출은 스페인, 이탈리아, 프랑스, 칠레, 남아공 순이다. 미국 포도주의 90%는 나파밸리 등 캘리포니아에서 생산된다. 미국의 포도나무 종류는 Chardonnay, Cabernet Sauvignon, Pinot Noir, Merlot 순이다. 남미의 최대 포도주 생산국인 아르헨티나의 처음 포도주 생산은 1557년으로 기록되어 있다. 아르헨티나는 Malbec으로 유명하다. Cabernet Sauvignon은 고산 건조 기후인 Mendoza에서 잘 자란다. 아르헨티나의 파타고니아에서는 Pinort Noir이 기대를 모으고 있다. 칠레는 Cabernet Sauvignon,

Merlot이 주종이다.

캘리포니아 포도 재배가 많아지면서 여기에 얽힌 배경을 주제로 문학 작품도 등장한다. 존 스타인벡의 분노의 포도로 유명할 정도로 일대가 모두 포도 농장이다. 오늘날 칠레산 포도주는 한국 시장에서 흔히 볼 수 있게 되었다. 포도는 1,700미터 이상에서는 잘 자라지 않는다. 아르헨티나 북부 지역과 인접한 볼리비아 남부 지역의 1,700-2,000미터의 Tarija 지역에는 고산지역에서 생산한 포도로 포도주를 생산한다.

포도주는 일반적으로 그 색깔에 따라 적포도주, 백포도주, Rose 등 3가지로 부르지만, 용도에 따라 스파클링 와인, 디저트 와인으로 부르기도 한다. 유럽에서는 포도의 생산 지역에 따라 프랑스 Bordeaux, 스페인 Rioja , 이탈리아 Chianti로 분류하고, 유럽 이외 지역은 포도 종류에 따라 Pinot noir, Cabernet Savignon, Merlot, Malbec으로 분류하기도 한다. 일반적으로 생선에는 백포도주, 쇠고기, 돼지고기에는 적포도주를 애용하지만, 최근에는 반드시 그런 것도 아니다. Rose 와인은 좀 달짝지근하기도 하기도 해서 여성들이 선호하는데 일반적으로 적포도주, 백포도주에 비해 저렴한 편이다.

한국에서 어떤 분들은 수백불 하는 포도주를 애용하거나 선물하는 경우도 있지만, 사람에 따라 와인에 취향과 선호도가 다르고 가성비를 감안할 때 반드시 값비싼 포도주가 좋은지는 모르겠다. 일반적으로 까베르네 싸비뇽은 맛이 좀 강한 편이라 고기에 적합하고, 한국 사람들은 다소 더 부드러운 Malbec 또는 Merlot이 잘 어울리는 듯하다.

포도주는 마실 때의 온도, 병뚜껑을 개봉한 시간대에 따라 맛이 달라진다. 내 경우에는 13도 정도로 보관했다가 병뚜껑 개봉 30분 정도 지난후 마시는 것을 선호한다.

에티오피아가 원산지인 커피는 15세기 예멘, 16세기 레반트, 페르시아에 전해져 오스만 제국으로 그리고 16세기 후반 이탈리아에 전해졌다. 화란은 1616는 Moka 커피를 훔쳐 암스테르담에 가져와 식물원에서 키웠다. 화란은 1600년대에 동인도회사가 자바에서 재배 실험을 계속해서 1690년에는 Sumatra, Timir, Bali에서 재배했다. 1706년에는 자바의 화란 커피 농부가 수확한 커피콩을 가지고 암스테르담으로 왔고, 이것이 신대륙에서 재배하는 계기가 만들어 졌다. 중남미에 커피 재배를 확산시킨 것이 화란인지 프랑스인지는 논쟁이 되고 있다. 1714년 화란 정부 수반은 프랑스 루이 XIV에게 커피나무를 하나 선물했다. 1715년 예멘의 술탄도 커피나무를 선물했다. 이 커피나무들이 프랑스의 서인도령 Bourbon (Reunion) 섬에 심어졌다. 커피가 신대륙으로 건너와 확산되는데 기여한 것으로 알려진 사람은 프랑스 해군 장교 Gabriel de Clieu이다. 그가 1721년 카리브해 Martinique 섬에 커피나무를 심어 1726년 처음으로 커피를 수확했는데, 이 커피가 중남미로 퍼져나갔다.

커피 재배는 일조량, 강우량, 토질, 고도 등에 영향을 받는다. 화산지역 1,000-2,000미터에서 잘 자라고 커피 향이 좋다. 콜롬비아, 코스타리카, 과테말라, 자마이카, 파나마, 볼리비아 (Jungas 지역) 산간 지역 등에서 좋은 커피가 난다. 파나마, 볼리비아에서 생산한 커피는 거의 전량 외국 수입업자가 사간다.

사탕수수는 원래 동남아, 뉴기니 등이 원산지인데, 무슬림에 의해 스페인에 전해지고 말라가, 카나리아 제도 등에서 재배되다가 컬럼버스 2차 아메리카 원정때 신대륙으로 가져와서 확산되었다. 남미의 농업 대국 **브라질**은 1800년대에 이미 전 세계 설탕 수출의 25-30%, 면화 수출의 7.5-20.6%, 커피 18.4-41.4를 차지하는 나라가 되었다. 브라질의 커피 농장은 27,000평방킬로미터를 가지고 있으며 최근 150년간 세계 최대 생산국이며 현재도 2위인 베트남 커피 생산의 2배를 생산하고 있다. **쿠바**의 사탕수수 재배와 설탕 생산에 탐이 난 미국 사업가들은 1898년 미국 정부로 하여금 스페인과 미서 전쟁을 일으키게 했다. 이후 미국의 쿠바 내정 관여 등으로 쿠바인들이 제국주의적 행태의 미국에 저항하게 된 원인이 되었다.

유럽에는 **고무나무**가 없다. 신대륙 발견이후 유럽인들은 아메리카 대륙에서 인디언들이 검은색의 둥근 구 형태의 물건을 가지고 노는 것을 보았는데 그 반발력에 놀라움을 감추지 못했다. 유럽인들은 몇 명의 인디언들을 유럽으로 데리고 와 공놀이하도록 했는데, 이것은 유럽에서 큰 구경거리가 되었다. 오늘날 자동차 타이어 브랜드인 Goodyear는 vulcanized rubber를 발명한 Charles Goodyear (1800-1860)의 이름에서 따온 것이다.

볼리비아에서는 Nicolas Suarez (1861-1940)가 고무산업 붐을 타고 19세기초 Beni River 경사지인 Cachuela Esperanza에 고무 수출 본부를 그리고 브라질의 Acre, Manaus, Belém, 영국 London에 각 지사를 두고 회사를 운영했다. 그는 Beni주, Pando주에 80,000평방킬로미터의 땅을 소유하고 50,000두의 소, 6척의 증기선을 보유하고 있는 대부호였다. 그의 저택은 아직도 남아 있다. 2012년 내가 Beni 주를 방문했을 때 일본계 볼리비아인을 만난 적이 있다. 그의 할아버지는 1930년대 일본 정부가 고무 채집하러 일본인 180여 명 중 한 사람이었는데, 일본이 전쟁을 하고 있어 본국으로 돌아가지 않고 볼리비아에 남았다고 했다.

신대륙 발견이후 금은 채굴, 사탕수수, 커피, 포도, 면화 등 재배와 설탕 생산, 커피 생산 등에는 노역이 엄청 필요했고 유럽의 정복자들이나 상인들은 인디언과 아프리카 노예 등의 노역을 이용했고 이 과정에서 인종차별과 혹독한 착취가 이뤄졌다. 백인들은 돈이 되는 일이라면 죽음을 무릅쓴 항해와 상품무역은 물론 해적질, 노예무역, 인디언 살육도 마다하지 않았다.

12. 라틴아메리카와 중동의 음식, 음료 또는 술

개관

중남미, 라틴아메리카의 음식은 감자, 유까, 옥수수, 토마토, 아바 콩 등 재료를 이용하는 인디언 음식 전통에 유럽으로부터 스페인의 영향이 많다. 그리고 시리아, 레바논 등은 물론 동유럽, 독일, 프랑스, 이탈리아, 일본 등 이민자들의 음식으로부터도 영향을 받았다.

육류는 쇠고기, 돼지고기, 치킨, 양고기, 야마 고기 등 다양하다. 생선과 해산물도 빼놓을 수 없는 식재료이다. 국별 음식이 다른 것도 있지만 사실상 동일하나 이름만 다르게 부르는 것들도 있다.

음료, 차.커피, 술 종류로는 옥수수로 만든 치차 모라다(chicha morada), 과일 쥬스, 중미, 베네수엘라, 쿠바 등에서 사탕수수로 만든 럼주, 멕시코의 선인장 술인 떼길라(Tequila), 페루의 삐스꼬(Pisco), 볼리비아 신가니(Shingani) 등의 술, 아르헨티나, 칠레, 우루과이, 볼리비아 등의 포도주, 콜롬비아 코스타리카, 니카라과, 과테말라 등의 커피, 파라과이 마떼 차, 볼리비아의 코카 차 등으로 다양하다.

중남미의 음식중 아메리카 인디언 고유의 레시피, 제조법을 그대로 혹은 혼용해서 만드는 것들이 꽤 많다. 음식에서는 Arepa 빵, 따말 Tamal, pachamanca 요리 방식(페루 음식 참조), Charquican 말린육포, Chuchuco 수프 등 음식과 레시피 그리고 음료, 주류중에서 치차 모라다, Pulque, Pisco, Shingani 등 술은 인디언 전통의 제조법을 따른 것이다.

중남미, 중동의 음식, 음료, 주류 등의 재료, 레시피, 제조법 등을 일일이 설명하고 사진을 첨부하려면 지면상 너무나 많은 분량이 필요하므로 여기서는 나라별 유명한 음식, 음료 및 주류의 이름과 간단한 특징만 기술하기로 한다. 해당 국가를 방문하거나 특정 음식에 관심이 있으면 인터넷 검색을 통해 설명과 사진으로 확인하면 도움이 될 것으로 본다.

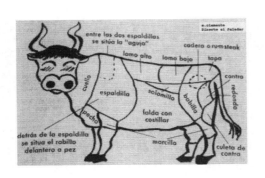

스페인 음식

지중해의 풍부한 해산물, 올리브유, 감자, 토마토, 콩, 각종 육류와 치즈, 햄, 등 다양한 음식 재료를 사용하고 메뉴도 다양하며(주요 아래), 주류로는 셰리주, 와인, 맥주를 선호한다.

Paella 해물 볶음밥 비슷; 치킨을 넣기도; 쌀, 야채, ...

Cocido Madrileno 병아리콩chickpea-based stew, 겨울 위주 음식; 돼지고기 belly, 감자, 당근, 배추, 양파, 치킨, Chorizo, ...

Fabada Asturias Asturias stew; lacon, bacon, morcilla, chorizo, 올리브유 등

Rabo de toro 투우소 꼬리로 만든 꼬리찜; 대개 투우소 꼬리가 아닌 일반 소 꼬리로 만듬

Callos 소 내장, 병아리콩, 순대, 피망, 쏘시지(chorizo). 소내장을 삶아서 잘게 썰어 돼지고기, 콩, 피망과 함께 요리하기도 하고 치즈를 추가하기도
바로 위의 4가지 요리는 stew 이다. 스페인 요리에는 끓이는 게 아니라 88° C 이하 낮은 불에서 서서히 익힌다.

Jamon Serrano 돼지고기를 소금에 절여 오랜 기간 햇볕에 말려 얇게 썰어 먹는다.

Gazpacho y Salmorejo 시원한 야채 수프

Tortilla de patatas 감자 빈대떡

Pulpo a la gallega 찐 문어 & 올리브유

Merluza en salsa verde 대구찜, Vasco 지역 음식

Lechazo o Cordero Asado 새끼돼지 구이

Gambas a ajillo 새우에 찧은 마늘 발라 구운 것

Calamares a la roma 오징어 튀김

Croquetas 크로켓

Lentejas con chorizo 소시지 넣은 된장국 비슷

Pisto manchego 토마토, 피망, 양파, 가지 등을 잘게 썰어 stew를 만들어 빵, 달걀 후라이 등과 함께 스낵 혹은 조식으로 먹는다.

Albodigas 고기, 각종 야채를 잘게 썰어 반죽을 만들어 작은 밋볼을 둥글게 만들어 튀기고 양파, 마늘, 육수 등으로 국물을 얹어 만든다.

Tapas 맥주, 포두주 등 술안주 혹은 스낵용으로 치즈, 토마토, 빵, 올리브, jamon serrano 등 다양한 재료로 만드는 간이 요리

멕시코 음식

El Mole 멕시컨 소스; 과일, 호두, 고추, 향신료, 아몬드, 땅콩, 포도, 마늘, 양파, 깨 등; 색상은 검정색, 빨강, 노랑, 브라운색, 연한 푸른색 등

El Pozole 옥수수.돼지고기(치킨) 수프 혹은 stew; 옥수수(hominy), 고기, 상치, 배추, 고추, 양파, 무, 마늘 아보카도, 살사, 라임 등

Chiles en Nogada 고추(poblano chile/ancho) 를 반으로 갈라 picadillo(다진 고기에 소스)를 넣고 그 위에 nogada라 불리는 호두 크림 소스를 바르고 그 위에 석류조각, parsely를 얹는다.

Barbacoa. 소고기, 염소고기, 양고기를 낮은 불에 천천히 찐 요리

Carnitas. made by braising or simmering pork in oil or preferably lard until tender. The process takes three to four hours, and the result is very tender and juicy meat with chopped cilantro (coriander leaves), diced onion, salsa, guacamole, tortillas, and refried beans (frijoles refritos)

Pescado a la Veracruzana 붉은 도미를 내장과 비늘을 제거해서 lime juice, salt, pepper, nutmeg and garlic과 함께 절인다. 생선 위에 양파, 마늘, 토마토,, 올리브, 허브, jalapeños로 만든 소스를 바르고 부드러워질 때 까지 굽는다. 소스에 capers, 건포도를 추가해도 좋다.

Pescado al al talla 생선을 나비 모양으로 반으로 쪼개어 열고 고추, 넓은 고추(ancho) 또는 여타 소스를 바른후 숯불에 천천히 굽는다.

Tlayudas 멕시컨 스타일 피자 얇게 바삭하게 구운 옥수수 빈대떡 위에 상치, 배추, 아보카도, 쇠고기 혹은 돼지고기, 치즈, 살사 등을 얹는다.

Burrito 밀가루 빈대떡 표피 속에 콩, 치즈, 달걀, 소스, 고기, 야채 등;

일반적으로 손으로 들고 먹음.

Enchiladas 옥수수 빈대떡 표피 속에 여러가지 채워 넣음; 나이프&
포크 사용

Chimichanga 많이 튀긴 burrito

Tacos 옥수수 반죽으로 튀긴 표피 안에 여러 가지 채워 넣음; 일반적
으로 손으로 들고 먹음

Caldo de res 갈비탕: 쇠고기 갈비, 옥수수, 당근, 배추, 감자 등

Cochinita Pibil 천천히 익히는 유카탄 지역에서 유래된 돼지고기 요
리. achipote 가루 반죽으로 맛을 내고 바나나 잎으로 싸서 익힌다. 보
통 옥수수 빈대떡과 자주색 양파와 함께 먹는다.

페루 음식

Ceviche 생선 발효 음식

Lomo Saltado. ... 쇠고기 등심을 움푹 깊이 패인 팬에 넣고 높은 온
도에서 기름에서 튀겨 구운 요리
Lomo is "bife ancho" in Argentina and is the Spanish equivalent of
New York strip steak; 쇠고기, 돼지고기 부위별 명칭은 '개관'의 그
림 참조

Ají de Gallina 자주색 양파, 마늘, 노란 고추를 볶고 치킨과 육수를 붓고 우유에 적셔 증발시킨 빵, 치즈, 호두 등을 넣어 끓는 온도 미만에서 찐다.

Causa Limeña. ... 3단의 원통형 모양으로 보이는데, 상, 하단은 으깬 노란색 감자이고 가운데는 치킨 혹은 참치를 마요네즈, 잘게 썬 아보카도, 야채 등으로 채운다. Causa Limeña 혹은 Causa라고 부르는데 명칭은 케쵸아어 Kawsaw에서 왔다는 설, 페루 독립 전쟁당시 스페인에 대항하는 대의(causa)에서 유래했다는 설, 페루-칠레 전쟁때 페루 여성들이 자국 군인을 위해 이 음식을 제공한데서 유래했다는 설이 있다. 메인 메뉴 시작 이전에 애피타이즈로 먹는 cold 음식이다.

Pachamanca 페루의 안데스 인디언 요리 방식인데 우리나라 시골에서는 50여년전에만 해도 이 방식으로 감자, 고구마, 콩을 구워 먹었다. 땅 바닥에 돌로 화덕을 만들고 그 위에 길고 얇은 돌을 놓는다. 그 돌 위에 고기를 놓은 후 그 위에 나뭇가지, 풀 혹은 좀 더 작은 돌들을 놓는다. 그 위에 옥수수, 감자. 강낭콩을 놓고 풀 또는 나뭇가지로 덮은 후 진흙, 흙으로 덮는다. 화덕 밑에서 열을 가해서 돌과 나뭇가지, 풀 사이에 놓인 고기, 감자, 옥수수 등이 밑에서 올라오는 열에 의해 익도록 하는 요리 방식이다.

Arroz con Pollo 치킨과 쌀, 양파, 샤프란, 여타 곡물이나 야채를 넣고 비등점 이하에서 서서히 찐 stew 요리이다. 스페인 paella와 동일한 요리 방식

Tallarines a la Huancaína. 파스타

Aguadito 치킨.쌀 죽; 아보카도 오일(올라브 오일), cilantro, chile peppers, onions, garlic and lime juice

콜롬비아 음식

Bandeja Paisa 흰밥, 붉은 콩, 갈은 고기, 바나나, 쏘시지(Chorizo), 옥수수, 돼지고기 chicharrón de cerdo(돼지 삽겹살, 비게 튀김), 달걀후라이, 옥수수 빵(Arepa), 아보카도 등과 함께 먹는다.

Lechona 양파, 콩, 감자, 허브, 각종 spices를 채워 넣은 통돼지구이 요리

Ajiaco three different kinds of potatoes (criolla, sabanera and pastusa), chicken, guasca leaves, with a half an ear of corn splashed in for good measure 등으로 만드는 콜롬비아 수프

Sancocho 콜롬비아 안티오키아 지역 치킨수프; 치킨, 감자, 유까, 옥수수, 바나나(plantains)으로 만든 수프

Changua 달걀.우유 수프

Arepas 옥수수 빵

Fritanga a set of fried foods such as morcilla (blood sausage), chorizo (sausage), chicharrón (pork belly), longaniza, chunchullo, maduros (plantains), papa criolla (small yellow potatoes), and arepas

Hormigas Culonas 콜롬비아 산딴데르 지역의 big-bottomed ants 개미요리. 정력에 좋은 것으로 알려져 있고 결혼 선물로도 사용된다.

Tamales 옥수수(nixtamalized corn) 반죽으로 만든 표피 속에 고기, 과일, 야채, 치즈, 고추를 넣고 옥수수 줄기 또는 바나나 잎으로 싸서 증기로 찐다.

Rondón spicy and sweet fish stew; made from fish, snail, pork tail, yam, yucca, banana, breadfruit and coconut milk

Pandebono bread made of cassava starch, cheese, eggs, and in some regions of the country, guava jam. Traditionally, it is consumed with hot chocolate, still warm a few minutes after baking

Mamona 콜롬비아 the Los Llanos, Meta 지역 음식, 대개 송아지 고기, 감자, 바나나(plantain), 유까, 매운 소스 등과 함께 먹는다.

Arroz de lisa 대서양 연안 Barranquilla 음식. made of fish (often mullet), coconut rice, onions, aji, vegetables and is often served in a leaf with avocado and chives

Cuchuco 원래 Boyacá 지역 인디언 수프 made of pork, corn, barley, mashed beans, peas, carrots, potatoes, cilantro, and garlic.

Caldo de costilla 갈비탕. 소갈비뼈, 옥수수, 당근, 감자, 양파 등

Oblea 스페인, 중남미의 wafer desert; 설탕과 우유를 섞어 천천히 가열해서 만드는 leche de dulce 를 속에 넣어 동그란 모양인데, 얇고 납작하게 굽는다. 잼, 치즈, 과일, whipped cream를 넣기도 한다.

Empanadas 송편같은 모양의 옥수수, 밀가루 반죽 껍질 속에 고기, 치킨, 야채, 토마토 등을 잘게 잘라 으깨서 넣고 튀긴 것으로 스페인, 폴투갈, 시칠리, 거의 모든 중남미, 그리고 인니, 말레이시아, 필리핀 등에도 있다.

Sudado de Pollo 수분이 약간있는 닭볶음; 식물성 기름, 마늘, 토마토, 양파, 감자, 치킨육수, 치킨

Cazuela de mariscos 해산물 수프

Pan de yuca 유까 빵

베네수엘라 음식

Tequeños 속에 치즈를 넣은 breadstick인데 기름에 튀기거나 오븐에 구워 만든다.

Hallacas looks similar as tamal, though different in flavour, texture, ingredients and cultural significance. It consists of corn dough stuffed with a stew of beef, pork, or chicken and other ingredients such as raisins, capers, and olives, fresh onion rings, red and green bell pepper slices. There are vegetarian hallacas, made with black beans or tofu. Hallacas are folded in plantain(바나나 비슷) leaves, tied with strings, and boiled.

Cachapas 옥수수 가루로 만든 팬케이크 안에 치즈, 돼지 비게 튀김 등을 넣은 것으로 노상에서 많이 판매 ; 콜롬비아에서는 arepas de choclo (corn arepas), arepas de maiz jojoto or tierno (soft corn)라 부르고, 코스타리카에서는 chorreadas (squirts)라고 부르며, Gallo Pinto 접시에도 포함된다.

Reina pepiada 치킨, 아보카도, lime, cilandro 등을 넣어 만드는 옥수수 빵(다른 나라 Arepa와 동일한데, 속에 집어 넣은 게 다르다)
The "Reina Pepiada", one of the most popular arepas, was christened in honor to Susana Duijm, who was crowned Miss World in 1955 - the first Venezuelan to win an International beauty contest. The owners of a local arepera, the Alvarez

brothers, interpreted a popular sentiment that she was a real "Curvy Queen". As a curiosity, 28 years later, her daughter, Carolina Cerruti, would also be crowned Miss World in 1983.

Pabellón criollo 코스타리카 Gallo Pinto, 콜롬비아 Bandeja Paisa와 유사

Pan de Jamón a savory rolled bread especially during the December holiday season in Caracas. Originated in 1905 in Caracas at Gustavo Ramella's Bakery.

Empanada venezolana 옥수수가루, 갈은 고기, 치킨, 참치, 검은콩 (caraotas) 혹은 정어리(sardina)

Asado negro dark beef roast; 부드러운 쇠고기에 panela(설탕 이전 단계 원당) 소스를 발라 찐다. 까라까스 음식

Quesillo venezolano Crème caramel, flan, caramel pudding or caramel custard

Patacones twice-fried plantain slices (일종의 바나나 슬라이스 튀긴 거)

코스타리카 음식

Gallo Pinto 이 음식은 콜롬비아 Bandeja Paisa, 베네수엘라 Pabellon Criollo와 요리 방식이 동일 하고 좋아하는 층이 많아 3국에서 모두 국민 음식으로 부를 만하다.

Casado 스페인어로 "결혼한 남자"라는 의미의 코스타리카 음식; 밥, 검은콩, 바나나, 샐러드, 빈대떡 및 닭고기, 쇠고기 또는 돼지고기, 혹은 생선을 한 접시에 담은 요리

Arroz con pollo Paella와 비슷. 페루에도 동일한 음식

Olla de carne 쇠고기 갈비, 감자, 옥수수, 당근, 마늘, 피망, cilandro, 샐러리 줄기, 유까 등을 넣어서 조리하는 Stew

Tamales 콜롬비아와 동일함

Chifrijorice Costa Rican pork & bean bowl; 맨 아래에 밥, 그 다음에 붉은 강낭콩(kidney beans) pico de gallo(토마토, 양파, 고추, 살사소소), 그 위에 chicharrones(돼지삼결살, 비곗부위 튀긴 것:fried pork belly or rinds)에 놓는다

Pejibaye peach palm fruit 크림, 수프 등 음식 재료로 쓰인다.

칠레 음식

Cazuela 고기와 야채로 만드는 국물이 약간있는 요리 (stew)

Charquican 잉카 시대에 페루, 볼리비아의 안데스 산맥에서 말린 육포를 의미. 그러나 칠레에서는 말린 육포 또는 소고기, 감자, 호박, 흰옥수수, 양파, 콩, 옥수수 등을 넣어 만든 stew 음식이다. 아르헨티나에서는 쌀을 넣어 만드는데 Charquisillo라고 부른다.

Caldillo de congrio 바다생선(congrio Dorado(pink cusk-eel) or Colorado(red cusk-eel), 양파, 마늘, 당근 등을 넣어 끓인 생선국

Curanto 멕시코의 la barbacoa, 아르헨티나 북서부의 la cabeza guateada, 안데스고원평야의 la huatia, 페루의 pachamanca 등이 모두 몇천년 혹은 일만년 이전부터 내려오는 인디언들의 고기, 감자, 생선 등 요리 방식이다.

Carbonada Chilean beef soup

Empanadas 콜롬비아와 동일

Ceviche 페루와 동일

Choripan 소고기, 돼지고기로 만든 쏘시지에 소스를 발라 빵을 나비 모양으로 반으로 잘라 그 사이에 끼워 먹는다. 쏘시지도 마찬가지

로.(아르헨과 동일)

Humitas steamed fresh corn cakes made from a mixture of freshly ground corn, onion, garlic, cheese, eggs, and cream

Mote con huesillos 칠레의 전통 음료; 말린 복숭아, 복숭아 쥬스 끓여서 껍질 벗긴 밀을 원료로 만든다.

Sopaipilla, sopapilla, sopaipa, or cachanga a kind of fried pastry and a type of quick bread soaked in oil

Pastel de Chocolo 옥수수(sweetcorn or choclo)로 만든 빵, 멕시코의 pastel de elote, 영국의 corn pudding과 비슷하다. ground beef, chicken, raisins, black olives, onions, or slices of hard boiled egg. 등으로 속을 채우기도 한다.

아르헨티나 음식

Asado 장작불에 구운 소고기, 돼지고기, 치킨, 소시지 또는 순대, 남미에서는 eoiro 샐러드, 와인과 함께 먹는다.

Chimichurri chopped parsley and/or cilantro, garlic, olive oil, and spices

Berenjenas en escabeche 가지피클 Pickled eggplants

Carbonada criolla Chilean beef soup과 동일함

Chinchulín, choncholí, chunchullo, chinchurria, chunchurria, chunchula o chunchules 튀긴 혹은 구운 소 내장

Choripán 소고기, 돼지고기로 만든 쏘시지에 소스를 발라 빵을 나비 모양으로 반으로 잘라 그 사이에 끼워 먹는다. 쏘시지도 마찬가지로 자르기도 한다.

Alfajores de maicena 아르헨티나 쿠키

Empanadas : 콜롬비아와 동일

브라질 음식

Feijoada 쇠고기 또는 돼지고기와 강낭콩으로 만든 stew; 야채를 추가하기도

Galinhada 닭고기를 넣은 밥 & azafran을 넣고 찜

Pato no Tucupi 오리, tucupi라는 색 소스, 유까를 찜.
Bobo de Camarao Shrimp Chowder ; 새우, 코코아 유유, 유까가루, 생강, 허브 등으로 만드는 해산물 stew

Vatapa 새우, 코코아 우유, 땅콩, 팔마유, 빵 등으로 만드는 shrimp

stew

Empada 엠빠나다(콜롬비아와 동일); 속에 삶은 치킨살

Coxinhas 외관은 튀긴 송편 튀긴 것처럼 보이는데 속에 삶은 닭고기 살, 크림치즈 등

Moqueca de Camarão 해산물 스프/stew; 왕새우, 코코아 기름, 우유, 야채 등을 넣음

Pão de Queijo 치즈 빵, 속에 오징어 등

Pasteles 파스텔; 속에 고기, 새우, 치킨, 크림치즈, 빨미또

Acarajé 검정눈콩 햄버그; 안에 새우, 매운 기름을 넣기도

Farofa meal made from toasted yuca and usually added salt, smoked meat, and spices.

Pincho de gambas 훈제 새우꼬치 구이

Misto Quente hot ham and cheese sandwich

Mandioca Frita fried yuca

Crepe de tapioca gluten-free, made from tapioca flour(유까뿌리 녹말), water, and salt that is served either for breakfast or as a snack

Joelho

브라질 후식

Brigadeiro a scrumptious bite-size (or two) chocolate sweet

Canjica elicious porridge is made with whole maize kernels (canjica) cooked with milk, sugar and cinnamon. Other ingredients like peanuts and sweetened condensed milk are sometimes added to enhance the flavour.

Açaí Acai berry is an inch-long, reddish-purple fruit. Aacai fruit pulp is even richer in antioxidants than cranberries, raspberries, blackberries, strawberries, or blueberries

Romeo y Julieta 구아야바, 흰치즈

Beijinho de Coco the coconut version of the Brazilian brigadeiro; originally called "Nun's kiss" and formerly made with almonds, water and sugar.

Paçoca 깡밥 비슷함. 커피와 함께

Quindim 코코아 플란 (Flan de coco) 비슷함

라틴 맥주

Corona 벨기에 회사가 멕시코에서 생산하는 맥주
Brahma 1888년 설립한 브라질 맥주
Quilmes 1890년 설립한 브라질 맥주
Aguila 1913년 설립한 콜롬비아 맥주
Presidente 도미니카의 Pilsner사 맥주
Cusqueña 1908년 설립한 페루 맥주
Medalla 푸에르토리코 맥주
Toña 니카라과 맥주
Balboa 1910년 설립한 파나마 맥주
Polar 1911년 하바나에서 설립했으나, 1941년이래 카라까스에서 맥
주 생산

라틴 럼주

컬럼버스가 신대륙을 발견한 이후 유럽 사람들은 이전에는 맛보지 못
한 사탕수수에서 추출해서 만든 설탕과 럼주라는 큰 선물을 얻게 되
었다. 컬럼버스가 신대륙을 발견하고도 별다른 영화를 누리지 못하
고 세상을 떠났지만 그의 사후 뒤이은 탐험가와 자본가, 상인들은 상

당히 괜찮은 수익을 기대할 수 있었다. 사탕수수 재배와 설탕 생산, 럼 주 생산에 뛰어든 나라는 영국, 화란, 폴투갈 등이었고, 1800년대 초 이래 신대륙의 독립 신생 독립국들도 사탕수수를 기반으로 한 경제 활동을 이어갔다. 사탕수수 재배와 설탕 생산은 카리브 도서국가 또 는 연안 국가에서 성행했는데 여기에는 아프리카에서 노예로 끌려와 어렵게 삶을 살아간 사람들 혹은 인디언들, 메스티조, 뮬라토의 눈물 과 한 많은 세월이 담겨져 있다.

Flor de Caña 7 Años Gran Reserva, Nicaragua
- With more than 125 years of history,

El Dorado 15 Años, Guyana
- The El Dorado distillery has won many awards since it was founded in 1992,

Santa Teresa 1796, Venezuela
- solera process; the liquid is passed through a stack of casks over time, with younger rum added to older rum in the cask below.

Zacapa 23 Solera, Guatemala
- solera process

Viejo de Caldas 8 Años, Colombia
- This distillery was set up by a Cuban in 1926. The 8 Años is weaker than most at 35%,

Santiago de Cuba Añejo, Cuba
- While Havana Club might be the biggest name in Cuban rums, Santiago de Cuba is the aficionados choice.

Abuelo 12 Años, Panama

- This 12 year rum is aged in American white oak barrels and boasts a good vanilla flavour as a result. Tasting notes include dried tobacco and orange as well as coffee and banana.

라틴아메리카 음료,주류

Pisco Sour (Perú) 발효한 포도즙을 증류한 후 리몬 쥬스로 칵테일한 술

Tequila(México) Blue Weber Agave라는 선인장을 증류한 술; Mezcal 일종

Mezcal (México) Agave을 증류한 술

El Pulque (México) 선인장 발효주 fermented sap of the maguey (agave)

Mojito (Cuba)

Mamajuana (República Dominicana)

Aguardiente/Guaro (Colombia)

Masato (Colombia, Peru y Venezuela)

Canelazo (Ecuador)

Ron Blanco/guarapita (Venezuela)

Singani (Bolivia)

Pisco Sour from Peru & Chile

Caipirinha from Brazil

Malbec Wine from Argentina

Fernet & Coke from Argentina
Aguardiente from Colombia
Coffee from Colombia
Yerba Mate from Argentina & Uruguay
Coca Tea from Peru & Bolivia

아랍, 중동 음식

중동 음식은 아라비아 반도 음식(Arab Cuisine), 지중해 동부의 음식 (Crescent cuisine) 그리고 코카서스 남부 지역 음식과 여타 쿠르드, 튀르기예, 이란 등의 음식을 포괄하는 개념이다. 3개 지역의 각 나라 들의 음식이 많이 다르기는 하나 상호 영향을 주면서 유사한 음식들 도 많다.

Crescent cuisine
Lebanese, Cypriot, Israeli, Mesopotamian, Assyrian, Egyptian, Palestinian, Syrian cuisine

Arab cuisine
Bahraini, Emirati, Jordanian, Kuwaiti, Omani,
Qatari, Saudi Arabian,
Yemeni cuisine

Southern Caucasian
Armenian, Azerbaijani, Georgian, Ossetian cuisine

Rest

Kurdish, Iranian, Turkish cuisine

중동 특정 국가의 음식을 맛보기 위해서는 해당 국가들을 일일이 다 여행해보는 것이 좋겠지만, 200개 인종이 거주하는 코스모폴리탄 도시 두바이를 방문하면 쇼핑몰 식당가 혹은 개별 식당에서 중동 각국의 음식을 쉽게 찾아 볼 수 있을 것이다.

중동 음식을 일일이 다 설명하는 것은 이 지역 요리 전문가들의 몫이고 여기서는 일반적으로 여행, 관광때 요긴한 간단한 정보 정도만 적는다.

중동 요리 재료로는 곡물로는 밀, 쌀을 많이 사용하고 보리, 지역에 따라 옥수수도 사용한다. 육류로는 돼지고기를 제외한 양, 염소, 치킨, 쇠고기; 그리고 spice, bulgar, 빵, 요구르트, 참깨, 달걀, 마늘, 레몬, 오이, chikpeas, parsey, mint, 양파, 토마토, 포도잎, 허브, 상치 등으로 동아시아, 유럽 보다 오히려 다양한 재료를 사용한다. 그리고 요리 방식도 다양하다.

Appitizer 혹은 side dish

Hummus : chikpeas, tahini, 레몬 쥬스, 마늘
Falafel : 가장 인기, chikpeas, onion, spice로 만든다.

Tabouleh : salad made with cracked wheat (also known as bulgur wheat), mint, parsley, and vegetables. It's served both as an appetizer or just a great light and healthy lunch

Labaneh : Greek 요구르트

Baba ghanoush :가지+ 깨, 올리브 오일, 레몬 쥬스, 마늘, 소금 등

Meze/mezze ; a selection of small dish

sumac a tangy spice that's a staple of Middle Eastern and Mediterranean cuisines. This fragrant spice is used to brighten up dry rubs, spice blends like za'atar, and dressings. Sumac is also commonly used as a garnish, to add a pop of bold color or slight acidity to a dish before serving.

Za'atar a culinary herb or family of herbs. It is also the name of a spice mixture that includes the herb along with toasted sesame seeds, dried sumac, often salt, as well as other spices.

Tzatziki 소금 간이 든 요구르트

Makeesh a Middle-eastern flatbread typically eaten for breakfast. Delicious and crispy homemade dough is topped with a za'atar topping or a blend of cheeses for two different variety of Manakeesh.

Foul meddamas (Arabic: فـــول مــدمـــس, fūl mudammas) is a stew of cooked fava beans served with olive oil, cumin, and optionally with chopped parsley, garlic, onion, lemon juice, chili pepper, and other vegetable, herb, and spice ingredientsIt is notably a staple food in Egypt.

Moutabal & Baba Ghanoush

Begin with roasting eggplants until the skin is completely charred. The skin is then peeled off, while the pulpy flesh with its smoky flavour forms the base of the dish. If you add tahini, yogurt, mashed garlic, lemon juice, and salt, you get Mutabel. For Baba Ganoush, add chopped tomatoes, onion, mint, lots of extra virgin olive oil, and garnish with chopped parsley. Pomegranate seeds are also used as a garnish for both dishes.

Baba Ganoush is a purely vegan, gluten-free. Moutabel is a richer, creamier dip, with a texture somewhere in between a hummus and a Baba Ganoush.

Fattoush 샐러드 is a Levantine salad made from toasted or fried pieces of khubz combined with mixed greens and other vegetables, such as radishes and tomatoes. Fattoush is popular among all communities in the Levant.

Grilled halloumi 치즈 Halloumi or haloumi is a traditional Cypriot cheese made from a mixture of goat's and sheep's milk, and sometimes also cow's milk.

Umm Ali a traditional Egyptian bread pudding, layered with puff pastry, milk, and cream, and sprinkled with lots of nuts, raisins and coconut.

Shawarma originated in the Ottoman Empire, consisting of meat cut into thin slices, stacked in a cone-like shape, and roasted on a slowly-turning vertical rotisserie or spit. Traditionally made with lamb or mutton, it may also be made with chicken, turkey, beef, or veal.

Dolma stuffed dishes associated with Greek, Armenian and Ottoman cuisine. Some types of dolma are made with whole vegetables, fruit, offal or seafood, while others are made by wrapping grape, cabbage, or other leaves around the filling. made with rice, ground beef, fresh herbs, and wonderful spices. Wrapped dolma are known as sarma. Serve them warm as the main course with a side of Tzatziki (or plain yogurt) and Greek salad or tabouli! Or as a next to Greek lamb; grilled lamb chops; roast chicken; or Souvlaki

Baklava a layered pastry dessert made of filo pastry, filled with chopped nuts, and sweetened with syrup or honey. It is a common dessert of Turkish, Iranian and Arab cuisines, and other countries of the Levant and Maghreb, along with the South Caucasus, Balkans, and Central Asia.

밥 & 고기 (아래 4가지는 유사함)

Kabsa/ Majbus Kabsa is a family of mixed rice dishes that originates from Saudi Arabia and is similar dish like **Biriyani** but traditionally does not use garam masala nor yogurt during the cooking process.

Mandi originated from Yemen and popular in Egypt, India, the Levant and Turkey. Made from rice, meat (lamb, camel, goat or chicken), and a mixture of spices called hawaij. The meat is cooked in the **taboon.**

Mujaddara, mujadarah, majadra, mejadra, moujadara, mudardara, and megadarra, cooked lentils together with groats, generally rice, and garnished with sautéed onions. with or without meat

Biryani a mixed rice dish originating among the Muslims of the Indian subcontinent. Made with Indian spices, rice, and usually some type of meat (chicken, beef, goat, lamb, prawn, fish) or in some cases without any meat, and sometimes, in addition, eggs and potatoes.
Similar dishes are also prepared in other parts of the world such as in Iraq, Thailand, and Malaysia.

* Garam masala & Curry powder

- Garam masala can be made from many different spices, but some of the most common are cinnamon, peppercorns, cardamom, mustard seeds, coriander seeds, cloves, mace, and nutmeg.

- Curry powder contains turmeric, while garam masala does not. This is why curry powder is often yellow-orange in color versus garam masala's reddish-brown hue.

13. 세계의 제국들

독자들은 여행에 관한 책자에 왜 '세계적인 제국들'이라는 챕터를 뒀는지에 관해 의아할 수도 있을 것이다. 세계적인 제국들은 현재의 국가일 수도 있고 과거의 국가일 수도 있지만 여기에서는 주로 과거의 제국 위주로 기술한다. 세계적인 제국은 한때는 번성하고 주변 지역에 어떤 형태든 큰 영향을 미친 나라들이다. 그래서 세계적인 제국들에 관심을 가진다면 이들 나라 또는 주변 지역으로 여행할 때에는 역사, 관습, 제도, 체제, 문화 등에 보다 많은 이해와 흥미를 갖게 될 것이기 때문이다.

세계 3대, 5대, 10대 제국은 어디일까? 많은 사람들이 이런 질문에 궁금해 한다. 이 답에 들어갈 제국들의 후보는 어느 정도 짐작할 수 있지만 무슨 근거로 평가하느냐에 따라 답은 달라질 것이다. 영토 면적, 인구수, 직접 지배는 아닐지라도 영향력의 정도를 포함할지 여부, 무역 규모에 따른 평가, 체제유지 혹은 지배의 년수, 왕 또는 황제가 반드시 존재하여야 하는지 여부 등에 따라 달라질 것이다.

영토 면적 기준

Empire	Maximum land area			
	Million k m^2	Million sq mi	% of w orld	Year
British Empire [a]	35.5[9]	13.71	26.35%	1920[9]
Mongol Empire [b]	24.0[9] [10]	9.27	17.81%	1270[10] or 1309 [9]
Russian Empire [c]	22.8[9] [10]	8.80	16.92%	1895[9] [10]
Qing dynasty [d]	14.7[9] [10]	5.68	10.91%	1790[9] [10]
Spanish Empire	13.7[9]	5.29	10.17%	1810[9]
Second French colonial empire	11.5[9]	4.44	8.53%	1920[9]
Abbasid Caliphate	11.1[9]	4.29	8.24%	750[9]
Umayyad Caliphate	11.1[9]	4.29	8.24%	720[9]
Yuan dynasty	11.0[9]	4.25	8.16%	1310[9]
Xiongnu Empire	9.0[10] [11]	3.47	6.68%	176 BC[10] [11]
Empire of Brazil [e]	8.337[12]	3.22	6.19%	1889[12]

인구기준

Empire	Empire population as percentage of world population[39]	Year [39]
Qing dynasty	37	1800
Northern Song Dynasty	33	1100
Western Han dynasty	32	1
Mongol Empire	31	1290
Roman Empire	30	150
Jin dynasty (266–420)	28	280
Ming dynasty	28	1600
Mughal Empire	24	1700
Qin dynasty	24	220 B C
British Empire	23	1938
Delhi Sultanate	23	1350
Tang dynasty	23	900
Empire of Japan	20	1943

그 기준이 어떻든 제국은 일반적으로 영토가 넓고 막강한 군사력을
지니며 여러 민족을 통치하고 주변으로도 영향력을 미칠 수 있는 크
고 강한 나라이다.

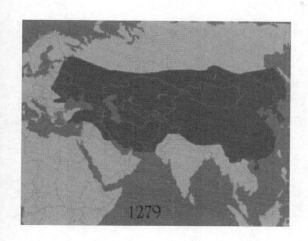

우리가 제국들을 돌아봐야 하는 이유는 제국은 주변의 수많은 나라들
과 그 시민들에게 까지 막대한 영향, 즉 혜택과 고통을 주기 때문이다.
그 영향은 주권, 통치체제, 무역, 종교, 언어, 문화와 예술, 여행 등 전
반에 이른다. 보통 국가들이 제국의 탄생과 흥망성쇠에 영향을 주는
것은 사실상 불가능하다. 그러나 보통 국가들로서는 현재의 제국, 미
래에 나타날 제국들이 근력을 휘두를 때 자국의 생존과 번영, 시민의
자유와 권리를 확보하는 것이 무엇보다도 중요한 일이기 때문이다.

제국들중 몽골 제국은 정복 전쟁 때는 무자비했지만 동서교류와 무역
을 촉진해서 상인들, 여행객들의 신변안전, 숙식 편의 등에 매우 호의
적이었다. 반면 오스만제국이 1452년 콘스타티노플을 점령은 유럽

역사, 세계 역사에 큰 모멘텀을 유발했다. 왜냐하면 그간 수백 년 동안 무역 이익을 누리던 베네치아 공화국의 유럽에 대한 향신료 공급이 더 이상 불가능하게 했다. 그 결과 베네치아 공화국의 운명에 재앙과 같은 것이 되었다. 오스만제국의 횡포 앞에 유럽 국가들은 인도, 중국으로 가는 새로운 항로를 개척하러 나서지 않을 수 없었다.

새로운 무역 루트를 찾고 무역거점과 원료공급지를 확보하기 위해서는 이전처럼 이탈리아의 도시국가 상인 수준으로는 불가능하고 스페인, 폴투갈 절대 왕정의 지원을 받거나 화란처럼 이전에 보지 못한 주식회사를 설립하여 자본을 확보하는 방안이 강구되었다. 이전까지 베네치아 공화국에서 동아시아와의 무역에 종사하던 이탈리아 상인들이나 탐험가들은 마드리드, 리스본, 바르셀로나, 세비야 등으로 거처를 옮겨 스페인 제국이나 폴투갈 왕실의 지원을 받아 아메리카 대륙 혹은 동아시아로 가는 항로와 비즈니스 대상을 찾아 나서야 했다.

유럽 각국간 경쟁 결과, 동아시아 무역에서는 화란과 영국이, 아메리카 대륙에서는 스페인과 폴투갈이 상대적으로 유리한 입지를 차지했다. 화란과 프랑스, 영국들은 북미, 카리브 등에서 모피 획득, 노예 노동을 착취하는 사탕수수 재배 등을 통하여 부를 올렸다.

그리고 오스만제국의 계속된 동유럽, 지중해 진출로 유럽의 기독교 국가들은 이슬람 세력 저지를 위해서는 연합으로든, 스페인 제국과 같은 절대 왕정을 구축하든 방안을 찾아야 했다.

제국들은 영토, 인구면에서 압도적이다. 군사력 혹은 군사기술, 산업

과학기술, 무역규모 면에서도 그랬다. 영토와 인구를 갑자기 확대하는 것은 불가능하다. 그러나, 군사력, 군사기술, 산업과학기술, 무역규모를 확대하는 것도 어렵긴 하지만 불가능한 것은 아니다. 그리고 국제무대에서 활동의 분야, 영역, 공간을 확장함으로써 국력을 신장할 수 있을 것이다. 그런 면에서 산업, 과학기술, 외교, 대외관계 제고 노력은 언제나 중요하다. 영국, 프랑스, 폴투갈은 인구, 영토가 엄청 큰 나라는 아니다. 우리가 이들의 제국주의 정책을 본받자는 것은 아니지만 우리 국력 신장의 가능성과 잠재력을 구상하는 데에는 도움이 될 것이다. 여기에서는 소개되지도 않았지만 화란 같은 경우 수세기 동안 상업, 무역 면에서는 세계적인 대국이었다.

일반적으로 황제, 짜르, 술탄이 통치하는 큰 나라를 제국이라 하지만 현대적 의미로 국제권력정치의 큰 손의 의미로 제국을 의미한다면 미국을 빼놓을 수 없다. 미국은 로마 제국 최전성기 때의 영토를 보유하고 전 세계 각 분야에서 영향력을 미치고 있다. 그리고 주변부와 세계 역사에 영향을 미친 제국으로 헬레니스틱 제국(알렉산더 및 그의 장군들이 통치한 왕국들: 아래 지도), 로마 제국도 제외하기 어려울 것이다.

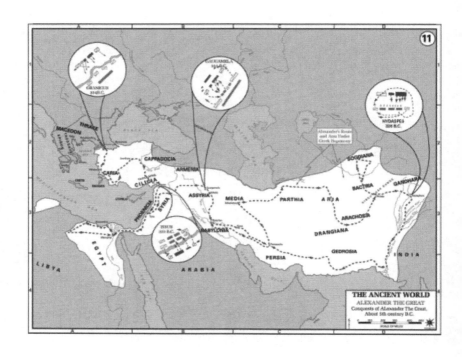

대한제국

조선 왕국의 고종 임금은 대한제국을 선포했지만, 스스로의 주권도 지키지 못하는 쓰러져가는 초췌한 왕국의 임금에 지나지 않았다. 대한민국은 첨단 디지털, IT, 각종 산업.과학기술 최강국으로서 그리고 무역의 큰손으로서 땅덩이와 인구 몸집을 믿고 횡포를 부리는 큰 나라들을 제어하고 국제무대에서 우리 입장을 확장해 나감으로써 우리 주권과 독립을 지키고 국가의 명예를 높일 수 있을 것이다.

페르시아 제국과 "UAE의 적은 이란"

Achaemenid Empire 이라고도 불렸던 페르시아 제국(Persian Empire)은 약 230년간(BC 559-BC330) 유지되었던 왕조로서 전성기에는 발칸, 이집트, 중앙아시아, 인더스 계곡에 이르는 광대한 영토를 지배한 제국이다. 이 제국은 아프리카, 아시아, 유럽을 연결하는 길을 모두 장악하고 있었던 첫 제국이며 처음으로 도로, 건축, 예술 그리고 세계 최초의 우편 업무 등 높은 수준의 문화를 가진 나라였다.

이 제국의 Darius 대왕과 Xerxes 대왕의 명령으로 페르시아 군대가 아테네와 마케도니아, 그리스를 쳐들어 왔다. 그리스 역사가 헤르도투스는 당시 벌어졌던 BC 490년 마라톤 전투, BC 480년의 살라미스 해전 등을 상세히 기술하고 있다. 페르시아의 침략에 대한 보복으로 알렉산더 대왕은 BC330년 페르시아를 원정하여 페르시아 제국의 의식 수도(ceremonial capital) Perspolis/Parsa를 불태웠다. 이곳은 Darius 대왕과 그의 아들 Xerxes 대왕의 유적들이 많은 곳이다.

페르시아 제국이 망한 이후 이전의 영광을 회복하지는 못했으나 상당한 국력 규모와 인구 그리고 지리적으로 전략적 중요성 때문에 늘 주변의 제국 초강대국들과 맞상대하며 오늘에까지 이르렀다. 이란의 적수는 역사적으로 고대 아테네와 그리스 도시국가, 알렉산더 대왕, 우마이아드 칼리파 (Umayyad Caliphate) 압바시드 칼리파(Abbasid Caliphate), 몽골제국(Mongolian Empire, IlKhanate), 티무르제국(Timur Empire) 오스만제국(Ottoman Empire), 러시아제국(Russian Empire), 대영제국, 미국 등 세계 초강대국이었다.

최근 윤 대통령의 "UAE의 적은 이란, 우리의 적은 북한"이라는 발언
이 이란을 크게 자극한 것 같다. 이란 입장에서는 외국 원수가 자국
에 관련하여 발언한 것 자체가 썩 기분이 내키지 않을 일인데 더욱이
이것이 공개되어 자국 이미지를 크게 손상당한 것으로 판단하는 듯하
다.

이란과 UAE는 썩 좋은 관계는 아니지만, 특히 두바이와는 역사적으
로 혹은 무역 면에서 상호 호의적 또는 보완적 감정을 가지고 있어 직
접 대적해서 싸울 정도의 적 관계는 아니다. 정작 이란이 내심 기분
나쁜 것은 페르시아 제국의 후예를 황제국, 술탄국은 고사하고 왕국
도 아닌 쉐이크 국가 UAE와 이란을 비교하는 자체가 기분 나쁠 것이
다. 차라리 이란의 적은 미국이라고 했었더라면 내심 좋아했을 지도
모른다.

그 발언 내용도 내용이지만, 우리가 아크 부대 파병 사실을 이전부터
공개적으로 떠들고 다닐 일이었는지, 대통령의 아크 부대 방문과 발
언을 언론에 공개리에 반드시 할 이유가 있었는지에 관해 좀 더 신중
했어야 했던 게 아닌지 하는 생각이 든다. 당장 이란을 달래는 것도
매우 어려운 과제이지만, UAE 입장도 곤혹스럽고 호르무즈를 통과하
거나 이란을 방문하는 우리 상선과 기업인들의 마음이 편치 않을 것이
다.

대외관계를 다루고 외교를 하는 분들은 상대국과 주변 나라, 이해관
계 등을 늘 관찰하고 분석하고 여러 옵션을 생각하는 과정을 거친 후
에 외교에 임하는 것이 좋을 거 같다. 물론 해당 분야 외교 전문가들

로부터 자문이나 지원을 받는 것이 유용할 것이다. 아래 지도는 페르시아 제국 전성기의 영토이다.

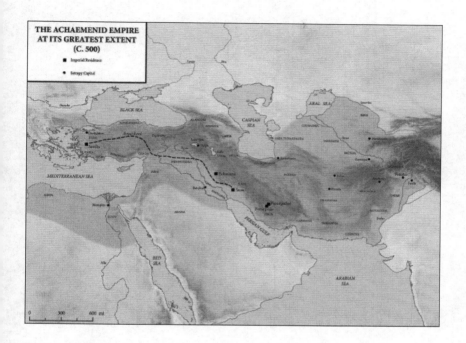

14. 여행길라잡이와 세계 여행기

여행과 길

오늘날은 자동차와 고속도로, 철도와 기차, 선박과 해상 항로, 비행기와 항공로가 잘 발달되어 여행을 편리하고 신속하게 할 수 있게 되었다. 그러나 이러한 여건이 되지 못하는 시대의 여행객들은 험난한 고생은 물론 지금보다는 엄청난 시일이 소요되어도 매우 비효율적이고 자칫 생명을 잃을 위험에 처하기도 했을 것이다.

그러나 오늘날에는 교통편의 효율성 때문에 여유와 휴식, 생각의 기회를 갖고 시간을 즐기는 여행 목적이라면 굳이 빨리 가는 것이 현명한 선택은 아니다.

직립원인과 비단길

인간은 직립하는 영장류이어서 인류 역사가 시작하면서 걷고, 많은 사람이 걸으면 길이 생겨났다. 처음에는 고상한 여행 목적이라기 보다는 단순히 식량을 구하거나 물물교환을 하고 등짐이 무거우니 말, 소, 낙타, 코끼리 등을 운반 수단에 활용했다. 동서간에 사업에 관심을 갖게 되고 비단길과 같은 동서간을 연결하는 길로 나타났다.

제국의 도로와 역참

비단길과는 달리 로마제국의 길은 로마가 주변 나라들을 정벌해 나가면서 정복과 통치를 효과적으로 하기 위하여 의도적으로 도로를 만들었다. 진시황의 도로 건설이나 수, 당대의 운하 건설도 마찬가지이다.

로마는 중동, 아프리카 북단의 식민도시들과의 식민도시 통치, 교역을 위하여 지중해 연안의 항구들을 연결하였다. 동아시아에서도 동북아 항구간 그리고 동남아 항구간 교역과 교류가 진척되었다. 알렉산더의 동방 원정도 동서 교류와 접촉을 촉진했다. 제국들은 넓은 영토를 원활히 통치하기 위한 역마, 역참(말을 공출하고 음식과 숙소 제공) 제도의 시행, 교류 촉진을 가져왔다. 다음백과에 따르면 고대 페르시아 제국은 2,757km에 111개, 이집트 맘룩 왕조는 3,000km에 200개, 15세기 후반 프랑스 루이 11세는 2,000km에 72개, 몽골 제국은 대칸 직할령에만 60,000km에 1,400개의 역참을 설치했다 한다.

셀주크투르크, 오스만제국이 동서양의 중간을 장악하면서 몽골 제국, 원대에까지 누리던 동서양의 교역이 어렵게 되었다. 명나라 초기 영락제 때 정화 원정도 비단길이 막힘에 따라 부득이 중국도 해로를 열 필요가 있었던 것으로 보는 견해도 있다. 서양에서도 동쪽으로 가는 육로 혹은 바닷길 여행이 여의치 않게 되자 서쪽으로 가면 인도, 중국에 도달할 것으로 생각하고 새로운 항로를 찾아 나서게 되었다.

장거리 해상항로

스페인, 폴투갈의 장거리 해상항로 개척, 항해술 발달과 튼튼한 선박의 건조, 이후 증기선의 개발로 여행과 무역은 큰 발전을 이룬다. 육로를 통한 운송보다 바다를 통한 대형 선박에 의한 운송이 국제 무역에 매우 편리하고 효과적인 것을 알게 되었다. 육로가 평평한 길이 아니라 험준한 산악과 계곡을 지나야 하는 경우 많은 짐을 운송하는 것은 매우 어려운 일이었다. 장거리 해상 운송 수단이 발달하면서 사람들은 내지를 떠나 항구가 있는 도시가 여러 가지로 편리했다. 해상 항로의 거리를 단축시키기 위해 수에즈운하, 파나마운하의 건설은 해상 운송에 새로운 길을 열었다.

이 시기에 해상 교역 혹은 군사적으로 전략적인 거점 확보와 운영, 뛰어난 항해사와 대형 선박 건조, 그리고 이를 보호하기 위한 군함과 해군기지가 필요하게 되었다. 화란 동인도회사는 17~18세기 약 200년 동안 유럽의 동아시아 무역의 거의 80%를 차지했다. 영국은 산업혁명이후 기술력을 바탕으로 대영제국으로 혜성처럼 나타났다.

항공로

해상 항로에 이어 항공기의 발명과 항공편의 운영은 무역은 물론 여행의 비약적인 발전을 가져왔다. 고속 선박이나 항공기가 나오기 전에는 매우 극소수의 사람들만이 세계여행을 할 수 있었지만 항공편이 일반화되면서 일반 시민 누구나 국제여행이 가능하게 되었다. 각국들은 항공 산업, 비즈니스로부터 수익을 창출하기 위하여 슈퍼 공항과 각종 시설들을 건설하고 여객과 화물 유치에 적극 나서고 있다.

인터넷

인간의 길 개척은 거리를 극복하고 가급적 빠른 기간 내에 대화와 접촉을 가능케 하였는데, 인간과 자연, 문화와 문명의 만남이 여기서 끝나지 않았다. 이 지구촌 어느 구석이든 인터넷만 연결되면 실시간 화상 대화, 회의까지 할 수 있는 시대가 왔다. 인터넷으로 직접 물건을 운반할 수 있는 것은 아니지만 지구촌 어느 곳이든 같은 시간에 직접 대화가 가능하다는 점에서 여행을 위해서도 획기적이다. 전화에 이어 인터넷이 열어준 접촉의 기회에 외국어 유용성은 더더욱 중요해지고 있다. 다른 대륙, 다른 나라 사람들과의 접촉, 대화, 비즈니스는 외국어 구사 능력과 네트워킹 능력에 따라 실시간으로 가능하게 되었다.

외국어 구사가 어려우면 인터넷으로 길이 연결되어도 고립무원의 섬과 다를 바가 없다. 우리나라의 각종 인터넷 지표는 세계 수위를 다툰다. 그러나 다른 대륙과 나라들의 사람들과 접촉하는 비율과 횟수는 전체 인터넷 사용 시간, 횟수와 비교할 때 매우 미미한 것으로 보인다. 우리나라 개개인의 세계화와 인류 문명과 문화의 보편성 이해, 비즈니스 기회 확대, 국력 신장을 위해서는 인터넷이 열어준 기회를 활용할 수 있도록 외국어 습득과 활용 방안을 진지하게 생각해봐야 할 것 같다.

세계여행기 개관

여행에 관심이 많은 독자라면 세계적인 여행기에 관해 조금 생각할 볼 만한다. 오늘날에는 여행 책자, 여행 잡지, 여행 정보가 널려있어 어느 것을 선택해서 보는 게 유익할지가 고민일 것이다. 그러나 항공편이 없던 옛날에는 도보로 혹은 기껏해야 우마차로 또는 언제 물에 빠져 죽을지도 모르는 조그마한 배편으로 여행하는 데다가 언제 산도적이나 해적으로부터 강도나 죽임을 당할지 모르는 상황이었다. 그러다 보니 여행을 계획하는 것조차 쉽지 않을뿐더러 여러 나라 여행을 위한 비용을 감당하기란 일반인으로서는 생각조차 하기 어려울 것이다.

인도로 가는 신항로 개척과 신대륙 탐험은 절대 왕정의 군주가 물심양면 지원하지 않으면 튼튼한 선박과 선원들을 구할 수 없었기 때문에 탐험가들은 정치권력과 결탁하지 않을 수 없었다.

동아시아에서 서역으로의 여행은 주로 불교를 배우고 그로부터 진리를 깨닫으려는 구법승들의 기록을 통해 알 수 있다. 동북아의 구법승들은 불교를 배우러 중앙아시아 육로로 혹은 동남아 해역을 거쳐 인도를 여행하면서 남긴 기록이 오늘날 여행기로 불리고 있다. 동아시아인들의 여행은 중앙아시아, 인도까지이고 로마제국 혹은 프랑스, 스페인 등 유럽의 왕국에까지 간 것이 확인된 바는 없다. 고구려 후예 고선지 장군이 당이 파견한 서역 원정 사령관으로서 오늘날 키르기즈 탈라스 강변에서 전투를 치렀지만 전쟁을 지휘하는 처지라 여행록을 남기기 위하여 한가하게 관찰하고 메모할 입장은 아니었을 것이다.

동아시아에서 서역으로 간 사람들이 왜 서역(인도, 중앙아시아)까지만 가고 서유럽, 동유럽으로 더 여행하지 않았을까? 여러 가지 원인이 있었을 수 있지만 불교를 깨닫고자 하는 것이 주된 목적이었을 뿐 아니라, 산업혁명 이전에는 유럽에 간들 중국에 있는 물건보다 별로 나은 게 없었다고 생각했을 법도 하다. 나침판, 화약, 종이, 인쇄술, 도자기, 비단, 향료 등 때문에 동아시아(중국)가 천하 최상의 나라라는 자부심 때문이었을 수도 있을 것이다. 그러나 로마를 여행했더라면 건축술, 도로, 수도관, 정치 제도 등 배워 올 것이 많았을 것이다.

이와는 반대로 서양에서 동양으로 온 서양인들은 몽골 제국 시기에 동아시아로 많이 여행했다. 그들은 프란체스코 수도회, 예수회 등 종교 집단, 혹은 바티칸 교황, 프랑스 왕이 파견하는 것으로서 기독교 전파 혹은 몽골 제국의 힘을 이용하여 이슬람 세력의 대유럽 팽창 저지에 활용코자 하려는 정치 외교적 혹은 무역 차원에서였다. 그런 의미에서 순전히 개인 여행 차원의 기록 혹은 자연, 일상생활, 관습, 종교, 문화, 언어, 동식물 등에 관한 종합적인 서술은 쉽지 않았을 것이다.

상기와는 별도로, 알렉산더의 동방 원정과 그의 부장 또는 후대 그리스계 장군들이 인도 북부까지 와서 이집트, 시리아, 인도 등까지 와서 왕국을 세워 통치, 지배하였고 징기스칸과 같은 정복 영웅들이 정복 전쟁을 하면서 대륙과 나라들 사이에는 원하든 원하지 않든 접촉, 전쟁, 비즈니스, 교류 등 다양한 형태의 만남이 이뤄졌지만, 여행기를 남기지는 않았던 것 같다.

한편 15세기 말부터 항해의 시대가 시작되면서 신대륙 발견과 신대륙 탐험, 마카오, 중국 등 동아시아로의 진출이 증가하였다. 항해사들의 항해일지, 신대륙 혹은 동아시아로 파견된 예수회 혹은 프란시스코 교단 신부들이 관찰하여 기록한 각종 문헌들, 그리고 화란 동인도회사 직원들의 기록, 벨트브레(박연)와 하멜의 조선 왕국 거주 관련 기록이나 관찰, 조선인들의 바다 표류 경험을 기록한 표해록 등도 우리에게 서로 다른 대륙의 이방인들간 교류와 접촉의 모습을 알 기회를 제공한다.

세계적인 여행기를 남긴 이들의 시대에는 요즘처럼 신용카드가 통용

되는 것도 아니고 현지에서 송금받는 것이 사실상 불가한데 이들이 여행경비를 어떻게 지참했는지, 가는 곳마다 화폐가 다를 텐데 환전은 어떻게 했는지, 그 긴 여행기간 동안 숙식은 어떻게 했는지, 웬만큼 권력, 재력, 재주, 유명세가 없는 한 일개 여행객이 초라한 행색으로는 방문지의 왕이나 저명 인사를 쉽게 만나기 어려울 텐데 어떻게 만났는지 등이 의문이다. 물론 교황이나 왕의 명령으로 여행할 때로는 해당하는 문서를 소지하고 수행원이나 현지 안내인을 구해 갈 터이니 면담이 어렵지는 않을 것이다. 그렇지 않은 일반인이 방문지의 왕이나 유력 인사를 만나는 것은 그 가능성이 별로 크지 않다. 여행을 떠나기 전에 자국의 왕이나 실권자의 여행 편의 요청 서한 혹은 면담 요청 서한 같은 것을 지참해서 도움을 받았을 수도 있을 것이다.

이븐 바투타를 제외한 여행가들은 교황, 왕, 기독교 교단이 파견하거나 그들의 임무를 수행했다. 그러나 이븐 바투타는 그런 신분이 아니라 일반인 여행가이다. 그래서 이븐 바투타가 여행기에 적은 나라들을 모두 실제로 방문한 것인지 의문스럽다. 숙박, 여권이나 통행증, 신변안전 등이 자연적으로 해결되는 것도 아니고 입국 거부될 수도 있고 효과적인 교통편이 없이 도보로만 여행한다면 여행 기간이 몇 배 길어질 수밖에 없었을 것이다. 이러한 사정을 감안하면 그 많은 나라, 그 오랜 기간을 실제로 여행했을 거라고 믿어지지 않는다.

아래 내용은 유명한 여행가들의 여행기에 관하여 국내 인터넷에 공개되어 있는 글이나 백과사전 등을 인용하거나 편집하면서 간략히 기술하였다.

동북아인들의 서역 여행

동아시아로부터 서역(중앙아시아, 인도, 동남아)으로의 여행은 대다수 구법승들이었는데, 법현의 불국기, 현장의 대당서약기, 혜초의 왕오천축국전, 그리고 송운 기행(개인 여행경험 위주), 의정, 엔닌의 여행기 등이 있다. 구법승들의 서역 여행은 당시 중국에 와 있던 인도인들로부터 여행 정보를 받거나 그들로부터 일부 일정이나마 현지 지인의 도움을 받도록 협조를 받았지 않았을까 추측된다.

법현의 불국기(佛國記)
(337-422)

중국 동진의 승려 법현은 장안을 출발해 육로로 험준한 파미르고원을 넘어 6년 만에야 인도 굽타 제국에 도착한다. 출발 당시 이미 60대였던 법현이 노구를 이끌고 먼 여행을 떠난 것은 불교의 발상지인 인도에서 불법을 직접 연구하기 위해서였다. 법현은 인도 곳곳을 돌아보며 불교 유적을 순례하고 불경을 수집한다. 법현은 지금의 스리랑카까지 여행한 뒤에 바닷길로 다시 중국으로 향한다. 그러나 폭풍우를 만나 지금의 인도네시아 자와섬으로 배를 돌리는 고초를 겪은 끝에 413년 무렵 중국 산동성으로 돌아온다. 법현은 귀국 후 『불국기(佛國記)』라는 인도 여행기를 남긴다. 『불국기』는 중국인이 쓴 인도 기행문 중 가장 오래된 것으로서, 이 무렵 인도와 중앙아시아의 역사와 풍속을 보여 주는 귀중한 사료이다. (출처 : 세계사와 함께 보는 타임라인 한국사, 다산에듀)

현장법사 대당서역기 여행 루트
(602-664)

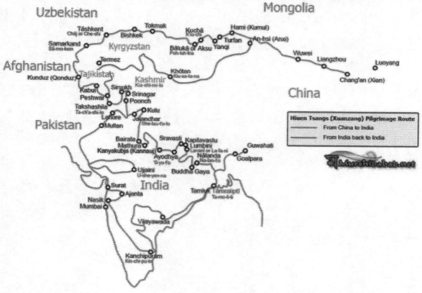

Hiuen Tsangs (Xuanzang) Pilgrimage Route from China to India and return

혜초 왕오천축국전
(704-787)

혜초의 여행 출발 시기는 명확치 않으나 대략 723년 이후이고 여행을 마치고 돌아온 것은 733년이다 (출처 : 다음백과).

1권. 필사본. 총 6,000여 자로 두루마리 형태인데, 일부분만이 현존한다. '오천축국으로 여행갔던 기록'이라는 말로, 천축국은 인도이며 오천축은 인도가 넓기 때문에 동서남북과 중앙의 다섯 지방으로 구분해 한꺼번에 부른 이름이다. 1908년 3월 프랑스의 탐험가 펠리오가 중국 둔황[敦煌]의 천불동(千佛洞) 석굴에서 발견한 문서 속에 포함되어 있었다. 〈왕오천축국전〉은 앞뒤 부분이 떨어져 나가 책이름과 저자를 알 수 없었으나, 펠리오가 당(唐)의 혜림(惠琳)이 지은 〈일체경음의 一切經音義〉라는 불경 주석서로 이를 알아냈다.

원래 이 책의 원본은 3권이었다고 하나, 현존본은 사본(寫本)으로 전체내용인지 요약본인지를 알 수 없다. 내용은 중부 인도 갠지스 강 유역의 마가다국(Magadha : 지금의 비하르) 기행에서 시작한다. 이 나라는 16대국(大國) 중 하나로 불교가 가장 성행해 유적도 많은 곳이나, 혜초 방문 당시에는 힌두교가 보다 성행했다. 그는 여기서 서북쪽으로 쿠시나가라(Kusināgara : 지금의 카시아)로 갔는데, 이곳은 석가모니가 입멸(入滅)한 곳이다.

그는 이곳에 다비장(茶毘場)과 열반사(涅槃寺) 등이 있음을 기록했다. 1개월 동안 다시 남쪽을 여행해 바라나시(Varanasi)에 이르렀는데, 여기에는 석가모니가 처음 설법한 녹야원(鹿野苑)이 있으며, 약 1세기 전에는 당나라의 현장(玄奘)도 찾아왔던 곳이다. 다시 동쪽으로 가 라자그리하(Rājagrha 王舍城)에서 최초의 사원인 죽림정사(竹林精舍)를 참배하고, 〈법화경〉의 설법지 영취산(靈鷲山)을 방문했다.

그리고 남쪽으로 가 세존이 대각(大覺)을 이룬 부다가야(Buddahagaya)를 거쳐, 서북쪽으로 향해 중천축국의 수도 카나우지로 갔다. 이곳에 대한 기록에는 큰 나라로 왕은 코끼리 900마리를 지니고 그 아래의 대수령들은 200~300마리를 가졌다고 썼다. 여기서 인도 전역의 기후와 풍속을 총괄적으로 서술했는데, 예를 들어 음식은 멥쌀로 빚은 떡과 미숫가루·우유·소금 등이 있으며, 장(醬)은 없다고 했고, 가축을 기르지 않지만 소만은 즐겨 기른다고 했다.

다음 여행지는 남천축국인데 현재의 데칸 고원이다. 여기에는 과거에 불교가 성해 산중에는 용수보살(龍樹菩薩)의 신력(神力)으로 세웠다는 큰 사원이 있었으나, 당시에는 폐허였다. 이후 그는 다시 서북쪽으로 향해 서천축국을 거쳐 북천축국을 방문했다. 즉 지금의 파키스탄 남부 일대와 간다라 문화 중심지를 차례로 들렀다. 이어 북쪽의 현재 카슈미르(Kashmir) 지방을 거쳐 대발률(大勃律)·소발률(小勃律) 등을 방문한 후, 이번에는 거꾸로 간다라 지방을 거슬러 내려오면서 스와트·길기트·페샤와르 등지를 거쳐 그 북쪽에 있는 오장국(烏長國)·구위국(拘衛國) 등을 답사했다.

이곳은 모두 투르크족이 지배하고 있지만, 불교가 상당히 널리 믿어지고 있다고 기록했다. 이후 실크로드를 따라 서부 투르키스탄(Turkistan) 지역에 가면서 그의 오천축국 순력은 끝난다. 그 지역에 있던 투카라(吐火羅 : 아프가니스탄과 소련의 국경지대)에서 상당 기간을 머물면서 그지방의 인물이나 풍속 등을 기록했다. 특히 이 지역이 동서교통의 요지인 관계로 인근 여러 곳에 관한 지식을 얻어 페르시아나 사라센, 동로마 제국까지 언급했다.

이후 파미르 고원을 넘어서 당의 안서도호부(安西都護府)가 있는 쿠차(Kucha)에 도달하는 727년 11월에 이 여행기는 끝난다. 이 책은 그

보다 1세기 앞서 여행했던 현장의 대당서역기(大唐西域記)나 법현(法顯)의 불국기(佛國記) 등에 비해 서술은 간략하나 사료적 가치는 뒤지지 않는다.

전술한 여행기는 6~7세기의 인도정세에 관한 자료이지만, 〈왕오천축국전〉은 8세기 인도와 중앙 아시아에 관한 것으로 세계에서 유일한 기록이다. 이 책은 1909년 중국 학자였던 뤄전위[羅振玉]가 〈둔황석실유서 敦煌石室遺書〉 1집에 수록해 학계에 알려지게 되었고, 1915년 일본의 다카쿠스[高楠順次郎]는 혜초가 신라의 승려라는 것을 밝혀냈다. 현재 파리 국립도서관에 소장되어 있다.

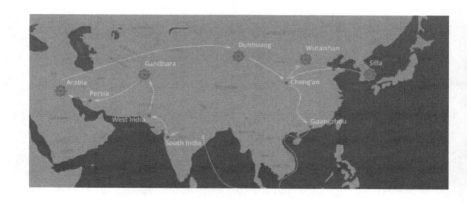

서양인들(이슬람인 포함)의 동아시아 & 세계 여행

서양인들의 동아시아 여행은 카르피니, 루브룩, 오도릭, 마르코폴로, 이븐 바투타 등이 유명하다. 이들의 여행 거리는 동아시아의 구법승들이 중앙아 또는 동남아를 통해 인도를 여행한 것과는 달리 비교가 안 될 만큼 먼 거리이고 여행 국가들도 많다. 그러나 여행 연도가 구법승들의 서역 여행기는 5~8세기인 반면 서양인들의 동아시아 여행기는 13~14세로서 시기적으로 500~800년의 차이가 있다. 서양인들의 동아시아 육로 여행은 콘스탄티노플, 흑해 근방까지 이미 몽골제국의 일원적인 지배하에 있었고 교역과 교류를 장려했기 때문에 여행이 종전보다 크게 증가한 것으로 판단된다. 카르피니, 루브룩, 오도릭, 마르코폴로의 여행 경로는 이븐 바투타에 비해서는 비교적 단순한 편이다. 교황, 프랑스 왕, 기독교 단체가 파견했다는 점에서 그들로부터 여행 편의 혹은 여행에 필요한 지원을 받았을 것이며, 실제 여행에 신뢰성이 간다. 마르코폴로의 경우도 아버지, 삼촌이 동방 무역에 종사하던 상인이고, 쿠빌라이 칸, 교황의 서한을 전달하는 등으로 미루어 실제 여행에 바탕을 두고 여행기가 작성되었을 것으로 보인다.

그러나 이븐 바투타의 여행기는 상기 여행가들과는 달리 순수히 일반 여행객으로 보인다. 일반 여행객이 그 긴 세월과 그 막대한 여행 경비를 감당해가며 거의 일평생을 여행할 수 있을까 하는 의문이 든다. 만약 모로코의 왕실이나 실력자가 정치적인 상업 목적에서 여행가를 든든히 지원하지 않는 한 이븐 바투타처럼 여행하는 것은 사실상 불가능 한 것으로 여겨진다. 이븐 바투타의 여행이 자국의 왕이나 실력자들에게 별반 도움이 될 것처럼 보이지도 않는다. 그리고 여행 경비, 여행 사전 준비, 건강 등을 감안할 때 여행가 한 사람이 감당할 수 있는 한계를 훨씬 초과하는 것으로 보인다. 더구나 그가 여행에서 돌아와 무엇을 했는지도 알려진 게 없다.

막연히 추측건대, 여러 사람의 여행기를 모아서 혹은 그 당시 파악된 여행 정보를 모아 '이븐 바투타'가 여행한 것처럼 쓴 것이 아닐까 하는 생각도 들고. 혹은 이븐 바투타의 여행 루트가 바닷길을 많이 이용한 것으로 볼 때, 그가 탕헤르의 부자 상인으로 배편으로 무역하러 또는 선원으로 여러 나라를 다니면서 실제 방문지의 항구 인근 지역을 여행하기도 하고 대륙 내부의 먼 거리 나라들에 관해서는 간접적으로 파악한 정보를 토대로 여행기를 기술하였을 수도 있을 것으로 추측도 된다.

카르피니
(Giovanni de Piano Carpini, 1185~1252)

출처 : 플라노 드 카르피니의 『몽골인의 역사』에 보이는 몽골사 인식
https://www.kci.go.kr > kciportal > ciSereArtiView

1234년, 우구데이 카안은 바투를 총사령관으로 하는 '제2차 서방 원정군'을 파견하였다. 이 원정군은 킵차크 초원과 동유럽, 러시아 등을 정복하였다. 그 결과 서유럽은 '지옥에서 보낸 타르타르의 공포'에 휩싸이게 되었고, 교황은 다시 있을지 모르는 몽골의 공격에 대한 대책을 강구하게 되었다.

그리하여 카르피니는 교황이 몽골의 군주에게 보내는 두 통의 편지를 들고, 1245년 4월 6일 리옹을 출발하였다. 험난한 여정에도 불구하고 1246년 7월 22일 카라코룸 근처에 도착해 새로운 대칸으로 선출되는 구육의 즉위식에 참석하는 행운을 누렸다. 그런 다음 같은 해

11월 13일 카라코룸을 출발해 1247년 가을 리옹에 도착했다. 그는 귀환 도중 루시에서, 그 동안 보고 들었던 것을 토대로 『몽골인의 역사』(Historia Mongalorum)라는 보고서를 작성하여 교황에게 바쳤다.

보고서의 내용을 보면, 먼저 몽골의 자연과 기후, 종교, 관습 등에 대해 간명하게 서술하였다. 이어서 칭기스가 몽골고원의 유목민을 통합하는 과정, 몽골 군대의 편제와 구성 원리, 몽골 대칸의 위엄과 몽골군대의 엄격한 군율에 대해서 기술하였다. 그리고 몽골인의 전투방법, 정복지역에 대한 관리에 대해서 기술하였다.

카르피니는 대몽골국의 내부 문제에 대해서도 관찰하고 기록하였다. 제국의 행정을 책임지고 있던 친카이, 카닥, 발라 등 고위 관리들을 만나기도 하였다. 카르피니는 구육 칸을 직접 만났으며, 다른 사람의 말을 통해 그가 기독교도라고 적고 있다. 물론 구육이 기독교에 우호적이었던 것은 사실이지만, 그렇다고 해서 다른 종교에 비해서 특별대우를 해준 것은 결코 아니었다.

유라시아를 아우르는 세계 제국으로 웅비하고 있던 대몽골국의 수도인 카라코룸에는 다양한 이방인들이 존재하였다. 카르피니는 몽골에 체류하는 동안 러시아와 동유럽에서 오거나 끌려 온 사람들을 만났고, 그들로부터 몽골의 내부사정에 대한 정보를 얻어들었다. 특별히 언급해야할 것은 '솔랑기(Solangi)'에서 보낸 사신에 대해 여섯 차례나 언급하고 있다는 사실이다. 몽골 사람들은 지금도 한국을 '솔롱고스(Solon γ os)'라고 부른다.
태어나서 처음으로, 그것도 사전정보조차 불충분한 상황에서 몽골에 다녀온 카르피니의 여행기록은 비록 4개월 정도의 짧은 체류기간이 었지만, 예리한 눈으로 관찰하고 다양한 정보를 수집하였다. 어떤 부분에서는 카르피니의 몽골어와 몽골 역사에 대한 이해가 부족한 면이 보이지만, 비교적 객관적으로 기록했다고 할 수 있다.

그러나 한편으로 그들 '타르타르(몽골)'의 야만성과 폭력성, 파괴와 살육 등을 과장하여 기술한 측면도 부인할 수 없다. 게다가 카르피니의 사행 목적은 몽골 정탐과 몽골의 서방세계 위협론을 과장할 필요가 있었으며, 몽골에 대항할 연합세력은 로마 교황이 중심이 되어야한다는 당위성을 강조할 필요가 있었던 것이다.

루브룩
(William of Rubruck, 1220-1293)
https://en.wikipedia.org/wiki/William_of_Rubruck

프랑스 프란체스코회 수도사로, 교황 이노켄티우스 4세 및 프랑스왕 루이 9세로부터 몽골의 대칸에게 보내는 서한을 가지고 로마 가톨릭교를 포교하라는 명을 받아 몽골로 파견되었다(1253). 루브릭은 말하자면 프랑스 왕의 특사 신분으로 몽골을 방문했으므로 대칸 혹은 유력 실세를 면담하는 것은 어려운 일은 아닐 것이다. 여행 경로는 콘스탄티노플-일한국의 크림반도 Sudak-킵차크한국 볼가강 근처 Sarai- Karakorum(울란바토르에서 서쪽으로 360km)의 여정 9,000km를 우마차, 말로 여행했다. 1253년 9월 16일 출발해서 12월 하순 목적지 도착해서 1254.1.4. 몽케칸을 만나고 1254.7.10.까지 Karakorum에 체류했다. 이 당시에는 몽골제국 지배하에 있어 여정이 멀긴 해도 유럽인들이 여러 목적으로 여행을 한 것으로 보인다.

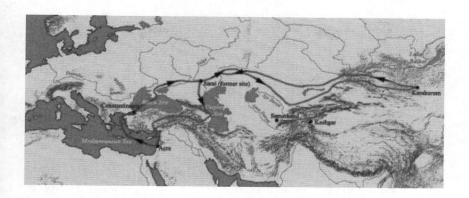

마르코폴로 동방견문록

Marco Emilio Polo (1254-1324)의 1271-1295 기간 여행한 기록

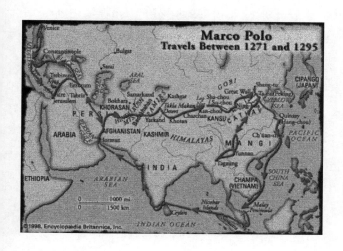

마르코 폴로는 1254년경, 이탈리아의 상업도시 베네치아에서 무역상의 아들로 출생하였다. 마르코 폴로의 여행기는 사실 그의 아버지로부터 시작된다. 마르코 집안은 베니스에 근거지를 두고 콘스탄티노플에 무역 거점을 두고 있었는데 그의 아버지 니콜로와 삼촌 마페오는 당시 정세(4차 십자군 전쟁, 라틴 제국, 비잔틴 제국 사이의 충돌)를 감안 1260년 콘스탄티노플 거점 자산을 정리하여 크림 반도의 Soldaia/ Sudaq/Sudak/Sudag로 옮겼다. 이 지역은 몽골 제국의 Batu가 건국한 킵차크 칸국(Golden Hord)의 지배하에 있었다. 당시 국제 여건상 단기간 내에 콘스탄티노플로 돌아오기가 어렵다는 걸 알게 된 니콜로, 마페오 형제는 킵차크의 수도 Sarai(Volga 강 하류)로 갔다가 이후 일한국의 Bukhara(우즈벡 수도 사마르칸드에서 서쪽으로 자동차편으로 4시간반 거리)으로 갔다.

이들은 이 당시 킵차크, 일한국 관계가 좋지 않아 Bukha에서 3년간 머물게 되었다. 이때 일한국의 칸 훌라구의 메신저(大使)을 알게 되어 그와 함께 북경으로 여행하여 쿠빌라이 칸을 만날 수 있었다. 그들은 귀로에 쿠빌라이 칸으로부터 교황 앞 서한을 받아 가지고 왔는데, 기독교와 서양 관습을 알려줄 잘 교육받은 사람 100명과 '예루살렘의 램프' 오일(올리브 오일)을 보내 달라는 내용이었다. 니콜로, 마페오 형제가 북경에서 떠날 때 쿠빌라이 칸은 그들을 大使(Koeketei)로 임명하고 여행 편의를 위해 paiza(*)를 제공했다. 이들이 이탈리아로 왔을 때 교황 교체기여서 이들은 1271년에야 새로 선출된 Gregory X를 만날 수 있었다. 니콜로, 마페오 형제가 콘스탄티노플에서 북경까지 갔다가 베니스로 돌아오기까지 약 10년이 걸렸다.
* Paiza는 1피트x3인치 크기의 golden tablet의 특별 통행증 혹은 여권에 해

당하며, 소지자들에게 숙식과 말, 여행 편의가 제공된다. 몽골 제국의 외교관 혹은 고위 관리에게 제공되었으나, 교역 증진을 위하여 '외국인 파트너 상인들'(ortoq)에게도 부여했다. 남용이 심해 간헐적으로 감독 또는 금지되기도 했다. 이 통행증은 몽골 제국때 처음 나온 것이 아니라 그전에 요, 금, 서하 등에서 이미 사용되었다고 한다.

이들이 베니스에 1269년/1270년에 돌아와 2년후 마르코 폴로를 데리고 교황의 쿠빌라이 칸 앞 친서와 선물을 가지고 북경으로 다시 여행을 떠났다. 마르코 폴로는 1275년 11월 당시에서부터 1292년 2월 당시까지 관리로서 원나라를 위해 일했다. 17년 동안 쿠빌라이 칸은 마르코 폴로와의 대화를 즐겼으며 중국의 여러 도시와 지방을 비롯하여 몽골·부르마·베트남까지 다녀오도록 했다. 쿠빌라이 칸은 마르코 폴로의 귀국을 허락지 않다가 그의 딸 Kokochin이 일한국의 칸 Arghun과의 결혼을 위해 보낼 때 마르코 폴로에게 호위토록 부탁했다. 그러나 그녀가 일한국에 도착했을 때 Arghun는 사망한 뒤여서 그의 아들 Ghazan과 결혼했다.

* 13세기 기독교(교황, 프랑스 등)-몽골제국 칸국들간 수차 상호 접촉하였는데, 이슬람에 대항하는 공동 전선 형성 이외에 기독교 수용 요청, 조세 납부 등이 주로 관심이었단 것 이 매우 흥미롭다.

마르코 폴로는 1292년에야 고향으로 돌아왔다. 마르코 폴로와 그의 아버지, 삼촌 3인의 여행에 관한 것임에 비추어 실제 여행에 토대를 두고 작성한 것은 거의 확실한 듯하다. 게다가 쿠빌라이 칸의 부탁을 받고 혹은 교황의 부탁을 받고 친서를 전달하였기 때문에 여행 편의도 상당히 도움을 받았을 것이다. 마르코 폴로는 귀국 후 제노바와의 해전에서 포로가 되어 고생하기도 했다. 마르코 폴로는 제노바 전쟁

포로 시절 1년간 감옥 생활하면서 그의 여행 이야기를 동료들에게 구술로써 들려 주었는데, 이때 작가 루스티치아노(Rusticiano, 루스티켈로 다 피사)가 그의 해박한 발언 및 구술 관련 여행담을 기록한 것이 바로 동방견문록이다.

마르코 폴로는 그가 여행한 지역의 방위와 거리, 주민의 언어, 종교, 산물, 동물과 식물 등도 언급하고, 일본에 대해서도 언급하고 있다. 그러나 중국의 문화인 한자(漢字), 차(茶)에 대한 언급도, 뿌리깊은 악습인 전족(纏足)에 대한 언급은 없다. 칼리프가 바그다드의 기독교인을 학살하려고 했다면서 이슬람교가 마치 다른 종교를 탄압한 종교라고 비판했는데 이는 기독교−이슬람간의 십자군 전쟁 등으로 인한 편견일 수도 있다. 일본을 "지팡구", 황금으로 가득한 땅이라고 하여 유럽인들의 호기심을 자극했다.

국내외적으로 학자들 중에는 마르코의 동방견문록이 실제 여행을 하고 기술했는지 진실 공방이 뜨겁다. 그가 실제로는 동방을 여행한 적이 없으며, 동방견문록 또한 자신이 실제로 여행하고 겪은 일을 쓴 기행문이 아니라 누군가로부터 들은 것이거나 자신이 지어낸 것이라고 추정하기도 하는데 아래 등을 근거로 제시하기도 한다.
− 만리장성, 중국의 기술이나 관습 등에 대한 언급이 없거나 미흡하다.
− 동방견문록에는 마르코가 쿠빌라이 칸을 알현했고, 황제의 칙사를 지냈다고 하나 중국 문헌에는 그런 언급이 없다.
− 기행에 자기 자신의 감정이 전혀 서술되지 않았다.
− 여행중 마르코 본인에 대한 언급이 거의 존재하지 않는다.

* 상기 주장들에 대해 아래와 같은 반대 의견도 제시될 수 있을 것 같다.

– 여행객이 그 나라의 중요하다고 여겨지는 것을 모두 다 기술하지는 않으며 큰 관심을 두지 않는 한 일부 혹은 상당히 언급조차 하지 않을 수도 있다.

– 황제 또는 실력자들은 문서상 등재하지 않고 지식인이나 식객들을 얼마든지 대우하고 업무를 맡길 수도 있다.

만리장성 축조 역사는 길지만 현 만리장성은 대다수 명대에 축조되었다.

– 중국어, 한자 습득이 충분치 않은 한 여행지명을 정확히 적고 기억하기는 어렵고 800년 이상 이전의 시대라는 점에서 요즘 여행안내서처럼 적는 것을 기대하기 어렵다.

– 마르코 폴로 본인이 여행록을 직접 기술하지 않고 대필시켰기 때문에 본인 감정이나 시각을 기술하는데 미흡할 개연성도 있다.

그러나 다른 학자들은 마르코 폴로의 동방 여행 자체는 분명한 사실이며, 이러한 의구점은 마르코 폴로가 일부 지역에 대해 자신의 바람과 더불어 입소문을 함께 사실로써 기록해 서술했기 때문이라고 반박한다. 현재 학계에서 해당 내용은 여전히 많은 논란이 되고 있으나, 여전히 동방 여행에 대해서는 사실이라고 여기는 의견이 대다수이다. 본인이 여행을 안했더라도 그의 아버지와 삼촌의 여행담을 듣고 기술했을 가능성도 있어 책의 내용이 전혀 근거 없는 것은 아닐 것이다.

오도릭
(Odoric of Pordenone, 1286 – 1331)

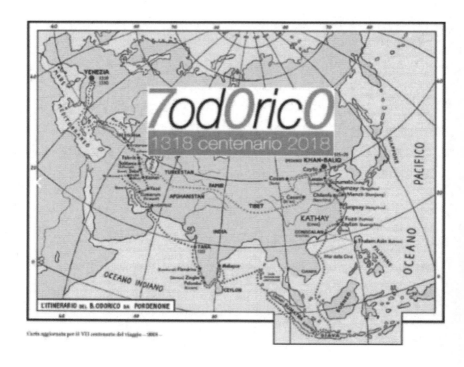

이탈리아 출신의 프란시스코 신부로 1318년부터 1330년에 걸쳐 베니스, 콘스탄티노플, 이라크, 이란, 인도양, 수마트라, 자바, 보르네오, 남중국해, 중국 연안 도시들, 북경, 귀로는 좀 불명확하지만 몽골, 티벳, 라싸, 파미르 고원, 이란 북부, 아프간 북부, 투르크메니스탄 남쪽, 카스피해 남쪽 경로를 이용한 것으로 보인다. 그의 여행경로는 갈 때 육로 내륙, 돌아올 때 해로를 이용한 마르코폴로와는 달리 갈 때 해로, 돌아올 때 육로 내륙을 이용했다. 그의 여행은 종교적인 주 임무였지

만, 외교적인 임무도 있었던 것으로 보여진다.

이븐바투타
(Ibn Battuta, 1304, Tangier ~ 1368/69, 1377, Morocco; Muslim explorer and writer)

이븐 바투타(아랍어: ابـــن بـــطوطـــة, Ibn Battuta, 1304년 2월 24일 ~ 1368년/1369년)는 중세 아랍의 여행가, 탐험가이자 유명한 여행기(리흘라, Rihla)의 저자이다. 이븐 바투타의 여행기는 당대 대부분의 이슬람 국가들, 아프리카 북단, 중동, 사하라 이남의 말리, 스페인 그라나다, 흑해, 카스피해, 아랄해의 연안 지역들, 이란 북부, 우즈벡, 아프간, 델리 등 인도 북서부, 인도 서부 해안, 동인도양, 자바, 수마트라, 베트남 연안, 중국 광조우, 북경, 아라비아 반도의 메카, 아덴, 아프리카 동부 해안의 케냐 등 세계 유명 여행가들 누구보다도 광대한 지역을 돌아본 여행가이다.

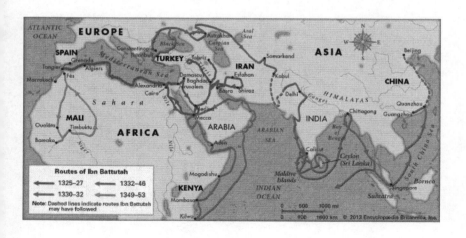

그의 여행 거리는 약 12만km로 마르코폴로의 2만4천km의 5배이고 지역, 나라 수도 몇 배나 된다. 그의 여정은 위 지도에서 보듯이, 1325-27년 기간 지중해 연안의 아프리카 북부, 멕카, 레반트 지역, 1330-1332년 기간 홍해, 아프리카 동부 인도양, 아라비아반도 절반 이남의 바다 루트이다. 1332-1346년 기간에는 킵차크 왕국의 흑해 북부, 카스피해, 아랄해 근처, 중앙아시아, 이란, 인도, 인도양의 몰디브, 인도양 뱅갈만, 스리랑카, 수마트라, 베트남, 광조우, 북경 등에 이르는 지역, 1349-1353년 기간에는 아프리카 북서부 지역의 말리와 이베리아반도의 안달루시아 지역에 이르기까지 당시 세계 문명 도시에서 유럽과 한국, 일본을 제외한 거의 모든 지역을 방문한 것으로 되어있다. 이븐 바투타의 여정은 해로를 최대한 많이 활용한 것으로 보아 이 사람이 모로코의 상인 또는 선원으로 배편으로 여행하면서 항구로부터 거점을 정해 여행하거나 여행 정보를 취득한 게 아닐까 추측된다.

여행 기간이 28년이나 되고 여행거리, 여행국 수가 워낙 많아 이 많은 나라들을 한 사람이 다 여행했을 거라고 믿기는 어렵다. 서구 학자들도 이븐 바투타가 자신이 구술한 지역을 모두 방문하였다고 보지는 않고 있다. 자신이 직접 방문하지 않은 지역의 이야기는 이전에 그 곳을 방문한 다른 여행자들의 이야기를 참고하였을 것이라고 본다. 그러나, 이러한 의구심들에도 불구하고 이븐 바투타의 여행기가 14세기 이슬람 세계에 대한 중요한 자료라는 점에는 변함이 없다.

이븐 바투타는 각 나라의 풍습, 여정에서의 해프닝, 문화적 차이를 많이 기술하고 있다. 술탄의 부탁을 받아 임무를 수행하거나 여행지에서 잠정기간 일자리를 얻어 일하기도 하는데 뜨내기 여행객을 어떻게 믿고 그런 임무를 맡길 수 있을 건지 등도 다소 의문이 든다. 사실 특별한 신분이나 재력을 확인하지 않은 상태에서는 객지에서 왕이나 귀족을 면담하거나 특정 임무를 맡거나 일자리를 얻기란 상상도 하기 어렵다. 그런 점에서 이븐 바투타의 여행기는 여러 여행가들의 여행담을 이븐 바투타가 듣고 구술하였거나 이븐 바투타의 구술을 청취한 이븐 주자이가 이븐 바투타의 여행담에 많이 추가했을 개연성이 높다.

이븐 바투타가 여행이 끝난후 어떻게 살았는 지에 대해서는 알려진 것이 거의 없다. 말년에 모로코의 법관으로 생활하였으며 1368년(또는 1369년)에 사망했다는 정도이다.

15. 16세기 조선 왕조, 명국, 스페인의 민족 문학과 서자 문제

16세기는 민족 문학들이 꽃피는 시기였던 같다. 우리나라에서는 허균 (10 December 1569 ~ 12 October 1618)이 최초의 한글 소설 홍길동전이 나오고 그로부터 오래지 않아 춘향전이 나왔다. 영국에서는 셰익스피어(26 April 1564 ~ 23 April 1616)가 햄릿을, 스페인 제국에서는 세르반테스(29 September 1547 ~ 22 April 1616)가 돈키호테를 썼다. 춘향전의 저자와 저작연대는 미상이나 일부에서 남원의 의병장 조경남(1570~1641)이 성이성이 어렸을 때 그의 선생이었던 점 등에 비추어 그 저자로 추정하고 있다. 4인 모두 생몰년도가 비슷하다. 춘향전 같은 아름다운 소설이 나와도 영어, 스페인어로 쓴 것만큼 춘향전이 국제적으로 널리 읽히고 알려지지 않은 것은 매우 안타까운 일이다. 춘향전 같은 소설이 영국이나 스페인에서 나왔다면 세계적인 베스트셀러로 오래전에 알려지지 않았을까 싶다. 국력이 문학 작품의 국제 인지도에까지 영향을 준다는 점을 생각하니 안타까운 생각이 든다.

16세기 후반 17세기 초 활동하던 3국의 문학가들이 모두 민족 문학 작품을 저술한 데다 허균과 셰익스피어는 서자, 서얼 신분의 인물을 작품 속에서 직접 다루고 있다. 세르반테스는 작품 속에서 직접 다루지는 않았지만 숨겨둔 Promontorio, Isabel이라는 두 자녀가 있었다고 최근 연구 결과가 보도된 바 있다. 스페인에서는 서자는 친부가 인정할 때 까지는 성을 써지도 못했고, 한 집에서 키우지 않았다. 당시 이 작가들은 모두 왕권신수설과 같은 권위주의적인 왕정체제하에 살았고 세 나라 모두 서자 문제를 안고 있었다.

서자 문제를 소설 속에서나마 적극적으로 해결하려고 한 것은 방안은 비현실적이지만 허균이 셰익스피어나 세르반테스보다 앞서 나가고 있다. 이 사회 문제에 관한 해결은 민주주의 향상을 통해 점진적으로 개선된 것 같다. 영국은 왕의 무한 권력을 제한하는 방향으로 체제를 전환시켜갔고 프랑스는 대혁명을 통해 신분철폐, 인권평등 방향으로 세상을 진보시켜나가면서 서자문제를 자연스럽게 해결해 나갔다. 특이한 것은 조선에서는 왕을 폐위시켜도 처형하지는 않았고 왕정체제의 근간이 외부의 충격(한일합방)에 의해 망할 때까지 유지된 반면, 서양에서는 영국과 프랑스에서는 왕이 처형되면서 입헌군주제 혹은 공화정으로 바뀌고 모든 인간이 평등하다는 만민평등사상으로 세상을 바꾼 것이 다르다. 사회를 스스로 개혁하지 못하는 나라는 진보할 수 없음을 보여 주는 하나의 증거로 보인다.

16세기 한국, 영국, 스페인에서 나타난 민족 문학, 서자 등 신분에 의한 차별 문제와 더불어 흥미로운 것은 활자에 의한 문학 작품 인쇄이다. 셰익스피어, 세르반테스의 작품들은 그들 생전에 이미 인쇄되어 사회적으로 인기를 얻었다. 우리나라는 세계에서 가장 먼저 금속활자를 개발하고 인쇄 기술이 세계적으로 앞서 있었지만, 인쇄 기술을 통한 서적 보급, 지식 공유에 거의 활용하지를 못했다. 그저 구전 또는 필사본이 고작이었다. 자칫 춘향전 같은 소설을 쓰다가 혹은 읽다가 발각되었다간 사회적으로 매장당하는 것을 두려워했을 것이니 활자본으로 인쇄를 하는 것은 생각도 하지 못했던 것 같다.

서자 홍길동전

홍길동전은 적서차별의 문제를 소재로 삼아 소설을 전개한다. 물론 동정이 가는 일이지만 당시 사회상을 돌아보면 적서 차별은 어찌 보면 차별도 아니다. 왜냐하면 부모가 모두 천민이거나 부모중 한 사람이 양반도 아닌 평민 또는 천민인 경우 더 심한 차별을 받기 때문이다. 양반 자녀의 적서차별은 그나마 다행인 셈이다. 그의 생각으로부터 왕정 체제를 타파하고 공화국을 세우는 것을 기대하는 것은 너무나 조급한 기대일 것이다. 사회 차별 문제도 양반 위주의 생각을 벗어나지 못하고 있기 때문에 사회 전체의 평등 개념을 기대하기는 더 더욱 어려울 것이다.

홍길동은 율도국에 가서 왕이 되어 선정을 베푼다. 율도국이 대마도, 류큐(오키나와) 혹은 인천 앞바다 어디라는 설이 있지만, 허균이 그런 구상을 하게 된 배경에는 서양인들의 동아시아 진출 등에 관한 인식이 어느 정도 영향을 준 것이 아닐까 하는 생각도 든다. 허균의 이복형 허승이 임진왜란 직전 정사 황윤길, 부사 김성일과 일본도 다녀오고 허균 본인이 연경을 방문하기도 했는데 그런 과정에서 서양인의 동양 진출에 관해 어느 정도 인지하고 있었을 것이다.

서자가 지휘하는 무적함대와 세르반테스

16세기에는 조선왕국에서는 물론 스페인 제국에서도 서자는 아버지를 아버지로 부를 수도 없었다. 스페인 왕 Carlos I (신성로마제국 황제 Carlos V)에게는 혼외 아들 Jeronimo이 있었는데 황실 궁전에서 양육하지 않고 다른 사람에게 의탁하여 키웠으며 1558년 임종이 거의 되어서야 Jeronimo가 자신의 서출 아들이라는 것을 인정했다. Carlos I의 적자 아들 스페인 왕 Felipe II과는 20살 나이 차이이다.

이들은 1559년에서야 처음으로 만나게 되었는데, 이때부터 Jeronimo 라는 이름 대신 Don Juan de Asturias 라고 불리게 되었다. 당시 스페인 제국은 지중해 제해권을 놓고 이슬람과 사이프러스, 말타, 알지에, 튀니스 등에서 대결하고 있었을 뿐 아니라 화란 등에서의 신교도 반란으로 제국은 어려움을 겪고 있었다. Don Juan de Asturias는 Felipe II에게 이슬람과의 전투에 참전할 것을 허가해달라고 요청했으나 처음에는 허락지 않았다. 그러나 이후 Felipe II는 이복동생에게 레판토 해전을 지휘할 총사령관으로 임명했다. 스페인은 이 해전의 승리로 지중해에서 아랍 이슬람으로부터 제해권을 되찾았다. 세르반테스는 24살 때 이 해전에 수병으로 참전해서 왼팔을 잃었는데, 이후 Don Quijote를 써서 스페인어를 근대적인 언어로 만드는데 기여했다.

금수저 서자와 흙수저 서자

1559년 Felipe II와 그의 이복동생 Jeronimo가 처음으로 만날 때 Jeronimo는 Felipe II에게 주인에게 하듯 예우를 깍듯이 표했다. 그날부터 Jeronimo는 Don Juan de Asturias라는 이름으로 불렸다. 호칭은 왕실 적자들에게 사용되는 Highness가 아니라 그보다 낮은 Excellency로 불렸다. 그래도 Jeronimo는 금수저 서자였기에 이름, 호칭에서도 예우를 받고 레판토 해전을 총지휘하는 기회를 갖게 되고, 그후 네들란드 총독으로 지내게 되었다. 그러나 세르반테스는 Don Quijote 출간 이전까지는 변변찮은 시인, 소설가에 불과해서 변변한 자리나 재력은 고사하고 궁핍한 생활을 했다. 군인(수병), 세금 징수관, 이슬람 해적에 억류된 노예 생활, 잦은 단기 감방 출입 등을 전전하던 세르반테스의 일생은 가난과 고단함의 연속이었다. 그의 자녀는 물론 서자들은 말할 것도 없었을 것이다. 그들이 아버지를 아버지라 부르지 못하고 형이라 부르지 못하고 개인이 속한 계층, 소속 집안, 연줄이 그 사람의 평생 팔자가 되었던 것은 16세기 스페인이나 한국이나 유사했던 것 같다.

세익스피어 극에서의 서자들

세엑스피어 작품 King Lear, King John 두 작품에도 서자 인물이 등장한다. King Lear에서 Gloucester 공작의 서자 Edmund는 차별 대우에 불만을 갖고 문제를 일으키는 인물로 나온다. 그러나 이와는 달리 King John에는 착하고도 능력있는 Philip the Bastard가 등장한다.

16. 전대미문의 전지구적 전쟁후 바이러스

Covid-19와의 세계대전

2019년 말 중국 우한에서 바이러스 환자 속출을 계기로 심상찮은 바이러스와의 전쟁이 염려되더니, 급속도로 전 세계로 퍼져나갔다. 중국에 이어 한국, 일본, 이탈리아, 유럽, 동남아, 중동, 중앙아시아, 러시아, 미국, ... 나중에는 이 지구상에 이 바이러스가 창궐하지 않은 곳이 없었다. 독자들은 이 책 저자가 뜬금없이 여행기에 뭔 코로나를 적는지 의아해하시겠지만, 인류 역사상 바이러스 때문에 전 지구적으로 모든 인류가 전천후로 그것도 몇 년간이나 이렇게 시달린 적은 단 한 번도 없다. 그런 점에서 Covid-19는 내 여행에서 매우 기억할 만한 사건이기 때문이다.

WHO는 Pandemic 선언을 미루고 또 미루고 하다가 어쩔 수 없이 선언했다. 많은 나라들은 미국, 유럽, 한국, 일본 등 과학기술이 발전한 나라들이 효과적인 감염검사방안, 백신 예방약이나 치료 약을 개발할 걸로 철석같이 믿었지만, 막상 강풍에 불 번지듯 하니 속수무책으로 국제적인 위상과 명성이 실추당했다. 아니 오히려 자국민들이 수없이 죽어 나가는 데도 효과적인 대처방안이나 안내를 못 하고 우왕좌왕했다.

오히려 선진국 시민들은 정부의 권고나 지시를 일방적인 지시라고 비난하면서 준수를 거부하고 고성, 항의 혹은 시위를 벌였다. 서방에서는 원래 마스크 착용에 관한 거부 반응이 있어 트럼프 대통령마저 마스크 거부의 상징적인 지도자로 자리매김했다.

코로나 바이러스의 기원이 우한 실험실 유출인지, 우한 수산시장인지 혹은 다른 자연발생적 경로인지는 여전히 미궁이었지만, 트럼프는 이 바이러스를 우한 바이러스로 부르며 중국 정부의 무책임한 대처, WHO 통보 지연을 비난했다. WHO 사무총장의 중국 정부와의 유착관계를 의심받은 WHO 사무총장은 곤욕을 치렀다. WHO가 이 바이러스를 Covid-19로 명명했지만, 유럽과 미국에서는 중국인 또는 아시아인들이 길 가다 얻어맞거나 인종적인 무시를 당하는 사례들이 빈발했다.

인류가 이처럼 전 지구적으로 이 지구 어느 구석이든 코로나바이러스와 전쟁을 하지 않는 곳이 없었다. 국가, 사회, 조직, 기관들이 평상시 준수하는 각종 지침, 규범, 관행과 관습이 모조리 깨졌다. 그러나 이미 지킬 수 없는 여건이 되었으면 적절히 변경해서 대처해 나가는 결정을 해야 하는데 바이러스의 정체가 애매모호하여 보건당국의 결정과 권고는 늘 뒷북이거나 그나마 그다지 유효성이 없었다.

질병 당국들은 이 바이러스가 계절과 관계없는 전천후 바이러스라는 것을 알지 못하고 처음에는 겨울이 지나면서 서서히 물러갈 것으로 낙관했다. 그러나 아열대, 열대에서도 죽어 나가는 환자가 속출했다. 이 바이러스의 감염경로도 처음에는 침이 튀기는 반경 거리를 지키면 무사할 줄 알았었다. 마스크 착용을 거부하는 미국, 유럽 시민들도 나중에서야 마스크 착용이 유일한 방패라는 것을 인식하게 되었다. 열대 기후의 나라에서도 마스크를 착용하고 에어컨 바람을 쐬면서도 마스크를 써야 했다.

바이러스가 흩트려 놓은 상황으로 사람들은 오해, 편견, 갈등, 대립으로 어려움을 겪었다. 이 바이러스가 만들어 놓은 개판 세상은 분명히 전쟁 양상인데도 사람들은 그렇게 신속하게 대처하지 못하는 듯했다. 이 난리 통에도 버스, 지하철 탑승 시 마스크 착용을 왜 강요하냐고 고함을 지르거나 몸싸움을 벌였다. 이 바이러스의 내습을 전쟁처럼 대처해야 한다는 데 많은 사람은 공감하고 인식하는 데 차이가 있었고 심한 경우 정부의 지시, 권고를 무시했다. 이 바이러스가 만든 가장 심한 고통은 많은 사람이 사망하는 이외에도 식당, 까페, 영화관, 체육관, 여행업, 숙박업, 항공 여객 등 다중의 사람들이 모이는 영업을 하는 자영업자들이 생계를 이어갈 호구지책 수단을 앗아가는 것이었다. 어려운 사람들이 더 어렵게 되는 세상으로 변모했다. 일부 종교 단체들은 종교 모임을 바이러스가 이 지구를 방문하지 않은 때처럼 극구 대면으로 종교 집회를 하겠다고 했다. 이런 혼란스런 양상들은 유럽, 미국, 한국 등 세계 도처에서 거의 유사하게 발생하는 것 같았다.

Covid-19 전선, 두바이에서의 기억

두바이를 인도인의 낙원, 중동의 천국이라 부르기도 하지만, 두바이가 대륙들의 교통 허브, 비즈니스, 투자, 금융의 허브 역할을 하는 곳이다 보니 자연히 수많은 인종이 만나고 헤어진다. 그래서 두바이는 다양한 사람, 조류들의 만남과 이동의 허브이지만, 질병의 바이러스의 허브이기도 하다. 그래서 웬만한 바이러스는 두바이 공항과 항구를 다 거쳐 간다.

2019년 말 우한에서 발생한 Covid-19가 두바이를 비켜 갈 리 만무하다. 아니나 다를까, 2020년 1~2월부터는 이 바이러스가 슬금슬금 두바이로 밀고 들어왔다. 이즈음 한국은 세계 제2의 코로나바이러스 감염국이 되었다. 나는 두바이 이민청장, 두바이 질병청장, 두바이 공항공사 사장 등을 방문해서 한국이 감염자 통계 숫자가 세계 2위인 것은 한국 정부가 투명하게 관리하고 시민들이 감염을 감추지 않기 때문이라고 설명하면서 한국인 여행객, 기업인들의 두바이 방문이나 경유 때 다른 국적자들에 비해 최소한 차별을 하지 말아 달라고 부탁했다. 사우디 또는 휴양지 섬으로 여행하던 우리 여행객들이 두바이 국제공항에서 최종 목적지 당국의 거부로 항공편 탑승이 거부되자 두바이 당국이 우리 국민을 차별한다고 오해하고 있었다.

2020.4월 두바이 국제공항이 폐쇄되고 에미레이트항공사의 Air 380 항공기의 모든 운영이 중단되고 전시용 항공기처럼 줄지어 있었다. 두바이 왕국은 모든 공공 혹은 민간의 차량 중단을 요청하고 영사단에도 공관당 지정하는 2대의 차량 이외는 모든 공용, 개인차량의 운행 중단을 요청하고 준수하지 않을 시 건당 1천 달러의 미화 벌금을 부과한다고 발표했다. 아울러 모임을 주선하는 자는 5만 달러, 참석자는 1만 달러에 해당하는 벌금을 부과한다고 공지했다. 영사관들은 영사 관계에 관한 비엔나협약을 근거로 투덜댔지만, 워낙 사정이 위급한지라 어느 총영사관도 대놓고 두바이 정부의 조치를 비난하지는 않았다. 셰이크가 통치하는 나라는 민주주의 나라처럼 토론 절차나 관행이 없어 의사결정도 신속했다.

당시 우리 총영사관은 국회의원 재외선거를 앞두고 현지 사정상 부득이 선거 시행이 어려운 사정을 본국에 설명해야 했다. 이때 두바이 상주 총영사관들은 자국민들의 본국 송환을 지원하는 데 매달렸는데, 우리 총영사관도 두바이 공항 폐쇄로 두바이 공항 또는 두바이에 억류된 우리 여행객들을 위하여 귀국 임시 항공편들을 파악해서 공관 홈페이지 등을 통해 정보를 제공했다. 이란 거주 우리 재외국민 두바이 DWC 공항 경유 지원은 그래도 상황이 조금 나았던 3월에 이뤄졌기 때문에 다행이었다.

소수 인력으로 운영되는 주 두바이 총영사관은 코로나 특수로 업무가 폭증했다. 우선 공관의 업무 분담을 평상시 정무, 경제, 문화가 아니라 Covid-19와 관련된 재외국민, 기업인 지원, 주재국과 두바이의 출입국, 경유 정보 파악 공지를 위하여 주력도록 직원들 업무를 배분했다.

두바이 국제공항은 외국인이 가장 많이 이용하는 만큼 두바이 출입국, 경유 정보가 우리 여행객에게는 중요했다 일반 우리 여행객들이 헷갈리는 것은 아부다비, 두바이는 UAE의 일원인데, 보건 방역 정책은 조율은 하지만 유사시에는 사실상 완전히 다르게 운영하는 것이었다. 두바이는 보건 방역, 출입국 이민정책, 법원, 경찰 등을 아부다비 에미레이트 또는 연방과는 달리 독자적인 행정체계와 조직을 보유하고 운영해왔다. 에미레이트항공(emirate airline)을 탑승하고 두바이로 입국할 때 적용되는 비자, 방역 조건과 에티하드 항공(etihad airways)을 타고 아부다비로 입국할 때 적용되는 비자, 방역 조건이 다르니 헷갈릴 수밖에 없었다. 한술 더 떠서 두바이로 입국한 여행객은 물론 UAE 자국인들도 아부다비로 여행하려면 하루 전 PCR 검사 확인서를 받아서 두바이와 아부다비 경계에서 제시해야 했다.

우리 총영사관은 두바이-아부다비 통과 요건 (양측은 같은 UAE의 일원이지만 보건 정책상으로는 사실상 다른 나라였다), PCR 음성 확인서 지참 요건 등을 파악해서 공관 홈페이지에 공지했다. 두바이 이외의 다른 나라들, 미국, 유럽, 중앙아시아, 그리고 한국 등으로부터도 두바이 공항 입국, 경유 정보, PCR 요건, 비자 정보 등에 관해 전화벨은 24시간 시도 때도 없이 걸려 와 모든 직원이 진땀을 뺐다.

재외국민 혹은 동포가 사망했을 때 코로나 땜에 가족들이 방문이 어려워 현지에 아무도 오지 못하거나 동서남북도 모르는 가족이 1~2명 오게 되니 공관 영사가 코로나로 사망한 재외국민 장례를 위하여 통역과 상주 역할을 대신해야 할 지경이 되었다. 나는 사전에 현지 장례, 운구 절차를 세세히 파악해서 매뉴얼로 만들어 놓도록 영사에게 지시했다. 두바이 당국에서는 시신을 현지에서 화장하는 것을 권고하지만 굳이 희망하는 경우 운구해 갈 수 있다고 했다. 대개 현지 화장 후 재 형태를 유골함을 지참해 가거나 가족이 아무도 오지 못하는 경우 영사가 공관에 잘 보관하고 있다가(항공화물로 보내는 경우 380만 원 정도의 비용 필요), 행정원들이 본국 휴가 때 가져가 인천공항에서 가족에게 전달토록 했다. 본국 휴가 가는 여자 행정직원에게 유골함 지참해서 전달해 드리라고 부탁하기는 힘든 상황인데도 기꺼이 마다하지 않고 그렇게 협조했다.

두바이는 국제 항공편만 많은 게 아니다. 여러 대륙을 오가는 선박들도 부식공급, 유류 공급, 휴식, 질병 치료 등을 위해 라쌀카이마(Ras Al Khaimah)로 항구로 많이 내왕했다. 여기서도 문제가 불거졌다. 한국인 국적 선장과 기관장들이 운항하는 2척의 외국 국적 선박에서 코로나가 발생하여 삽시간에 승선원 전체의 절반 또는 2/3가 감염되었다. 한국인 선장들도 감염되었다. 라쌀카이마 항구로 입항하면 이민. 세관당국은 정박만 허용하고 승선원이 누구든 선박에서 내려 두바이 혹은 라쌀카이마 영토로 내리도록 허용하지 않았다. 당국은 필요한 물, 주유, 식품과 부식 등은 선박의 에이전트를 통해 바다 위에서 공급하도록 한다는 방침을 가지고 있었다. 그들은 인도발 델타 변이 때문에 여하한 예외를 인정할 수 없다고 버텼다.

델타 변이 코로나에 확진되면 3일 만에 사망하기도 하여 선박 안에 갇힌 신세가 된 승선원들은 공포에 떨고 있었고 현지 당국은 요지부동으로 땅에다 발을 딛게 할 수는 없다고 했다. 우리 승선원들은 당시는 국내에 백신 확보 물량이 턱없이 부족하여 예방 접종을 못 한 채 출항한 상태였다. 나는 담당 영사를 현지로 먼저 보냈다. 대사관과 공조를 취하면서 현지 이민당국, 보건당국 총책임자에게 전화를 걸어 즉시 면담 요청을 하는 한편 감염자들이 하선해서 치료받게 해달라고 하소연했다. 이렇게 해서 우리 선장들에 한해 하선시켜 의료 비자를 받아 입국 절차를 거쳐 병원을 보내고 다른 외국인 선원들은 하선해서 이민국 구역의 별도 장소에서 치료 및 추가 감염을 방지토록 임시 조치했다.

모든 공관 직원들이 고생에 고생을 거듭했지만, 특히 두 동포 영사의 강직한 임무 수행은 감동적이었다. 2021년 상반까지만 해도 코로나 감염의 결과는 심각한 폐 손상이나 여타 후유증 혹은 죽음을 의미하는 것인데도 그들은 사선을 오가며 재외국민 보호 역할에 매우 충실했다. 그들의 역할과 헌신을 자랑스럽게 여기고 감사하게 생각한다.

길거리에서 마스크 쓰고 건물 안에서 마스크 벗는 한국인

우리 정부는 K방역의 우수함을 널리 홍보했었는데, K방역의 1등 공신들은 우리 국민의 마스크 착용 습관과 이전부터 잘 확립된 의료보건 인력과 체계, 인력, 장비와 시설이다. 유럽인과 미국인들의 마스크 착용 거부 반응과는 달리, 아이러니하게도 황사와 미세먼지가 한국인의 마스크 착용 습관을 이미 정착해놓은 덕분에 유럽, 미국에서와 같은 대혼란은 없었다.

칭찬과 비난이 공존하고 아쉬움이 없는 것은 아니지만, 우리 정부가 어느 정도 코로나 대처를 잘 했다고 본다. 코로나 확산 방지, 감염 방지에서 가장 중요한 것은 마스크 착용 습관인데 이미 우리 사회에는 황사와 미세먼지 땜에 마스크 쓰는 것을 정부가 권고하기 전에 이미 습관이 되어 있었다. 수년 전 메르스가 발병했을 때 라틴 아메리카에서는 당시 아무도 신경도 쓰지 않는데 라틴 아메리카를 방문하는 우리 여행객들은 마스크를 착용하고 있어 현지인들은 모두 의아해하던 기억이 있다.

그런데 우리나라에는 코로나 상황에서 자영업자들의 식당, 까페 등 업소 영업을 전면 금지할 수 없어 제한적이나마 영업을 허용하다 보니 길거리에서는 마스크를 착용하고 식당 안에 들어가면 모두 마스크 벗고 식사하는 진풍경이 속출했다.

한여름 무더위 속에 길거리 마스크 착용

한여름 날씨는 무덥다. 서울 시내를 걷다 보면 나를 제외하고는 거의 모두 마스크를 착용하고 있다. 유독 한국의 도심에서 이런 현상이 두드러지게 눈에 띄었다. 우리 정부에서도 실외에서는 마스크를 벗어도 좋다고 하는 데 왜 쓰는 걸까? 한 지인은 걷다가 가게 들어가거나 지하철 들어갈 때 썼다 벗었다 하는 것이 귀찮고 불편해서 그냥 계속 쓴다고 했다. 그래도 의문이 다 풀리지 않았다.

코로나가 우리 사회와 각 개인들에게 생활방식 면에서 혹은 심리적으로 엄청난 변화를 초래하고 있다. 우리 습관과 관행, 일반적인 경향을 바꿔가고 있다. 코로나가 언제 모두 사라질지 모르지만, 이전으로 돌아가기 어려울지 모르겠다. 아래 기사는 코로나로 인한 우리 사회 일부의 심리 변화 사례의 하나이다.

[서울=뉴시스]박선민 인턴 기자 = 코로나19 확산세 감소로 일본 정부가 실외 마스크 착용을 하지 않아도 된다고 권고했지만 젊은이들은 마스크를 '얼굴팬티'라고 칭하며 마스크 벗기를 거부하고 있는 것으로 알려졌다. 이를 두고 한국 네티즌들은 "발상이 일본스럽다"는 반응을 보였다.

지난 31일 요미우리신문에 따르면 여름을 맞아 일본 정부는 실외에서는 마스크 착용을 하지 않아도 된다고 했지만 일본인 대부분은 주변 시선을 신경 써 여전히 실외에서도 마스크를 착용한다고 한다. 요미우리는 "마스크를 벗는 것이 마치 속옷을 벗는 것과 같다는 의미에서 마스크를 '얼굴 팬티'(顔パンツ·가오판쓰)라고 부르는 젊은이들도 있다"고 보도했다.

한편 마스크 벗기 꺼려하는 분위기 탓에 일본에서는 열사병 환자가 거의 매일 발생하고 있는 것으로 알려졌다. 지난 10일에도 한 초등학교에서 체력 테스트를 마친 학생 8명이 두통과 메스꺼움을 호소해 병원에 실려 갔고, 같은 날 다른 초등학교에서도 체육 수업에서 릴레이 달리기를 한 아이들 17명이 열사병 증상을 호소해 이 중 1명이 병원 이송됐다.

일부 청소년 사이에서 '마스크 벗기'를 극도로 꺼려하는 분위기가 형성되고 있는 것으로 전해졌다. 심지어 마스크를 벗지 않기 위해 점심 식사를 거르는 경우도 있다고 한다. 일부 학생들 사이에서는 허락 없이 타인의 마스크를 내리는 장난도 번지고 있다고 한다. ..... "애들이 트라우마 같은 게 있다. 처음으로 마스크를 벗었을 때 '너 생각한 이미지랑 너무 다르다'라는 애들이 있어서 마스크를 벗는 것 자체를 무서워하는 애들이 많더라"고 설명했다.

17. 앉는 자리와 의전

신성로마 황제 Carlos V의 기마 및 앉은 모습

동서양을 막론하고 위계질서가 있는 국가, 사회에서는 앉는 자리와 의자는 상징적이지만 중요한 의미가 있다. 합스부르그 왕가 스페인 제국의 왕이자 **신성 로마 황제**(Holy Roman Emperor) Carlos V가 의자에 앉아 있는 모습은 보통 사람과는 다르게 느껴진다. 그가 교황 클레멘트 7세로부터 신성로마 황제 왕관을 받으러 볼로냐를 방문했을 때 황제의 권위는 교황보다 못지않을 만큼 대등한 것을 기마 모습에서 볼 수 있다.

'고두의 예'와 건륭제를 방문한 매카트니 卿

과거 중국 대륙의 왕조들이 **고두의 예**를(kowtow: 무릎을 끓고 머리를 땅에 대어 절하는 존중을 표하는 중국식 인사) 강요하여 외국의 사신들에게 천자국의 지위를 각인시키려는 의도는 잘 알려진 사실이다.

외국 사신이나 청(Qing)의 황제나 고위 인사를 방문시에는 중국 왕조들은 그림과 같이 '고두의 예'를 요구해왔다. 이 전통이 처음으로 예외 인정을 받은 것이 1793년 영국 왕 George III의 대사로 Macartney 卿이 청 건륭제 방문 때 처음으로 이 예를 따르지 아니하고 서양에서 왕에게 인사하는 방식으로 타협했다.

중국 황제의 취임식과 같은 큰 행사의 경우 삼배구고두례(三拜九叩頭禮 : three kneelings and nine kowtows)를 시행했는데 3번 무릎을

끓고 한번 무릎을 끓을 때마다 3번씩 머리를 땅에 대고 절해야 했다. 병자호란 때 인조는 삼전도에서 이 삼배구고두례의 예를 청 황제에게 표하여야 했다.

트럼프 미국 대통령의 북한 인사 접견 의전

트럼프 대통령이 집무실에서 김영철을 접견하는 것으로 보인다. 크게 예우를 갖춘 것은 아니나 격의없이 대화하는 모습이다. 김영철의 트럼프 면담 위, 아래의 모습이 상당히 다르다.

둥근 테이블에 양측 정상이 나란히 앉아 있고 의전상 균형감이 있다.

「Vucic 세르비아 대통령-Trump 대통령 회동 의전」 조롱 소동

2020.9.6. Zakharova 러시아 외교부 대변인은 Vucic 세르비아 대통령과 트럼프 미국 대통령간의 회동 사진(Vucic 대통령이 트럼프 대통령 책상 앞에 앉아 결재받는 듯한 느낌)과 영화 '원초적 본능(Basic instict)' 속의 사진 한 컷을 함께 올려 트윗하면서, 당신이 백악관이 초청받았을 때 심문하는 듯한 의자가 있다면 아래처럼 다리를 꼬고 앉는 게 좋겠다고 논평했다. Vucic 대통령이 심하게 불만을 토로하자 푸틴 대통령이 사과했다. Zakharova도 본인은 미국의 오만함을 표현코자 한 것인데 오해를 일으켜 미안하다고 사과했다. 러시아에게는 Vucic 대통령의 이 미국 방문 자체가 못마땅한 것이지만 관계 악화를 바라지 않아 상황을 무마한 것으로 짐작된다.

아베 총리의 고위인사 접견

아베 총리를 만난 때 꽃무늬 의자는 아무에게나 내놓지 않는다. 강경
화 외교장관(2018.7.8.), 구테흐스 유엔 사무총장(2017.12.14) 면담
을 보면 국가원수(급) 의자는 꽃무늬이고 각료용은 엷은 분홍색이다.
일본 의자 의전의 차등 기준이 어느 정도 일관성은 있는 듯 하지만 바람직해 뵈이지는 않는다. 우리 정치인들이 외국 정상(시진핑, 아베)에게 머리 숙여 인사하는 습관은 소속 정당과는 무관하다. 국내 유권자들에 대한 정중한 인사 습관이 외국 정상 면담 때에도 그대로 나타나는 것으로 짐작된다.

시진핑 주석의 한국 고위인사 접견 의전 변화

시진핑 주석의 외빈 접견 의전 양상(좌석 배치)이 크게 바뀌었음을 보여주고 있다. 국가를 대표하거나 공인의 자리에 있는 분들은 과도하게 머리를 숙여 인사하는 것은 의도적으로 삼갈 필요가 있다. 그리고 등급이 떨어지는 좌석에 앉지 않도록 사전에 협의하도록 할 필요가 있다. 외국 국가 원수 예방, 면담 때 인사, 좌석 등에 관하여 미묘한 차이는 그들이 우리를 어떻게 예우하는 지를 보여준다. 주권 평등이라는 말이 있지만, 국가간의 관계에는 보이지 않는 자리매김이 존재하는 경우가 많다.

2014.10.14. 김무성 새누리당 대표
2015.4.15. 김장수 주중대사 신임장 제정
2017.5.19. 이해찬 특사
2018.3.12. 정의용 국가안보실장

18. 해외의 환인들

해외 한인들은 꿈을 위해 살고 땀과 근면으로 그 꿈을 이루려고 한다. 외교부가 파악하는 재외동포의 수는 대략 700여만이다. 이들은 세계 각지에서 다양한 분야에서 활동하며 우리나라와도 유대관계를 갖고 있다. 우리나라와 같이 재외국민이 많은 나라들로는 이탈리아, 스페인, 폴투갈, 레바논, 화교, 필리핀 등의 나라들이 있다. GDP 대외 의존도가 많은 우리나라로서는 재외국민, 재외동포는 대한민국의 큰 힘이다.

우리나라 재외국민, 재외동포들은 거주국에서 건전한 시민으로서 활동하면서 한인 커뮤니티의 위상, 이미지를 제고하는데 노력하고 있다. 커뮤니티가 큰 재미동포, 중국동포, 재일동포 이외에도 중앙아시아의 고려인, 브라질, 아르헨티나, 멕시코 등의 한인들의 숫자와 활동도 커지고 있다.

큰 나라 한인회는 지역별로 한인회가 여럿 있지만 한인 규모가 크지 않은 대다수 나라는 한 나라에 하나의 한인회가 있다. 한인회장과 임원진 그리고 각종 한인 직능단체 관계자들은 대다수가 그야말로 봉사직으로 본인 돈, 시간을 써가며 묵묵히 일하는 분들이다.

캘리포니아, 로스앤젤레스 지역은 해외 한인사회의 가장 큰 축으로 역사와 활동이 두드러진 곳이다. 구한말 일제 강점기부터 도산 안창호 선생 초기 이민자들과 대한인국민회 그리고 안수산 여사, 김창준 하원의원, 영 김 하원의원, 미셸 스틸 박 하원의원, 최석호, 강석희 어바인 시장 등이 활동해온 곳이다.

미주동포는 세계에서 규모가 가장 한인 동포 지역이다. 한인 정치력 신장, 주류사회진출, 다른 인종 커뮤니티와의 유대강화 등은 가장 중요한 목표들이다. 이를 위해서는 한인 2세들과 한인 직능단체들의 활약이 기대된다.

내가 거주했던 마드리드, 아테네, 스톡홀름, 까라까스, LA, 보고타, 볼리비아의 라빠스, 산타크루스, 코차밤바, 코스타리카 산호세, 두바이 한인회와 한인들의 모습이 눈에 선하다. 모두가 열심히 살고 인정 많은 애국자들이었다.

해외 한인단체 중 내 기억에 가장 인상적이었던 것은 강태홍(Tiger Kang)씨가 설립하여 운영했던 PAVA이다. 그는 한인 2세 청소년 학생들이 LA River, Griffith Park, Malibu, Santa Monica 등 LA지역 곳곳에서 주말마다 청소 봉사 활동을 주선하고 지원했다. 그는 한인 2세들의 봉사정신을 함양하고 한인 이미지 제고, 주류사회 진출을 목표로 했으며, 주말에는 사물놀이 또는 각종 스포츠 프로그램 등을 운영하여 한인 정체성 함양에 힘썼다. 그가 보여준 LA시장, 시의원 등 LA 지역 유력 인사들과의 유대, LA의 Pasadena에서 개최되는 Rose Parade 한인 학생들의 참여, 한인 학생들의 Kodak 극장 공연 등은 그의 기발한 아이디어와 열정과 노력의 결과였다.

2012년 나는 볼리비아 최대 인구 도시이자 상업 도시인 Santa Cruz에 소재하는 한인이 설립한 대학을 방문한 적이 있다. 내가 볼리비아를 떠난 몇 년 후 2019년 볼리비아 한인이 대통령 후보로 출마했다는 뉴스를 보았는데, 그가 그 대학 설립자의 아들 정치현이었다. 머잖아

그가 큰 꿈을 꼭 이루기를 기원한다. 그는 해외 한인과 한인 커뮤니티의 숨은 잠재력을 보여주었다.

지도, 그림, 사진의 출처

10	Oud	https://en.wikipedia.org/wiki/Oud
10	Lute	https://simple.wikipedia.org/wiki/Lute
10	mandolin	https://www.collinsdictionary.com/ko/dictionary/english/mandole
10	Vihuela	https://latradicionmusic.com/la-tradicion-serenata-vihuela/
10	Charango	https://fnewsmagazine.com/2013/06/charanguista/
10	중세 그림 3점	https://en.wikipedia.org/wiki/Medieval_art
10	보티첼리 Primavera 그림	https://en.wikipedia.org/wiki/Primavera_%28Botticelli%29
10	보티첼리 비너스탄생 그림	https://en.wikipedia.org/wiki/The_Birth_of_Venus#/media/File:Sandro_Botticelli_-_La_nascita_di_Venere_-_edited.jpg
10	다빈치 최후의 만찬 그림	https://en.wikipedia.org/wiki/Leonardo_da_Vinci
10	다빈치 모나리자 그림	https://en.wikipedia.org/wiki/Leonardo_da_Vinci
10	미켈란젤로 피에타 조각	https://commons.wikimedia.org/wiki/File:Michelangelo%27s_Piet%C3%A0,_St_Peter%27s_Basilica_%281498%E2%80%9399%29.jpg
10	미켈란젤로 다비드 조각	https://en.wikipedia.org/wiki/Michelangelo
10	미켈란젤로 천지창조 그림	https://en.wikipedia.org/wiki/The_Creation_of_Adam
10	미켈란젤로 최후의 심판 그림	https://smarthistory.org/michelangelo-last-judgment/
10	티치아노 Carlos V 승마초상	https://commons.wikimedia.org/wiki/Category:Charles_V_at_Muehlburg_by_Titian
10	루벤스 FelipeII 승마초상	https://commons.wikimedia.org/wiki/File:Philip_II_rubens.jpg
10	벨라스께스 FelipeIV승마초상	https://en.wikipedia.org/wiki/Equestrian_Portrait_of_Philip_IV
10	v. Dyck Charles I 승마초상	https://en.wikipedia.org/wiki/Equestrian_Portrait_of_Charles_I
10	T. Gericault 경마	https://gustavomirabalcastro.online/en/art/a-horse-painter-theodore-gericault/
10	지오르지오네 그림	https://en.wikipedia.org/wiki/Sleeping_Venus_(Giorgione)
10	티치아노 그림	https://mymodernmet.com/venus-of-urbino-painting-titian/
10	티치아노 그림	https://en.wikipedia.org/wiki/Titian
10	티치아노 그림	https://en.wikipedia.org/wiki/Titian
10	벨라스께스 그림	https://en.wikipedia.org/wiki/Rokeby_Venus#/media/File:RokebyVenus.jpg
10	고야 그림	https://en.wikipedia.org/wiki/Francisco_Goya#/media/File:Maja_vestida_(Prado).jpg
10	고야 그림	https://en.wikipedia.org/wiki/La_maja_desnuda
10	마네 Olympia 그림	https://en.wikipedia.org/wiki/Olympia_(Manet)#/media/File:Edouard_Manet_-_Olympia_-_Google_Art_ProjectFXD.jpg
10	마네 그림 모작	The downgrading of Olympia on Behance
10	마네 그림 모작	Contemporary Beauty Ideals - Motiv: Manet's Olympia 2009
10	브뤼겔 그림	https://www.artsy.net/article/artsy-editorial-mysteries-pieter-bruegel-elders-peasant-paintings
10	브뤼겔 그림	https:https://commons.wikimedia.org/wiki/File:Pieter_Bruegel_the_Elder_-_Hunters_in_the_Snow_%28Winter%29_-_Google_Art_Project.jpg//www.bbc.com/culture/article/20140826-the-time-travelling-painter
10	엘그레꼬 그림	https://www.bbc.com/culture/article/20140826-the-time-travelling-painter
10	엘그레꼬 그림	https://www.museodelprado.es/en/whats-on/exhibition/el-greco-in-the-prado/ae826170-abdf-4fb7-b3ea-1bf0e6d4950f
10	까라밧지오 그림	https://en.wikipedia.org/wiki/Bacchus_%28Caravaggio%29
10	까라밧지오 그림	https://www.widewalls.ch/magazine/caravaggio-paintings
10	루벤스 그림	https://en.wikipedia.org/wiki/Peter_Paul_Rubens
10	루벤스 그림	https://commons.wikimedia.org/wiki/File:Peter_Paul_Rubens_-_Man_in_Korean_Costume,_about_1617.jpg
10	벨라스께스 그림	https://en.wikipedia.org/wiki/Las_Meninas
10	벨라스께스 그림	https://en.wikipedia.org/wiki/The_Triumph_of_Bacchus
10	렘브란트 자화상그림	https://www.wikiart.org/en/rembrandt

챕터	내용	출처
2	알렉산더제국 지도	http://www.emersonkent.com/map_archive/alexander_the_great_conquests.htm
2	로마 지도	https://www.vox.com/world/2018/6/19/17469176/roman-empire-maps-history-explained
2	비잔틴, 오스만 지도	https://en.wikipedia.org/wiki/Morea_revolt_of_1453%E2%80%931454
2	알타미라 사진	https://www.cross-country-trips.com/santillana-del-mar-and-altamira-cave
2	메테오라 사진	https://twitter.com/sunnyholidays4u/status/1496160418171133954
2	그리스 도서 지도	https://www.go-ferry.com/ferries-to-greek-islands
2	베니스공화국 지도	https://en.wikipedia.org/wiki/History_of_the_Republic_of_Venice
3	미국 열차노선 지도	https://en.wikipedia.org/wiki/Amtrak
3	Malinche꽃나무사진	http://bsf.catie.ac.cr/listing/malinche-delonix-regia-2739174077.html
3	Malinche꽃나무사진	https://muniorotina.go.cr/index.php/component/content/article/60-gestion-de-ambiental/428-arbol-18
3	아즈텍 피라미드사진	https://www.britannica.com/place/Teotihuacan
3	Diquis stone 사진	https://www.academiatica.com/blog/costa-ricas-balls-of-stone/
3	나스카 사진	https://www.machutravelperu.com/blog/how-were-the-nazca-lines-made
3	꾸스코 사진	https://www.google.com/search?q=peru+hop+sacsayhuamanvihuela&tbm=isch&ved=2ahUKEwiSj-rqn5H8AhUDUM4KHUJHCkgQ2-cCegQIABAA&oq=peru+hop+sacsayhuamanvihuela&gs_lcp=CgNpbWcQAxoECCMQIzoFCAAQgAQ6BggAEAcQHjoICAAQCBAHBB5QtVJYu3MBYJDXAWgAcAB4AIABjgGIAcgRkgEFMT7.8uM T0YAQCgAQGqAQtnd 3Mtd2ISLWtZ 8ABAQ&sclient=img&ei=TvfH Y5KwloOg-QbCqnABA&bih=607&biw=1347&rlz=1C1IBEF_enKR957KR957&hl=en#imgrc=8l3e18Wo_NAWIM
3	마추피추 사진	https://news.yale.edu/2021/08/04/machu-picchu-older-expected-study-reveals
3	라빠스 사진	https://en.wikipedia.org/wiki/La_Paz
3	띠띠까까 호수 사진	https://www.aboveusonlyskies.com/isla-del-sol-lake-titicaca/
3	우유니 염호 사진	https://www.howlanders.com/blog/en/bolivia/how-to-get-to-salar-de-uyuni/
3	스핑크스.피라미드 사진	https://www.worldatlas.com/articles/what-or-who-is-the-sphinx.html
4	GCC 지도	https://en.wikipedia.org/wiki/Gulf_Cooperation_Council
4	Mashreq Magreb 지도	https://www.tradunia.com/blog/diferencias-entre-occidente-arabe-y-oriente-arbe.html
4	MENA 지도	https://en.wikipedia.org/wiki/MENA
4	아랍어사용국 지도	https://www.worldatlas.com/articles/arabic-speaking-countries.html
4	오스만제국 지도	https://theconversation.com/five-things-you-need-to-know-about-the-ottoman-empire-192137
4	무슬림 지도	https://www.pinterest.co.kr/pin/510736413971174870/
5	북극항로 지도	https://www.thetimes.co.uk/article/china-opens-arctic-route-to-europe-vzf7xmchx
6	두바이-시얘틀항공로	http://flightsdubai.org/Seattle/Dubai-Seattle-flights.php5
6	지구둘레 측정 지도	http://www.geo.hunter.cuny.edu/
7	중국 지도	http://afe.easia.columbia.edu/songdynasty-module/
7	몽골 제국/칸국	https://www.worldhistory.org/image/11439/four-khanates-of-the-mongol-empire/
9	TIPINIS 지도	https://www.bbc.com/news/world-latin-america-15138784
9	화란동인도회사무역루트	https://mapsontheweb.zoom-maps.com/post/679699168022888448/by-means-of-the-east-india-company-voc-the

10	렘브란트 그림	https://www.wikiart.org/en/rembrandt
10	고야 그림	https://www.artsy.net/artist/francisco-de-goya
10	고야 CarlosIV 가족 그림	https://upload.wikimedia.org/wikipedia/commons/5/55/La_familia_de_Carlos_IV.jpg
10	마네 그림	https://impressionistarts.com/top-10-paintings-by-edouard-manet
10	마네 그림	https://www.npr.org/2020/01/10/794924761/what-a-way-to-go-even-as-he-died-manet-made-life-affirming-art
10	마네 그림	https://commons.wikimedia.org/wiki/File:Edouard_Manet_022.jpg
10	모네 그림	https://www.artsy.net/artist/claude-monet
10	모네 그림	https://www.claude-monet.com/impression-sunrise.jsp
10	르느아르 그림	https://en.wikipedia.org/wiki/Pierre-Auguste_Renoir
10	르느아르 그림	https://en.wikipedia.org/wiki/Pierre-Auguste_Renoir
10	반 고흐 그림	https://en.wikipedia.org/wiki/Vincent_van_Gogh
10	반 고흐 그림	https://en.wikipedia.org/wiki/Vincent_van_Gogh
10	고갱 그림	https://www.wikiart.org/en/paul-gauguin/areaarea-i-1892
10	고갱 그림	https://www.wikiart.org/en/paul-gauguin
10	소로야 그림	https://www.nationalgallery.org.uk/exhibitions/past/sorolla/what-you-need-to-know-about-sorolla
10	소로야 그림	https://www.google.com/search?q=sorolla&tbm=isch&ved=2ahUKEwjB1NOL6NL8AhUX0Is BHY0EBgsQ2-cCegQIABAA&oq=sorolla&gs_lcp=CgNpbWcQDFAAWABgAGgAcAB4AIABAIgB AJIBAJgBAKoBC2d3cy13aXotaW1n&sclient=img&ei=SsnIY8GHHpeg r7wPjYmYWA&bih=607& biw=1330&hl=en#imgrc=LQlV3r2nexW_ZM
10	피카소 게르니카그림	https://en.wikipedia.org/wiki/Guernica_(Picasso)
10	디에고 리베라	https://spanishmama.com/diego-rivera-famous-paintings-12-works-you-need-to-see/
10	디에고 리베라	https://spanishmama.com/diego-rivera-famous-paintings-12-works-you-need-to-see/
10	프리다 칼로	https://www.wikiart.org/en/frida-kahlo/frieda-and-diego-rivera-1931
10	프리다 칼로	https://www.wikiart.org/en/frida-kahlo/the-two-fridas-1939
10	보떼로	https://publicdelivery.org/fernando-botero-mona-lisa/
10	보떼로	https://www.artsy.net/artwork/fernando-botero-concierto-campestre-2
10	보떼로	https://andina.pe/agencia/noticia-los-90-anos-botero-historia-detras-los-dos-cuadros-pinto-sobre-pablo-escobar-889579.aspx
10	세계에서 가장 비싸게 팔린 그림들	mymodernmet.com/most-expensive-paintings/
12	쇠고기 부위별 명칭	https://www.directoalpaladar.com/cultura-gastronomica/las-piezas-de-ternera-y-sus-usos-en-la-cocina
12	돼지고기 부위별 명칭	https://agroalimentariachico.com/cuales-son-las-partes-comestibles-del-cerdo/
13	몽골 제국 지도	https://mongoliannomadic.com/mongol-empire/
13	알렉산더 제국 지도	https://www.khanacademy.org/humanities/world-history/ancient-medieval/alexander-the-great/a/alexander-the-great
13	페르시아 제국 지도	https://en.wikipedia.org/wiki/Achaemenid_Empire#/media/File:Achaemenid_Empire_at_its_greatest_extent_according

		_to_Oxford_Atlas_of_World_History_2002.jpg
14	현장 여행경로 지도	https://www.rarebooksocietyofindia.org/postDetail.php?id=196174216674_10151407389516675
14	혜초 여행경로 지도	https://asia.si.edu/exhibition/hyecho-an-eighth-century-buddhist-pilgrim/
14	루브룩 여행경로 지도	https://factsanddetails.com/china/cat2/4sub8/entry-5483.html
14	오도릭 여행경로 지도	http://www.pordenonewithlove.it/en/content/odorico-700
14	마르코폴로 여행경로	http:// www.emersonkent.com/map_archive/marco_polo_travels.htm
14	이븐바 여행경로 지도	https://www.britannica.com/biography/Ibn-Battuta
16	티치아노 CarlosV 기마상 그림	https://en.wikipedia.org/wiki/Charles_V._Holy_Roman_Emperor
16	티치아노의 CarlosV 초상	https://en.wikipedia.org/wiki/Charles_V._Holy_Roman_Emperor
16	'고두의 예' 그림	https://twitter.com/pashz7/status/1318564767695593474
16	건륭제-매카트니 인사 의전 그림	https://en.wikipedia.org/wiki/Macartney_Embassy#/media/File:The_reception_of_the_diplomatique_and_his_suite._at_the_Court_of_Pekin_by_James_Gillray.jpg
16	트럼프 북한인사 접견 사진	https://www.joongang.co.kr/article/23307482#home
16	트럼프 북한인사 접견 사진	https://www.joongang.co.kr/article/23307482#home
16	트럼프 북한인사 접견 사진	https://news.mt.co.kr/mtview.php?no=2019022722505577721
16	Vucic-트럼프 의전 사진	https://twitter.com/leonidragozin/status/1302570423842988033?lang=ga
16	아베의 고위인사 접견 사진	https://www.yna.co.kr/view/PYH20171221247200073
16	아베의 고위인사 접견 사진	https://www.mofa.go.jp/fp/unp_a/page4e_000735.html
16	아베의 고위인사 접견 사진	https://www.ajunews.com/view/20171218085303039
16	시진핑의 고위인사 접견 사진	https://v.daum.net/v/20130123173521590
16	시진핑의 고위인사 접견 사진	https://v.daum.net/v/20150415115611560
16	시진핑의 고위인사 접견 사진	http://www.freedomnews.co.kr/news/articleView.html?idxno=2967
16	시진핑의 고위인사 접견 사진	https://v.daum.net/v/20180326154449312

어느 외교관의 유럽, 미국, 중남미, 중동 여행과 회상

자연과 사람들, 역사와 문화를 찾아서

발행일 | 2023년 3월 27일

지은이 | 전영욱
펴낸이 | 마형민
편   집 | 신건희
펴낸곳 | (주)페스트북
주   소 | 경기도 안양시 안양판교로 20
홈페이지 | festbook.co.kr

ISBN 979-11-6929-221-4 03980
값 22,500원

* (주)페스트북은 '작가중심주의'를 고수합니다. 누구나 인생의 새로운 챕터를 쓰도록 돕습니다. Creative@festbook.co.kr로 자신만의 목소리를 보내주세요.